よくわかる

# 株式会社のつくり方と運営

Comprehensible Book of
Making Companies and Administration

小谷羊太　板倉はるみ
佐藤善恵　岡本和弘　共著

'24～'25年版



成美堂出版

# 実はカンタン 株式会社の設立

## その気になれば自分でできる! 細かい注意点を本書でチェック!

### 最低資本金は制限なし!

**1円あればOK**

詳しくは
➡ 33、68ページ

### 取締役数は1名以上

**取締役1名でOK**

詳しくは
➡ 33ページ

## 役員の任期は最長10年

**原則** 取締役は2年、監査役は4年

**特例** 取締役、監査役とも10年まで延長可能

詳しくは
84ページ

## 類似した商号もOK

同一住所でなければ、
同じ市区町村内であっても
類似商号の会社の
登記はOK

詳しくは
76ページ

## 株式払込金保管証明書は不要

株式払込金保管証明書の
添付は必要なし

詳しくは
59ページ

# 本書の使い方

成功する「株式会社のつくり方と運営法」をテーマごとに詳しく解説しています。解説や図表の説明だけでなく……

**■目次や索引を活用する**

何か問題にぶつかったら、目次や索引から該当項目を探してください。必ず解決策が見つかるはずです。

**■巻末のチェック表(250〜252ページ)を活用する**

**●設立までのスケジュール(日程確認チェック表)**

忙しい中で進めなければならない設立準備。まずは予定を立てることがたいせつです。

**●届出書類チェック表**

会社設立時、そして設立後に必要な届出書類を一覧にしています。もれのないよう、確認してください。書式の記載例は、参照ページから確認できます。

**実務重視のわかりやすい解説**

実務を中心に、初心者の目線でわかりやすい解説をしています。

**プラスアルファの情報**

知っておくと得する情報が満載です。Columnもお楽しみに。

4つの会社形態とそれぞれの特徴

会社を設立するなら株式会社

会社の種類を決める

「会社をつくる」という決意ができたら、次に気になるのは会社の種類でしょう。

会社の種類は、**株式会社、合名会社、合資会社、合同会社の4つ**があります。

一般的には株式会社

会社の種類を決めるにあたっては、周囲に与えるイメージも重要です。

合名会社や合資会社は、昔からありますが、社会的認知度が低いなどの理由から、新規設立はほとんどありません。

新規設立される会社の多くは株式会社です。株式会社は、信用面や資金調達において有利といえます。

なお、最近は外資系企業などを中心に合同会社の設立も増えています。合同会社には、定款認証が不要、決算公告が不要などのメリットがあるからです。

しかし、費用面以外のさまざまな特徴についても検討して、総合的に考えるべきです。

簡単に株式会社がつくれる

2006年5月1日の会社法施行以前は最低資本金規制があり、株式会社は1,000万円以上、有限会社は300万円以上の資本金を用意する必要がありました。また株式会社の役員は、取締役3名以上、監査役1名以上の就任が求められていました。

しかし現在は、最低資本金規制はなく、役員も取締役1人でOKであり、簡単に株式会社をつくることができます。

また、従前の有限会社のようにシンプルな運営をすることもできます。

したがって、会社を設立するのであれば、信用、イメージ、社会的認知度をトータルに考えて、**株式会社にするのがよい**でしょう。

Point 1 会社には株式、合名、合資、合同の4つの種類がある。どの形態がいいのか、じっくり考えてみよう。

Point 2 設立や運営手続きの点では、株式会社以外の会社形態のほうが負担は少ないが、株式会社であることのメリットのほうが大きい。

Point 3 信用、イメージ、社会的認知度をトータルに考えると、やはり株式会社がよい。

プラスα Information

合資会社・合名会社

その歴史は14世紀のヨーロッパ陸上交易にまで遡り、日本でも旧財閥系の企業などは合資会社からスタートしています。現在も老舗の造り酒屋では合資会社の形態を続けているところが多くあります。

合同会社

日本版LLC（Limited Liability Company）と呼ばれます。出資者の有限責任が確保されながらも、株式会社のように株主総会をする必要がなく、社員全員の合意によって意思決定をします。

32

第1章●株式会社設立の決意

会社の種類と特徴

「合同会社」は会社法で新しくできた法人形態

| 法人形態の種類 | 株式会社 | 合名会社 | 合資会社 | 合同会社(LLC) |
|---|---|---|---|---|
| イメージ | 「ちゃんとした法人なんですね」 | 「法人？　組合？」 | | 「自由度が高い会社」 |
| 設立に必要な最低人数 | 1人 | 1人 | 2人 | 1人 |
| 役員 | 1人以上 | 業務執行は社員がする（役員という概念がない） | | |
| 定款に関する費用 | 7万円〜9万円（→59ページ） | 定款印紙4万円（定款の認証は不要） | | |
| 登録免許税 | 15万円〜 | 6万円 | | 6万円〜 |
| 出資者の責任範囲 | 有限責任 | 無限責任 | 有限責任または無限責任 | 有限責任 |
| 出資者の呼び名 | 株主 | 社員 | | |
| 最高意思決定機関 | 株主総会 | 総社員の同意等 | | |

※合名会社、合資会社、合同会社の社員とは出資者のことで、一般にいう社員（従業員）とは意味が異なる。

こんなに簡単に株式会社がつくれる



WORD

役員の変更登記

株式会社の役員の任期は、原則として取締役2年、監査役4年です。同一人物が引き続き取締役・監査役に就くときも、役員の変更登記が必要なので、その都度登記費用がかかります。

有限責任と無限責任

会社が倒産した場合の出資者の責任の区別。有限責任の場合は、出資額までだが、無限責任の場合は、出資者が会社の損失をすべて被らなければなりません。

会社を設立するなら株式会社

33

**Pointで重要点をチェック**

確認事項やしなければならないことを整理しています。

**WORDで用語の整理**

聞き慣れない難しい用語や専門用語をわかりやすく説明しています。

※本書は、原則として2024年5月現在の法律および書式に基づいています。
※各URLは、サイトの再構築等により変更される場合があります。

# はじめに

2006年に会社法が施行されてから、最低資本金制度などがなくなり、株式会社を設立するのが容易になりました。とはいえ、会社を設立するためにはたくさんの書類を作成して法務局などへ提出しなければなりません。そして、会社設立後もすぐに必要となる書類はいくつもあります。

会社の設立にあたっては、各種法律の規定に従って、定められた手続きを正しく行わなければなりません。書式の記入ミスなどがあれば受理されないこともありますし、その後必要となる書類についても手続きに遅延などがあれば、思わぬ不利益を被ることもあります。

設立後には税務申告のための準備や各種の会計処理、資金ショートを起こさないための資金繰り、従業員を雇い入れれば源泉徴収事務や社会保険の労務手続きなど、会社を運営するためには営業活動以外にもさまざまな処理や判断が必要になっていきます。

本書ではこれらの煩《わずら》わしい手続きや書式の書き方など、設立の準備段階から運営のしかたまでを幅広く解説しています。さらには、はじめて会社をつくる方であっても失敗しないよう留意すべきポイントを掲げ、専門家に頼らなくても自力で手続きができるような工夫をしています。

すべてのページにおいて、項目ごとに読み切りの形式となっていますので、必要な箇所や興味がある箇所から順に読み進めていただければと思います。

また、経営ノウハウについてもご自身の参考になる箇所があれば大いにご活用ください。

あなたの夢の実現に少しでもお役に立てることを著者一同、心からお祈りしています。

2024年6月　小谷羊太

**注意** 新型コロナウイルス感染症に伴う各種支援については、各省庁・自治体のHP等を確認してください。

# 目次

10000

## 書式サンプル

第 1 章

# 株式会社設立の決意

創業意志の強さの確認

# 強い気持ちが成功に結びつく

## 苦労を納得できる覚悟が必要

「会社が倒産した」「リストラされた」「自分の能力をもっと発揮したい」「会社を設立した友人の話を聞いて自分も独立しようと思った」など、会社設立の動機は人それぞれです。

いずれにしても、「苦労せずに大成功」ということはまずありません。苦労を納得できるだけの**動機の強さ**があるのかどうか、自問自答してみることが必要です。

## 冷静に考える

まだ会社に勤務している人なら、「何がなんでも会社設立」と勢いだけで会社を辞める前に、ちょっと立ち止まって考えてみましょう。最初は副業という形で個人事業を開始する方法や、会社を設立して週末だけ起業家となる選択肢もあるのです。

今は会社設立自体に、それほどお金はかかりません。

でも失敗すれば、お金だけではなく、**費やした時間が無駄になる**のですから、その点は慎重に考えましょう。

## 思い切りもたいせつ

何も考えずにいきなり事業を始めるのは問題ですが、自分にある程度の自信がつけば、思い切りもたいせつです。実際に事業を始めてから気づくこともたくさんあるのです。

## 思いどおりにいかなくて当たり前

事業は準備段階から、想定外のことがたくさん起こります。そのようなときでも、サラリーマンの頃と違って、すべて**自己責任で意思決定**をしなければなりません。

事業を成功させたいという強い気持ちをもって意思決定したときが、起業のタイミングのはず。少々のピンチも思わぬアイデアで乗り切れるものです。

**Point 1** 大きな夢があれば、創業期の苦労は乗り越えられる。

**Point 2** サラリーマンをしながら会社設立という道もある。それでも慎重に判断すべき。

**Point 3** 起業するということは、予想外の出来事に多く直面するということ。

プラスα Information

### 方針変更を恐れずに

事業をやっていく上では、いろいろな数値を客観的に検討することもたいせつですが、勘がモノをいうときもあります。最初に決めたことでも、思うような方向に行かなければ、タイミングを逃さず方針変更をする勇気も必要です。

## 創業にあたっての自己分析

| | | |
|---|---|---|
| 創業の意志は固いか? | □ YES | □ NO |
| 何をしたいかが決まっているか? | □ YES | □ NO |
| どんな苦労にも耐えられるか? | □ YES | □ NO |
| ものごとを冷静に判断できるか? | □ YES | □ NO |
| 柔軟な考えをもっているか? | □ YES | □ NO |
| 上司に信頼されていたか? | □ YES | □ NO |
| 同僚・部下・後輩から好かれていたか? | □ YES | □ NO |
| 運はいいほうか? | □ YES | □ NO |
| 勘はするどいほうか? | □ YES | □ NO |
| お金の準備はできているか? | □ YES | □ NO |
| 将来の自分の姿をイメージできるか? | □ YES | □ NO |
| 人脈は活かせるか? | □ YES | □ NO |
| 独立できるだけのキャリアがあるか? | □ YES | □ NO |
| アイデアをビジネスに活かせるか? | □ YES | □ NO |
| 応援してくれる友人や家族がいるか? | □ YES | □ NO |
| 家族の理解を得ているか? | □ YES | □ NO |

注意:自己分析の参考にする。何個以上が合格というわけではない。

## 家族への説明

●サラリーマンと起業家は基本的な生活スタイルが違う。
●家族に会社を手伝ってもらうことがなくても、きちんと説明をし、家族の理解と協力を得るべき。

### ■お金のこと

サラリーマン

毎月一定の現金等が一定の時期に入る。支出も予測可能。

起業家

事業の成果に左右される。現金が入る時期は一定ではない。家計費は予測可能だが、事業資金が急に必要になったら、個人資金を出さなければならないこともある。事業と家計の両方のやりくりを考えなければならない。

### ■帰宅時間や休日のこと

サラリーマン

休日出勤もあるが、休みはある程度とることができる。

起業家

仕事優先で休みがとれないことも覚悟すべき。

## 「能力」と「興味」のバランス

# 何をビジネスにするのか 自分の強みを分析する

### まずは経験を活かすことを考える

長年勤務した会社で蓄積した**ノウハウ・キャリア・人脈**は、起業する上では大きな武器になります。その点からいえば、経験のない新しい分野で起業するよりも、今までの経験を活かしたほうが成功しやすいでしょう。

しかし、たとえば「技術職」であっても取り扱う分野や対象が違うと、最初からなかなか思いどおりにはならないこともあります。

「経験があるから安心」と安易に考えてしまうのは危険です。経験に固執せず柔軟に考えてみましょう。

### アイデアをビジネスにする

最初から既にアイデアがあるときは、あなたにそのアイデアをビジネスにする能力があるのか、そのアイデアを実現することに興味を持ち続けられるのか、よく考えてみましょう。

もちろん、思いつきもたいせつですが、**市場や成長性を冷静に分析**することも重要です。

同じビジネスでも、付加価値があるかどうかで成功の確率は違ってきます。過去に自分が不便だと感じたことや感激したことなどを分析して、**アイデアを具体的なビジネスにつなげていく**のです。

### スキこそモノの上手なれ

一時期話題になった「オタク市場」。好きだからできる「こだわり」がビジネスにつながる時代です。もし特定の「オタク分野」に強いのであれば、ビジネスにつながるかどうか検討してみる価値はあります。

反対に、好きでもないことを始めると長続きしない可能性が高いでしょう。「**好きか、そうでないか**」は重要な要素なのです。

**Point 1** たとえば「営業経験」でも取り扱う商品や分野が違うと「営業手法」は異なる。

**Point 2** 能力がないのにやりたいこと、能力があるのにやりたくないことを見きわめる。

**Point 3** 「こだわり」をビジネスにつなげる。

**プラスα Information**

**パートナーの選び方**

事業化したい分野に関して、自分に能力が欠けている場合は、人を雇ったり、その分野に強いパートナーを探したりして弱い部分を補う方法もあります。アイデアがあるのに必要な資格がない場合も同様です。
ただし、人を頼るということはリスク要因にもなるので、誰をパートナーに選ぶのかは慎重に考えなければなりません。

## 5つのポイントをチェック

### 知　識

□やろうとしている業種の知識がある。
□特定の資格をもっている。
□業界の事情や慣行を知っている。

### 経　験

□やろうとしている業種の経験がある。
□特定の技術を身につけている。
□長年の経験を活かせる仕事である。
□海外経験がある。

### 能　力

□経営能力（判断力・決断力）がある。
□リーダーシップがある。
□語学力がある。
□資金力がある。

### 興味・熱意

□人を動かす熱意（自信）がある。
□熱中している趣味がある。

### 人脈・情報

□異業種交流会（目的にあったもの）に参加している。
□学生時代の友人と交流がある。
□（情報を得るために）情報発信をしている。

## リスクが小さい起業

**事業に失敗はつきもの。失敗からいかに立ち直るか、小さな失敗から１つずつ成功を積み重ねていくことがたいせつ。**

| | | |
|---|---|---|
| お金をあまりかけずに、労力とアイデアに重点を置いた事業。 | → | 失敗しても、それほど痛手を負わない。取り返しがつく。立ち直りが早い。 |
| 誰にも真似ができない自分だけの事業。 | → | 着実に前進できる。 |
| 自宅を事務所とする。インターネットビジネス。 | → | 最大の固定費である人件費と家賃が不要となる。 |

### 会社と個人事業の比較

# 会社のほうがメリットが大きい

## 儲かるのなら会社のほうが節税になる

税金の計算には、さまざまな条件が関係するので、単純に答えを示すことはできませんが、一般に利益が多ければ多いほど、税金は会社のほうが有利になっていく計算構造になっています。

事業の拡大を目指すなら、やはり**最初から会社を設立して事業を始めるべき**でしょう。会社からもらう給与については個人側で給与所得控除が使える点や、一定の要件を満たす生命保険料が法人の経費になる点など、会社のメリットのほうが大きいのです。

## 法人住民税の均等割に注意

赤字であっても払う税金として、住民税の均等割があります。

所在地と会社の規模によって均等割の金額は異なりますが、**最低でも年間7万円が均等割としてかかる**ので、会社が赤字のときは、この均等割は大きな負担となります。

## 税金以外のメリットも大きい

会社のほうが個人事業に比べてイメージがよいだけでなく、融資を受けやすいというメリットがあります。また、株式発行で出資者を募って資金調達をするという道もあります。取引先（仕入先、販売先）にとっても、個人事業より会社のほうが安心感があります。新規の取引先について「法人でなければならない」と規定している企業もあるぐらいです。

このように**会社にしたほうが取引先拡大のチャンスが大きくなる**といえるのです。

## 優秀な人材を集めやすい

就職先やバイト先を探す場合、同じ採用条件であれば、応募者の優先順位は個人商店よりも会社だと思います。つまり、雇う側から考えた場合、会社のほうがよりよい人材を集めやすいのです。

**Point 1** 所得税は超過累進税率で所得が多いほど税率が上がる。法人税は2種類の税率しかない。

**Point 2** 儲かっていない会社にとって法人住民税の均等割は大きな負担になる。

プラスα Information

**事業の継承** じぎょうのけいしょう

事業の継承を考えた場合も、個人事業より会社のほうが社会的信用を引き継ぎやすいでしょう。

**税務調査の頻度** ぜいむちょうさのひんど

規模や業種などによって異なりますが、一般的に個人事業よりも会社のほうが税務調査（税金の申告が正しいかどうか、税務署などによって行われる調査）の頻度は高いといえます。

## 個人と法人の税金

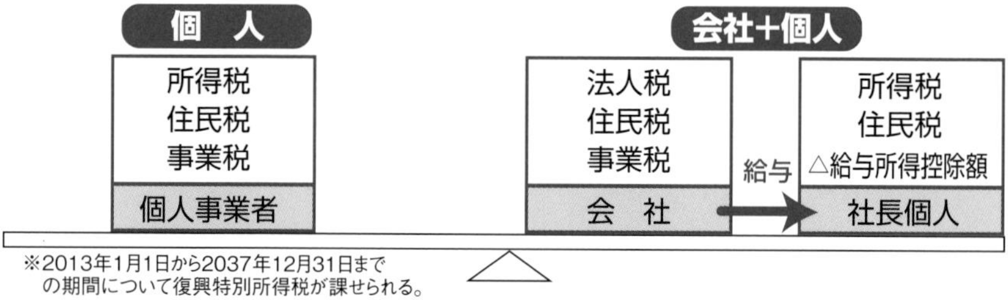


※2013年1月1日から2037年12月31日までの期間について復興特別所得税が課せられる。

## 税金比較（規模の小さい一般の会社が前提）

<table>
<tr><th></th><th></th><th>個人</th><th>会社</th></tr>
<tr><td rowspan="4">税率比較（所得が大きければ法人が有利）</td><td>国税（所得税・法人税）</td><td>税率
<table>
<tr><th>課税所得（各金額部分につき）</th><th>税率</th></tr>
<tr><td>195万円未満</td><td>5%</td></tr>
<tr><td>195万円〜　330万円未満</td><td>10%</td></tr>
<tr><td>330万円〜　695万円未満</td><td>20%</td></tr>
<tr><td>695万円〜　900万円未満</td><td>23%</td></tr>
<tr><td>900万円〜 1,800万円未満</td><td>33%</td></tr>
<tr><td>1,800万円〜 4,000万円未満</td><td>40%</td></tr>
<tr><td>4,000万円〜</td><td>45%</td></tr>
</table>
※2013年1月1日から2037年12月31日までの間に生ずる基準所得税額に対して2.1%の復興特別所得税が課税される。</td><td>税率
<table>
<tr><th>課税所得（各金額部分につき）</th><th>税率</th></tr>
<tr><td>800万円以下</td><td>15%</td></tr>
<tr><td>800万円超</td><td>23.2%</td></tr>
</table>
地方法人税:基準法人税額×10.3%</td></tr>
<tr><td>道府県民税</td><td>税率:課税標準（所得）に対し単一税率4%<br>均等割1,000円</td><td>税率:課税標準（法人税額）に対し単一税率1.0%<br>均等割20,000円〜</td></tr>
<tr><td>市町村民税</td><td>税率:課税標準（所得）に対し単一税率6%<br>均等割3,000円</td><td>税率:課税標準（法人税額）に対し単一税率6.0%<br>均等割50,000円〜</td></tr>
<tr><td>事業税（所得割）</td><td>税率:単一税率。事業の種類により3〜5%</td><td>税率※
<table>
<tr><th>課税所得（各金額部分につき）</th><th>税率</th></tr>
<tr><td>400万円以下</td><td>3.5%</td></tr>
<tr><td>400万円超 800万円以下</td><td>5.3%</td></tr>
<tr><td>800万円超</td><td>7%</td></tr>
</table>
特別法人事業税<br>課税標準（法人事業税所得割）×37%</td></tr>
<tr><td colspan="2">赤字</td><td>赤字の繰越は3年間</td><td>欠損金の繰越は10年間</td></tr>
<tr><td colspan="2">給与所得控除</td><td>代表者は事業所得者なので、給与所得控除をとることはできない</td><td>代表者の給与から給与所得控除を差引いたあとが課税対象</td></tr>
<tr><td colspan="2">消費税</td><td>前々年の課税売上高が1,000万円を超えていれば納税義務者</td><td>期首資本金が1,000万円未満なら、第一期第二期は原則として免税事業者</td></tr>
<tr><td colspan="2">家族従業員への給与</td><td>あらかじめ税務署に給与額の届が必要<br>収入が少なくても、配偶者控除や扶養控除は適用できなくなる</td><td>基本的に毎月一定の給与額なら、届出は不要で損金算入可。配偶者控除や扶養控除は収入が低ければOK</td></tr>
</table>

※地方税に関してはすべて標準税率で記載しているので、地域により差がある。

## 会社vs個人事業～イメージの違い～

### 名刺交換

**会社**

「アキバ・インフォメーションの社長成本です」

↓

組織のトップ

株式会社アキバ・インフォメーション
代表取締役社長
成本　一美
〒162-8445　東京都新宿区新小川町×-×
TEL　03-××××-××××
FAX　03-××××-○○○○
Mail　info@akiba.co.jp

**個人事業**

「花屋を経営している鈴木です」

↓

個人で仕事をしている人

お花の専門店　万花
鈴木　太郎
〒101-0021　東京都千代田区外神田×-×
TEL　03-××××-××××
FAX　03-××××-○○○○
Mail　info@suzuki-akiba.co.jp

### 銀行口座の名義

**株式会社**
**アキバ・インフォメーション**

総合口座通帳
111-1234567
株式会社アキバ・インフォメーション　様
あんしん銀行

**個人事業**

普通預金通帳
111-7654321
鈴木太郎　様
あんしん銀行

**請求書等に記載する振込口座の名義が会社名になる** → **信用度・イメージが相当に違う**

### 法人《ほうじん》成《な》り

COLUMN

個人事業でスタートし、事業が軌道に乗ってきてから会社を設立して事業を引き継ぐことを「法人成り」といいます。「法人成り」すると、名刺や看板を書きかえる費用と手間がかかるので、「後から法人にすればいい」と思うのなら最初から会社にしておいたほうがいいでしょう。
さらに、許認可などが必要な事業の場合は、法人成りしたときに、改めて登録が必要な場合もあります。また、個人事業主として許認可を取った場合、代表者が交代すれば許認可の取り直しが必要ですが、法人で取った許認可は代表者が交代しても取り直しが不要というメリットがあります。

## 役員給与は、法人税では損金＋所得税では給与所得控除の部分が課税対象とならない

法人税の計算では、役員に対して支給した給与は損金として扱える。
そのうえ、所得税の計算でも給与所得に対しては給与所得控除後の金額が課税所得となる。つまり、「給与所得控除」に相当する部分の金額は、法人税と所得税で二重の経費として扱えることになる。

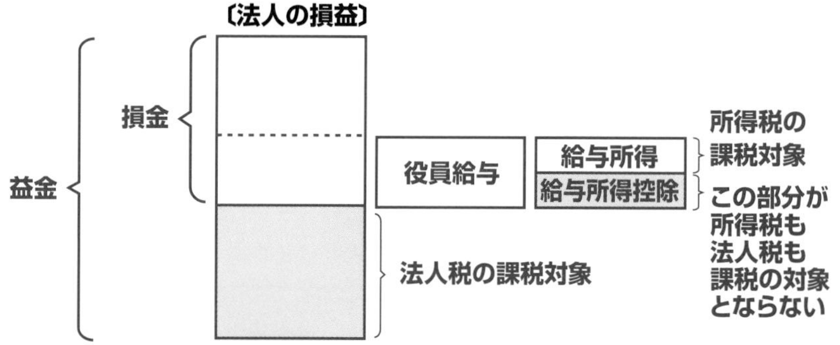


### ◆利益が出たときの節税

翌事業年度の役員給与を増額して法人税と所得税の税負担のバランスを考える。
**法人税の税率 ＞ 所得税の税率**　の範囲内で、役員給与を増額する。

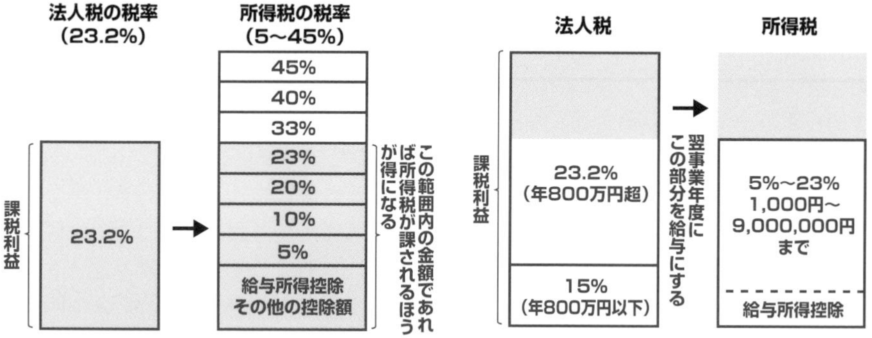


役員給与を増額すると法人税の課税利益が減少する。
役員給与は法人税では損金となり課税されないが、所得税で課税される。

**➡ 役員給与の税率が23%以内の範囲となる給与額であれば、その差額について節税の効果がある。**

### ●法人税の課税所得を1,000とすると

法人税（税率23.2%）…………1,000×23.2%＝232
所得税（平均税率20%）………1,000×20%＝200
→ 32が節税となる

※役員給与を増額すると健康保険・厚生年金保険の保険料が増額されるので、全体のバランスを考慮する必要がある。

退職時の手続きと気配り

# 円満退社が事業繁栄の必須条件

## 退職するまで責任を果たす

勤務先を辞めて会社を設立するときは、**円満退社**を心がけてください。退職の意向は最低1か月前には上司に伝え、さらに就業《しゅうぎょう》規《き》則《そく》に「退職願は退職○日前までに提出」と記載があれば、その期限は必ず守ります。

また、退職願の提出だけでなく業務の引継ぎなどの責任は、最後まできちんと果たしましょう。

## 退職手続きは確実に行う

健康保険や雇用保険などの社会保険において、退職時に給付が受け取れる制度があります。また、退職金を受け取った場合には、翌年の確定申告によって所得税の還付を受けられることもあります。

しかし、これらの恩恵も、**手続きをしなければ受けることができません**。会社を退職するに際しては、社会保険や離職の手続きを確実に行う必要があります。

Point 1 **勤務時代の人脈を活かすためにも、くれぐれも円満退社を心がける。**

Point 2 **退職に伴う給付を得るためには社会保険手続きをきちんと行う。**

Point 3 **基本的に勤務先の事業と競業するような副業は認められない。**

## 副業として始める選択肢もある

従前は、厚生労働省のモデル就業規則にならって副業禁止とする会社が一般的でした。しかし、働き方改革などを踏まえて2018年1月に厚生労働省のモデル就業規則が改定され、旧規則の副業禁止の定めは削除されました。

今は、労務提供上の支障がないなどの条件を満たせば届出制で副業を認める会社が増えてきました。

まず会社に相談することが重要です。

## 常識ある行動をする

副業として事業をするときは、欠勤や居眠りなど、会社の業務に支障をきたすような行動は厳禁です。

また、機密事項・顧客名簿、会社の備品や資産の持ち出しといった行為は違法です。さらに、会社の業務と競合する事業も避けなければなりません。

プラスα Information

**「立つ鳥跡を濁さず」**

鳥が飛び立ったあとの水辺は、濁っているということがなく、清く澄んだままである。立ち去る者は自分のいた跡を見苦しくないようによく始末しておかねばならないというたとえです。

**就業規則** しゅうぎょうきそく

10人以上の労働者がいる会社は必ず作成して労働基準監督署に届け出なければならないもので、労働時間や休暇、各種手当などについて定めています。

## 退職願の書き方

退職願

私事

一身上の都合により二〇××年三月三十一日をもって

退職したくここにお願い申し上げます。

二〇××年二月二〇日

営業課　成本一美

株式会社　東京ビジネス

代表取締役　小川一郎殿

❶まだ退職すると決まっているのではなく、退職の意思表示なので「退職届」ではなく「退職願」とする（「辞表」は、重役クラスが書くものなので、一般的でない）。
❷謙虚な姿勢を示すために「私事」または「私儀」は、行の一番下に記載する。
❸退職理由は具体的に記載せず、「一身上の都合」とする。
❹退職の日付は、上司と相談したほうがいいが、提出日より１か月程度後にするのが望ましい（就業規則に決まりがあるときは、それに従う）。
❺退職願を提出する日を記載する。
❻自分の所属部署と氏名を記載し、押印する。
❼提出相手は上司だが、宛名は社長宛で敬称は「殿」。社長の名前は自分の名前より上になるようにする。

### 退職した会社の顧客との取引

COLUMN

元勤務先の顧客が自分の会社の顧客になることは自然な流れかもしれません。
しかし、辞めた会社から「顧客を奪われた」とみられて訴訟問題になる可能性もあります。顧客情報を持ち出して営業活動を行ったり等の行き過ぎた行為は厳禁です。

# 退職の意思表示から退職手続きまで

**STEP1** 直属の上司に退職の意向を伝えて、いつごろ退職するのかを相談する。（社内規定等で「退職は何日前までに届け出る」などとある場合はそれを踏まえること）

**STEP2** 勤務先の指定様式または、便箋に退職願を書いて提出する。

**STEP3** 業務引継ぎをする。

**STEP4** 取引先、社内の人たちへの挨拶。

**STEP5** 退職するまでに以下を会社に返却する。
- ●健康保険証
- ●社員証・社章・名刺
- ●制服・その他会社からの貸与物

## すぐに起業しない場合

**STEP6**

**■雇用保険関係**

勤務先から「離職票」（※1）を受け取る。

⇒離職票と雇用保険被保険者証を、住所地のハローワークに提出し、求職申込みと失業給付受給申請をする。

失業保険の受給は自己都合退社は「2か月と7日または3か月と7日」経過後から、会社都合退社等は7日経過後から。

**■健康保険関係**

勤務先から「健康保険被保険者資格喪失証明書」を受け取る。

①国民健康保険に切り替えるとき：市区町村役場で資格取得の手続きをする。
（倒産・解雇などによる保険料の軽減制度がある）

②任意継続保険を選択したとき：住所地の協会けんぽか会社の健康保険組合で手続き（退職の翌日から20日以内）。

**■年金関係**

勤務先に年金手帳を預けている場合は、返してもらう。

⇒市区町村役場で国民年金の加入手続きをする（退職の翌日から14日以内）。

**■税金関係**

源泉徴収票を受け取る。

⇒次の勤務先等での年末調整（12月）または、確定申告（2月16日～3月15日）をするときに必要。

※1　勤務先がハローワークにあなたの「離職証明書」を提出し、それに対して交付されるのが「離職票」。会社は、社員の退職の翌日から10日以内に、必要書類をハローワークに提出することになっている。

## すぐに起業する場合

**STEP6**

**■雇用保険関係**

起業のために準備を始めたら、失業給付は受けることはできないが（※2）、起業準備が遅れたりすることに備えて、「すぐに起業しない場合」と同じ手続きをしておく。

また、要件を満たした場合は、再就職手当を受けられる場合もある。

**■健康保険関係**

**■年金関係**

すぐに起業しない場合と同じ。

その後、自分の会社を設立し、社会保険の新規適用手続きが完了したら自社の社会保険（健康保険＋厚生年金保険）に加入することになる。

**■税金関係**

すぐに起業しない場合と同じ。

※2

○失業給付は、努力しても職に就くことができない「失業の状態」にあることが必要なので、職に就く意思のない人には支給されない。収入の有無は関係ない。

○最初は再就職するつもりで失業保険を受給していたとしても、起業のための具体的行動（オフィスを借りるなど）を始めたら会社設立準備といえる。黙って受け取っていると不正受給になる。

## こんなところにも注意

- ●会社の業務で外出するのに「副業で出かけてるんじゃないの？」と疑われる。
- ●業務上のミスに対して、必要以上に責められたりイヤミをいわれたりする。（副業に力を入れすぎて本業がおろそかになっているのではと思われる）
- ●「儲かっているんだろう？」「おごって」などといわれる。
- ●会社の飲み会などを一度でも欠席すると、つきあいが悪くなったと噂される。

→

**自分から積極的に起業の話はしない。事業の自慢話をするのはもってのほか。**

## 起業を会社に内緒にしていても……

- ■自分で設立した会社から給料をとると、勤務先の給料と一緒に確定申告をすることになり、それが翌年の個人の住民税に反映される
- ■住民税の支払方法には特別徴収と普通徴収の2通りの方法がある
- ■会社員は原則として勤務先の給料から住民税が天引きされる（特別徴収）。

↓

**同じような給料の社員の中で１人だけ住民税の金額が多ければ、勤務先の経理担当者が、他にも収入があることに気づく**

※個人住民税は前年分の所得に基づき計算され、特別徴収は、６月から翌年５月までの 12 回で給料から天引きされる。
※自分の会社から給料をとるときは、翌年の６月から住民税が上がることをあらかじめ頭に入れておく。
※ただし、住民税が上がるのは起業によるものとは限らない。「懸賞に当たった」「不動産所得がある」「親の事業から給料をもらった」等、他に収入があることは珍しくない。

WORD

**特《とく》別《べつ》徴《ちょう》収《しゅう》**

従業員から毎月、住民税を天引きして、会社がまとめて地方自治体に納付するシステムです。

**普《ふ》通《つう》徴《ちょう》収《しゅう》**

地方自治体から送られてきた納付書（納税通知書）に基づいて本人が納付します。通常は6月、8月、10月、翌年1月の年4回の納付となります。

許認可の確認

# 許認可が必要な事業がある

## 許認可が取れなかったら一大事

**許《きょ》認《にん》可《か》制《せい》度《ど》**とは、国などが衛生面や技術面などを一定水準以上に保つため、事業者について資格制限を行っているものです。

一定の業種は「業法」によって規制されていて、許認可がないと商売ができません。業法とは、さまざまな事業の活動を秩序づけるために規制を加える法律の総称です。不動産業の場合だと宅地建物取引業法、リサイクルショップの場合だと古物営業法になります。業種によっては許認可取得の要件を満たすように会社の設立準備をしなければならないので、最初の段階でしっかりと確認しておきましょう。

せっかく開業資金を集めて会社を設立しても、要件を満たしていないために監督官庁から許認可が取れず、営業ができないということもあります。**十分に調査、準備**してください。

## 総合的に検討する

許認可を得るためには、自分で手続きをする方法と行政書士などの資格者に委託する方法があります。簡単な届出程度なら、自分で手続きをすることにチャレンジしてもよいと思いますが、少し複雑な許可や免許取得の場合は、**専門家に任せたほうがよい**でしょう。

許認可を得るためには、手続きだけでなく、法の定める規格の店舗設計や有資格者の雇用などの要件に適合していることが求められることもあり、設備計画や人員計画と総合的に検討が必要な場合もあります。

### 許認可の申請先

**窓口は、保健所、警察署、消防署、都道府県庁など（地域によって異なる）**

「許認可が必要かどうか知りたい」
「どこが窓口になるのか不明」

→ そんなときには

- 商工会議所や、都道府県等の中小企業振興センター（支援センター）に相談する。
- 行政書士に相談や申請の代行を依頼する（ただし、費用がかかる）。

**許認可と一般的に呼ばれるものは、「届出」「登録」「認可」「許可」「免許」等の種類がある**

## 許認可の必要な業種と窓口

### 保健所

●**届出**:理容業、美容業、クリーニング業など
●**許可**:飲食業、食料品の製造業、肉屋、魚屋、総菜屋、ドラッグストアなど

### 都道府県庁

●**登録**:旅行業、ペットショップなど
●**許可**:建設業、介護事業など
●**免許**:不動産業など

### 警察署

●**許可**:リサイクルショップ、アンティーク店、中古車販売業、金券ショップ、質屋、ラウンジ、ゲームセンターなど
●**認定**:警備業

### 都道府県労働局

●**許可**:人材派遣業など

※都道府県労働局を経由して、厚生労働大臣の許可を得る。

### 税務署

●**免許**:酒屋など

**許認可が必要な事業は多い**　COLUMN

届出は行政の介入が最も少ない許認可の1つです。
ただし、警察署や消防署など「署」のつく官庁への届出は、法律で規制できない営業を事実上規制する方便に使われることがあるので要注意。
許認可が必要な事業は多数あります。

## 勤務時代と違う分野で起業するとき

# キャリアを活かして異業種に進出する

### キャリアとノウハウを活かす

「趣味を活かしたい」「好きなことを仕事にしたい」などの理由から、サラリーマン時代のキャリアとは違う事業で開業する場合があります。

今までの**仕事で得たキャリア**は、業種が変わったからといって、まったくの無駄になるわけではありません。たとえば、営業経験者であれば、得意先との折衝やつきあい方は、業種を変えたところで基本は同じです。

### 起業前の情報収集がポイント

業種の選択や、業種にまつわるノウハウ・経営手法などについての情報収集は、起業前の段階で念入りに行う必要があります。

本・雑誌・インターネットなどの媒体に限らず、実際に開業されている方や専門家の話を聞いて多面的に情報を収集するようにします。本や雑誌に掲載されているからといって必ずしも正確な情報であるとは限らないので、必ず**自分のフィルターにかけて分析・検証**していく作業も必要です。

### 交友関係を見直す

次に、自分の交友関係を見直してみましょう。独立起業という観点から重要なのは、いかにビジネスにそのつながりを活かせるかです。業界の情報提供者、得意先・仕入先候補、資金調達先・人材調達先などを、**きちんと整理**する必要があります。

この交友関係の見直しで足りない部分については、**異業種交流会などに参加**することによって補っていきます。

**Point 1** 仕事を通じて得たキャリア・ノウハウは基本的にどの業種でも共通。

**Point 2** 情報収集は多面的に行い、自分のフィルターにかけて分析・検証する。

**Point 3** 異業種交流会などには積極的に参加する。

COLUMN

**名刺交換はフォローがたいせつ**

異業種交流会で山ほどの名刺をもらっても、そのまま放っておいてはいけません。きちんと整理した上で、早い段階でお礼状を出すか、挨拶に訪問するなどのアクションをとらないと、せっかくの出会いが無駄に終わってしまいます。

## 起業前の情報収集

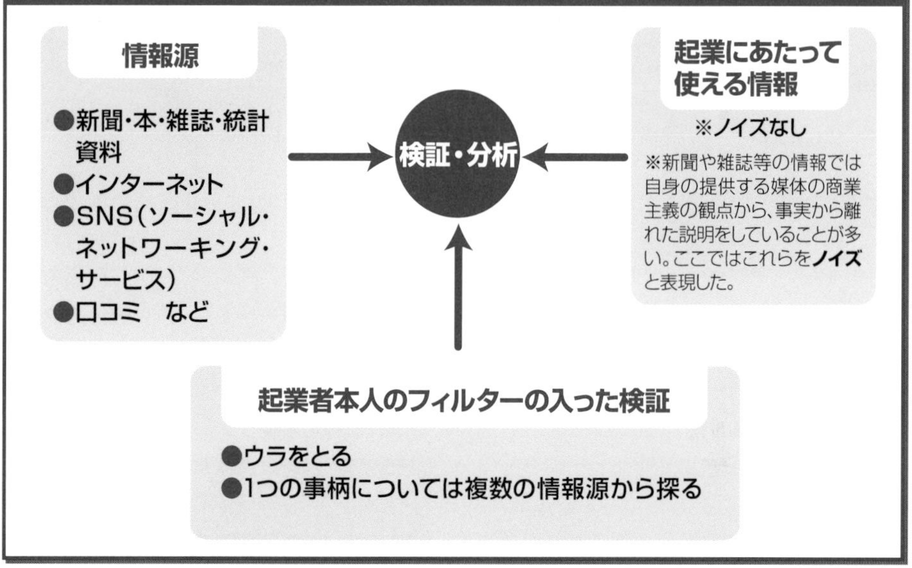


## 人脈の整理

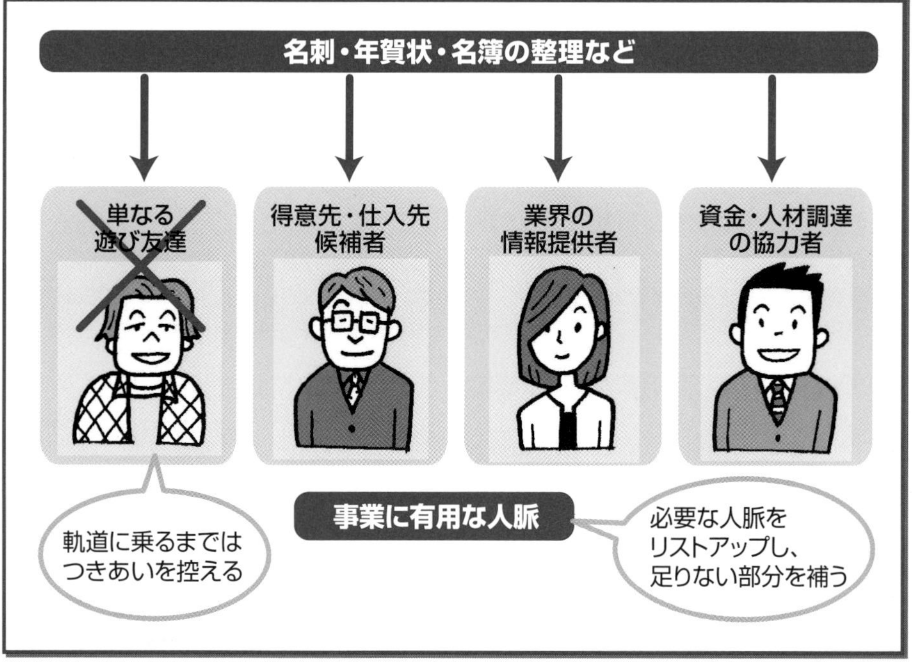

「何を」「誰に」「どこで」「いくらで」売るのか

# 事業のコンセプトをしっかりと固める

## やる事が決まっただけではダメ

何の事業をするのかが決まったら、次はより具体的に検討しましょう。

何のモノ（サービス）を売るのかは決まっているでしょうから、次に決めるのは**ターゲット**（誰に）です。

単に「一般客」というレベルではなく、「専門家向け」や「初心者向け」、「高級志向」や「自然派志向」というように、より具体的にターゲットを絞り込まなければなりません。

## 一粒で二度おいしいパターン

次に「どこで」つまり商品を提供する場所や方法を決めます。ここでポイントとなるのは、

**①ターゲットにふさわしい提供場所と方法か**

**②経費を節減できるアイデアはあるか**

の2点です。

②はアートフラワーを販売しながらフラワーアレンジメント教室をするとか、商品を配達するついでに街角で商品を販売するなどです。

このような場合は1つの経営資源を複数の経営に利用できるので、経営に余裕をもつことができます。

## 価格ダンピングは自分の首を絞める

商品やサービスの値段を下げるのは簡単ですが、逆に上げるのは難しいので、**価格設定は慎重に**行わなければなりません。薄利多売は、はじめから、そのような計画で進んできたのであれば、1つのビジネススタイルといえます。

しかし、当初設定した金額で売れないからと、どんどん値段を下げるのは失敗のもとです。

売れない原因はたいてい「ターゲット」や「商品」「提供方法」などの設定に問題があるのです。

**Point 1** サービスやターゲットを具体的に絞り込む。

**Point 2** 1つの資源で2つの経営ができないかを考えてみる。

**Point 3** 価格設定は慎重に行う。後からの値下げは事業失敗のもと。

プラスα Information

### ターゲットの調査

想定したターゲットと実際のターゲットにズレが生じることはよくあります。ターゲット層については事業開始後も細やかなリサーチが必要です。

### 経営資源《けいえいしげん》

モノだけでなく、人やお金、時間も経営資源であるという意識をもつことがたいせつです。

## 売り手志向の4Pから顧客志向の4Cへ

| 売り手志向の4P | | 顧客志向の4C |
|---|---|---|
| **Product（製品）**<br>製品を企画・開発する | → | **Customer Value（顧客価値）**<br>購買層を明確にする |
| **Price（価格）**<br>コストだけでなく、需要・製品特性・流通ルートなどにより設定する | → | **Cost（顧客にとってのコスト）**<br>顧客が商品等を得るために負担するコストが妥当か |
| **Place（流通）**<br>販売チャネル（直販か代理店販売か）を選ぶ | → | **Convenience（利便性）**<br>顧客の利便性という観点から流通経路や店舗の立地を考える |
| **Promotion（販売促進）**<br>広告や宣伝をする | → | **Communication（コミュニケーション）**<br>顧客との相互理解を追求するためにホームページやメルマガ、ブログ、ツイッター、インスタグラム、Facebook、LINE（ライン）等を活用する |

**現代は売り手志向の4Pの発想から顧客志向の4Cの発想へ移行している**

### 同業者が進出している場所はねらい目

COLUMN

同業種がたくさん集まっている場所は、それだけニーズがあるからです。反対に同業者がまったくいない場所に新規出店する場合は慎重に検討すべきです。

**●同一ターゲットの異業種**

業種が違っても、ターゲットとなる客層が同じ場合は競合する可能性があります。
店舗の場合は、開店したい場所の人の流れを平日、休日、時間、天気別に観察し、中心となる客層が事業のターゲットと合致するかどうかを確認します。

### 4つの会社形態とそれぞれの特徴

# 会社を設立するなら株式会社

## 会社の種類を決める

「会社をつくる」という決意ができたら、次に気になるのは会社の種類でしょう。

会社の種類は、**株式会社、合名会社、合資会社、合同会社の4つ**があります。

## 一般的には株式会社

会社の種類を決めるにあたっては、周囲に与えるイメージも重要です。

合名会社や合資会社は、昔からありますが、社会的認知度が低いなどの理由から、新規設立はほとんどありません。

新規設立される会社の多くは株式会社です。株式会社は、信用面や資金調達において有利といえます。

なお、最近は外資系企業などを中心に合同会社の設立も増えています。合同会社には、定款認証が不要、決算公告が不要などのメリットがあるからです。

しかし、費用面以外のさまざまな特徴についても検討して、総合的に考えるべきです。

## 簡単に株式会社がつくれる

2006年5月1日の会社法施行以前は最低資本金規制があり、株式会社は1,000万円以上、有限会社は300万円以上の資本金を用意する必要がありました。また、株式会社の役員は、取締役3名以上、監査役1名以上の就任が求められていました。

しかし現在は、最低資本金規制はなく、役員も取締役1人でOKであり、簡単に株式会社をつくることができます。

また、従前の有限会社のようにシンプルな運営をすることもできます。

したがって、会社を設立するのであれば、信用、イメージ、社会的認知度をトータルに考えて、**株式会社にするのがよい**でしょう。

**Point 1** 会社には株式、合名、合資、合同の4つの種類がある。どの形態がいいのか、じっくり考えてみよう。

**Point 2** 設立や運営手続きの点では、株式会社以外の会社形態のほうが負担は少ないが、株式会社であることの他のメリットのほうが大きい。

**Point 3** 信用、イメージ、社会的認知度をトータルに考えると、やはり株式会社がよい。

### プラスα Information

**合資会社《ごうしがいしゃ》・合名会社《ごうめいがいしゃ》**

その歴史は14世紀のヨーロッパ陸上交易にまで遡り、日本でも旧財閥系の企業などは合資会社からスタートしています。現在も老舗の造り酒屋では合資会社の形態を続けているところが多くあります。

**合同会社《ごうどうがいしゃ》**

日本版LLC（Limited Liability Company）と呼ばれます。出資者の有限責任が確保されながらも、株式会社のように株主総会をする必要がなく、社員全員の合意によって意思決定をします。

## 会社の種類と特徴

「合同会社」は会社法で新しくできた法人形態

| 法人形態の種類 | 株式会社 | 合名会社 | 合資会社 | 合同会社(LLC) |
|---|---|---|---|---|
| イメージ | 「ちゃんとした法人なんですね」 | 「法人？　組合？」 | | 「自由度が高い会社」 |
| 設立に必要な最低人数 | 1人 | 1人 | 2人 | 1人 |
| 役　員 | 1人以上 | 業務執行は社員がする（役員という概念がない） | | |
| 定款に関する費用 | 7万円〜9万円（→59ページ） | 定款印紙4万円（定款の認証は不要） | | |
| 登録免許税 | 15万円〜 | 6万円 | | 6万円〜 |
| 出資者の責任範囲 | 有限責任 | 無限責任 | 有限責任または無限責任 | 有限責任 |
| 出資者の呼び名 | 株主 | 社員 | | |
| 最高意思決定機関 | 株主総会 | 総社員の同意等 | | |

※合名会社、合資会社、合同会社の社員とは出資者のことで、一般にいう社員（従業員）とは意味が異なる。

## こんなに簡単に株式会社がつくれる

**株式会社**をつくるには

資本金は**1円**あればいい

取締役は**1人**いればいい

以前は3人必要だった

さらに、定款で役員の任期を10年まで延ばすことができる（→84ページ）

**WORD**

### 役員《やくいん》の変更登記《へんこうとうき》

株式会社の役員の任期は、原則として取締役2年、監査役4年です。同一人物が引き続き取締役・監査役に就くときも、役員の変更登記が必要なので、その都度登記費用がかかります。

### 有限責任《ゆうげんせきにん》と無限責任《むげんせきにん》

会社が倒産した場合の出資者の責任の区別。有限責任の場合は、出資額までだが、無限責任の場合は、出資者が会社の損失をすべて被らなければなりません。

### 役員の数と肩書き

# 取締役会があるかないかで会社の運営は異なる

## 役員は取締役1人でもOK

**取締役《とりしまりやく》**、**監査役《かんさやく》**および**会計参与《かいけいさんよ》**などを株式会社の役員といいます。株主が1人で、経営者でもあるような小さな会社の場合は、監査役も会計参与も置かず、取締役1人でもかまいません。

会社法においては、**取締役が1人の場合でも、その取締役は「代表取締役」として登記されます**。したがって、役員は取締役1人だけというのが、一番シンプルな株式会社の機関設計ということになります。

## 代表取締役は1人とは限らない

取締役が1人の場合、その取締役が株式会社の代表取締役です。

取締役が複数の場合、その中から1人を代表取締役に選定するのが一般的であり、取締役会を設置する場合には、3人以上の取締役の中から、取締役会の決議により代表取締役を選定しなければなりません。

なお、代表取締役は1人に限られるわけではなく、取締役全員を代表取締役にすることもでき、その場合、取締役は各自、株式会社を代表することになります。

## 取締役会の設置を検討する

取締役会を設置するか否かは、任意に選択することができます。ただし、取締役会を設置する場合には、取締役は3人以上必要です。

取締役会を設置する場合、監査役または会計参与もあわせて置く必要があり、合計**4人以上の役員を確保する必要**があります。

しかし、取締役会を設置しない場合、取締役1人だけでよく、また株主総会の招集手続きその他会社運営手続きを簡素化することができます。

したがって、家族経営で、手続きをできるだけ簡素化したい場合には、取締役会を設置しないほうがよいでしょう。

逆に、取引先に対して、しっかりした会社であるとの印象を与えたい場合には、取締役会を設置して、監査役または会計参与を置くことを検討すべきでしょう。

なお、取締役会の設置の有無は、登記事項証明書を見れば誰にでもわかります。

**Point 1** 役員とは、取締役、監査役、会計参与などのこと。最少の役員数で会社をつくりたいときは、取締役1人でOK。

**Point 2** 取締役が1人なら、その者が代表取締役となる。

**Point 3** 取締役会設置の有無は会社の規模を表している。

## 株主総会の開催

**株式会社は、決算が終わってから通常3か月以内に
毎年株主総会を開かなければならない**

**取締役会を設置していないとき（招集手続き等が簡単）**

- 定款に「前日まで」と書いてあれば、株主総会の前日に「明日、株主総会をします」と招集をかけてもいい（書いていなければ1週間前）
- 電話・FAX・メールでの招集でもOK
- 株式総会の議題はあらかじめ株主に知らせておかなくてもいい

**取締役会があるとき（一定のルールに従って招集手続きをする）**

- 株主総会の議題をあらかじめ株主に知らせておく
- 株主総会をする１週間前に原則、文書で招集を通知する

※株式譲渡制限規定があり、書面や電磁的方法による議決権行使の定めがない会社の場合

**肩書きに注意**　COLUMN

社長、副社長、専務取締役、常務取締役という肩書きは、取引先などに会社を代表している人物だという印象を与えます。
このような肩書きの人が、会社として取引すると見せかけて第三者と勝手に取引をすることで、会社に損害を与えてしまった場合、法律は原則として、その肩書きを信じてしまった第三者を保護します。つまり会社が損害を被るのです。
他人に高い地位の肩書きを与えて仕事をしてもらうときは、気をつけましょう。

## 機関設計の検討

# 中小企業がとるべき機関設計

### 主に5つの機関がある

株式会社の機関には、主に**「株主総会」「取締役」「取締役会」「監査役」「会計参与」**の5種類があります。

### 機関設計にはさまざまなパターンがある

株式会社の機関設計には、さまざまなパターンがあり、それぞれにメリット・デメリットがあります。

もちろん、自分が設立する会社に最も適した機関設計を選択する必要がありますが、ここでは、そのうち基本となる2つの形を紹介します。

### 最もシンプルな1人会社型

**機関設計の基本原則は「株主総会」と「取締役」を設置する**ことです。取締役会や監査役、会計参与はなくてもかまいません。

株主が自分1人だけの会社であれば、経営の決定権は自分1人がもつことになります。株主総会と取締役1名のみの機関設計をすることもできるのです。

### 複数で経営する取締役会設置型

外部株主がいるなど株主が複数いる場合、すべての事柄について株主がいちいち集まって決議するわけにはいきません。そこで**所有と経営を分けるために取締役会を設置**します。

取締役会では会社の業務執行を決定し、代表取締役がその業務を執行します。

また、**将来会社の経営を人に任せたい場合には「監査役」や「会計参与」を設置**して取締役の会計状況を監査したり、会計書類の作成に協力をしてもらいます。

これらを設置することによって、取締役会で決議された内容や会計業務などが客観的にも適正に経営されているかどうかを監視することが可能になります。

**Point 1** 最もシンプルな機関設計は、役員1人。

**Point 2** 取締役会を設置するときは、監査役や会計参与を選任する。

**COLUMN**

**名義だけの役員**

以前は、株式会社を設立した場合、取締役3名・監査役1名の選任が必要とされていたので、「適任者を探すのに苦労した」「承諾を得るのが大変だった」という話をよく耳にしました。
名義上の役員といっても、商法上はそれ相応の責任が付随していたので、役員の就任の承諾には覚悟が必要だったのです。

## 基本的な機関設計

### 取締役会非設置型

株主総会

取締役
（1名以上）

**メリット**

- 取締役適任者の選任が容易。
- 株主が1人の場合には、自由に経営ができるので機動性に優れている。

**デメリット**

- 零細企業として取引の相手先や従業員から軽く扱われる可能性がある。
- 取締役が1名だとワンマン経営になりがち。

### 取締役会設置型

株主総会

監査役または会計参与

取締役会

取締役
（3名以上）

**メリット**

- 重要な決定事項は取締役会を開催して決定できる。
- 監査役や会計参与を設置することで取締役の経営が適正かどうか確認できる。
- 複数の目で会社運営することになるので、ワンマン経営になりにくい。

**デメリット**

- 複数の役員が必要になるので、コストがかかる。また会計参与は税理士などの資格を有する者でなければ依頼できないので、報酬が高くなる。
- 株主総会を開催するには、原則1週間前に文書で招集を通知する必要がある。

WORD

### 株主総会《かぶぬしそうかい》と取締役会《とりしまりやくかい》

株主総会は会社の最高意思決定機関です。株主の決定権は原則として株式数に応じて議決権があり、それを株主総会で行使することによって議案に対する賛否の意思表示をします。取締役会は、会社の業務執行を決定する機関であり、3名以上の取締役によって構成されます。取締役会を設置すると監査役か会計参与を設置しなければなりません。

### 取締役《とりしまりやく》と監査役《かんさやく》・会計参与《かいけいさんよ》

取締役は会社の業務執行を担当します。監査役は、主に会社の会計状況を監査します。他に、業務監査をすることもあります。会計参与は、取締役と共同して計算書類や附属明細書を作成します。税理士や公認会計士がこれに就任します。

お金の確保

# 必要資金を算定する

## 会社の設立にはさまざまな経費が必要

会社の設立にあたって必要となる資金を考えたとき、まず思いつくのは、登記費用などの設立費用でしょう。

しかし、それ以外にもさまざまな経費が発生します。**必要資金の算定はしっかり行わなければなりません。**

## 3種類の必要資金を考えておく

必要資金には設立費用のほかにも、大きく分けて、次の3種類があります。

- **設備資金**
- **運転資金**
- **生活資金**

具体的には、事務所や店舗などを借りるための**保証金**、机、椅子、コピー機や電話機などの**設備資金**、商品仕入れ、実働するための交通費、広告費などの**運転資金**などです。

また、実際に営業が始まると、家賃や給与などの販売費や一般管理費など、時の経過とともに次々と**諸経費**が発生します。当然のことながら、自分の**生活資金**を確保しておくことも忘れてはなりません。

これらの資金は大ざっぱに計算するのではなく、事細かに書き出して、それらの**総額を算定しておく**必要があります。

## 入ってくるお金は支払の後になる

設立時には上記のように、たくさんのお金が出ていきます。一方、商品が売れたとしても、掛け売りで販売した場合には、現金が実際に手元に入ってくるのは翌月や翌々月となります。その間にも家賃や給与など、次の支払はどんどん発生していくので、十分な余力資金は確保しておきたいものです。

これらの計算を怠ると、またたく間に資金不足に悩まされることになるので、注意が必要です。

**Point 1** 設立費用のほかにも設備資金や運転資金などが必要。

**Point 2** 生活資金も必要資金に含めて計算する。

**Point 3** 売上によって入ってくるお金は支払によって出ていった後になることに注意。

**COLUMN**

**資金調達方法も検討する**

**自己資金だけで足りない場合には、外部から資金調達することも検討しなければなりません。資金調達の方法としては、株式の出資受入による調達や銀行などからの借入による調達などがあります。**

## 必要資金の見積もり

### 必要資金＝設備資金＋運転資金＋生活資金

**設備資金** 営業を始めるまでに必要となる資金

円
円 → 円
円

**運転資金** 営業が始まってから事業が軌道に乗るまでの間の経費を見積もる。毎月の固定費や仕入金額を算定する

**毎月の固定費** 円／月 ×６か月（または１年）
→ 円

**毎月の仕入金額** 円／月 ×６か月（または１年）
→ 円

**生活資金** 経営者になる前の給与の手取額など

**毎月の固定費** 円／月 ×６か月（または１年）
→ 円

---

**合計額** 円

**売上の回収予定額** 円／月 ×（６か月ー３か月）（または（１年ー３か月））
→ 円

---

**差引額（必要資金）** 円

**注意** **銀行などから借入をする場合には、６か月分（または１年分）の返済予定額も必要資金に含める。**

### 知人からの借入の注意点

# 知人からの資金調達は要注意

## 資金調達の手段はさまざま

事業運営に必要な資金の算定ができたら、次は資金調達です。

資金調達の手段としては、

**●自己資金**
**●スポンサー**
**●金融機関**
**●知人からの借入**
**●知人からの出資**

などがありますが、**「自己資金」「スポンサー」「金融機関」で賄《まかな》う**のが普通です。

「知人からの借入」は極力避けるのが無難です。これから起業しようという熱意しだいで貸してくれることもあるでしょうが、単に「貸してくれ」では、通常は相手にとって、リスクのみが頭をよぎり、何のメリットもありません。

また、借りるときはお互いに納得ができていても、事業がうまくいかなくなり、返せなくなったような場合、今までの信用を失い人間関係にヒビが入り、かけがえのない『人』という財産を失うことにもなりかねません。

## 知人から借入をする場合の注意点

知人から借入をした場合には、経営に口出しされることは普通ありませんが、元本を返済しなければなりません。**金銭消費貸借契約を書面で交わし、その後、利息や元本を返済する**ことになります。

返済計画や利率を細かく取り決め、相手にとってメリットがあることを納得してもらうための交渉が必要になります。

## 出資してもらう場合の注意点

どうしても知人からの資金調達を考えるというのであれば、出資をしてもらうという手段もあります。ただし、事業計画を説明して予定どおりに利益が出れば**配当金を支払う**ことになります。もし利益が出なければ、配当金の支払がないことを承諾してもらわなければなりません。

出資をしてもらう場合には、元本の返済は必要ありませんが、当社の株主になるので、株主としての議決権を付与することになり、**経営に口出しされるようになる可能性もあります。**

「借入」「出資」のどちらを選択するかは、**相手との信頼関係やお互いのメリットを模索しながら検討する**ことになります。

**Point 1** **知人からの資金調達は極力避けるのが無難。**

**Point 2** **借り入れるときには金銭消費貸借契約を交わす。**

**Point 3** **出資をしてもらうと経営に口出しされる可能性がある。**

## 借入か出資か

**前提** **信頼関係**

信用
人脈
担保

↓

**資金調達** ―― **OR**

**借入**
- ●利息の支払　必要
- ●元本の返済　必要

**出資**
- ●配当金の支払　必要
- ●元本の返済　不要

↓

**約束** **遂行**

事業計画
返済計画

※借入も出資も、信用や人脈などの信頼関係が前提にあってこそできる。
※事業計画や返済計画などの約束は、確実に遂行しなければ、前提となる信頼関係を失うことになるので注意。

### 親戚・知人からの借入

COLUMN

知人から借入をした場合には、税務署から贈与だと誤解されないように、次の2点を必ず守ってください。
●借入金額、利率、返済期限などを明確にした「金銭消費貸借契約書」を作成する。
●借入の実行および元本や利息の支払時には、銀行などの振込みを利用して、金銭の移動があったことを明確にする。
書面を交わさずに口頭だけで約束したことであっても、民法上は契約として成立します。しかし、税務署などの第三者に対して主張するため、書面を作成しておくべきです。
第三者が客観的に判断できる証拠は、書面による契約書であり、実際に金銭の移動があったことを証明する書類は銀行の通帳に印字された数字によるものが確実です。

販売計画の策定

# 販売計画は経営計画の第一歩

## 販売計画では5W1Hがポイントとなる

自社が扱う商品やサービスをどのようにして売るのかは、明確に計画しておかなければなりません。そうでないと、確実な利益をあげることはできません。

そこで、**販売計画を立てることが必要**になります。

販売計画の作成には、まず次の**5W1H**を決めることが重要です。

**①WHEN（いつ）**
営業時間または販売期間

**②WHERE（どこで）**
店舗の立地または陳列の場所

**③WHO（誰が）**
従業員の人数

**④WHOM（誰に）**
顧客層

**⑤WHAT（何を）**
商品やサービスの質、数量

**⑥HOW（どのように）**
販売方法

## 客観的な売上予測をする

**5W1H**が決まったら、次ページに掲げるような方法を使って売上予測をします。売上予測は、販売側に都合のよい勝手な予測だけでは失敗してしまいます。あくまでも**客観的、かつ厳しい目線で数字を計算**します。

売上予測を計算してみて、**割にあう販売計画かどうかを慎重に検討**しなければなりません。

## 事業の5W1Hを確認する

**自分で書き込んでみよう!**

①WHEN

②WHERE

③WHO

④WHOM

⑤WHAT

⑥HOW

## 売上予測の方法

### ❶ 販売業でたくさんの商品を取り扱う店舗型業種（雑貨店やスーパーなど）

**算式** 1$m^2$あたりの売上高×店舗面積

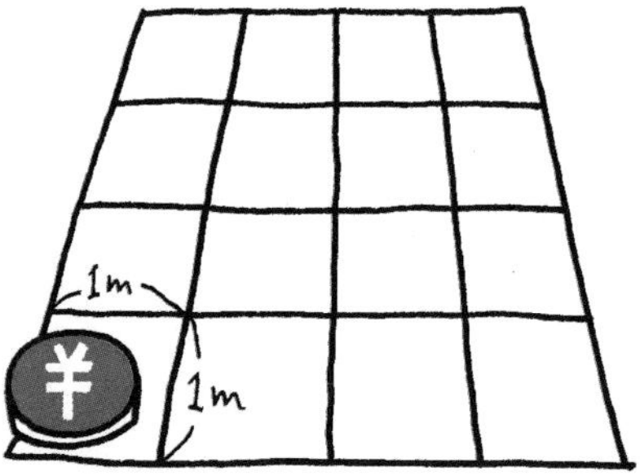


### ❷ 飲食業などのサービス業種（喫茶店、美容室など）

**算式** 客単価×席数×回転数

### ❸ 販売業で特殊な商品やサービスを取り扱う訪問販売型業種（教材や化粧品のセールス、ビル清掃業など）

**算式** 従業員１人あたりの売上高×従業員数

### ❹ 設備が直接売上に結びつき、設備単位あたりの生産能力を捉えやすい業種（部品加工業、印刷業、運送業など）

**算式** 設備の生産能力×設備数

出典:「新たに事業を始めるみなさまへ　創業の手引」日本政策金融公庫

**注意** 1$m^2$あたりの売上高や従業員1人あたりの売上高などは、中小企業庁や日本政策金融公庫が公表している統計資料を使用するとよい。

利益と販売コストの策定

# 利益がなければ意味がない

## 利益を計算する

自社で取り扱う商品やサービスが「いったいどれだけの利益をもたらすのか？」を計算することはとても重要です。

おいしいラーメン屋さんであっても、客席が1つしかなければ、2人以上のお客さまは帰ってしまいますし、従業員が3人もいれば、1杯のラーメン代金以上のコストがかかってしまうことは明白です。

- 営業時間中に何人のお客さまが訪れるのか
- お客さまは、どれだけの料金を支払うのか
- 料金に対する商品の原価や人件費、家賃などの経費はどれぐらいかかるのか

などを検討し、その上で**利益が出なければ、なんの意味もありません。**

また、顧客1人あたりの利益は薄くても、客席や1席あたりの回転数を増やす工夫をすることによっても利益を増やすことができます。

**バランス良く無理のない利益の算定をすることが重要**です。

## 原価から逆算する

販売する商品やサービスの販売価格は、その原価や材料代に利益率を掛けて算定します。さらに、人件費や家賃、光熱費などを1月単位、1日単位、最後に時間単位などで計算してみると、より明確に販売価格がいくらであるべきかが計算できるようになります。

あとはその商品1つひとつの価格が顧客のニーズにあった金額かどうかなどを検討して、高すぎればコストを削減したり、回転数や販売数を増やす工夫をするなど、さまざまな対応策が見えてくるようになります。

ただし、回転数や販売数については、無理な設定をしてしまうと、実際の数に満たなかったときに、たちまち赤字になってしまうことになります。

あくまでも営業上無理のない回転数や販売数で、**余裕をもって価格を決定する**ようにしなければなりません。

また、販売価格は〔原価＋経費＋利益〕で計算できますが、利益が出れば法人税や住民税が課税されます。さらに課税事業者（→ 224ページ）になれば消費税も勘案しなければならなくなるので注意が必要です。

**Point 1** 販売価格の決定のためには、利益計算が重要。

**Point 2** 原価には、商品の原価や材料費だけでなく、人件費、家賃、光熱費なども計算に入れる。

**Point 3** 無理のない計算で利益が出るかどうかを検討する。

## 誤った事業計画と理想的な事業計画

### 誤った事業計画

- 自己満足な予測
- 多めの販売予測
- 少なめの経費予測

↓

- いい加減な計算
- どんぶり勘定

↓

計算違いにより
赤字になったり
資金不足に悩まされる

↓

またたく間に赤字が膨らみ倒産

### 理想的な事業計画

- 統計資料など裏付けのある事業計画
- 割のあう事業

↓

- 事細かな計算
- 客観的な厳しい数字

↓

最低利益は常に確保できるため、
さらなる利益増を目指す

↓

商売が軌道に乗る

↓

2号店の出店など

Column

# 休眠会社と納税の役割

会社を設立したいということを他人に話すと、「休眠会社を買わないか？」という話を持ちかけられることがあります。

休眠会社とは、以前に会社を設立して登記はしていても、営業活動や取り引きは全くしておらず、税務署や地方自治体に、休眠の届出をして実質上会社の運営がストップしている会社です（最後の登記から12年を経過した休眠会社については、登記官の職権による解散の整理作業が行われる）。

多額の欠損金を出したままの状態で休眠している会社であれば、営業活動を再開して利益が出ても、過去の欠損金とその利益が相殺できるために、しばらくは法人税などの税金を払わなくてすむことがあります。しかし、そういった類の話には、乗らないほうが得策です。

多額の欠損金を抱えているということは、現在の会社の帳簿上には存在しない、多額の債務が存在しているかもしれません。また、過去にその会社に対して、訴訟を断念した相手先がいて、会社が復活したのを機に、過去の損害賠償の請求をされることも考えられます。

会社が休眠している状態なのですから、トラブルがあって、休眠していることも少なくありません。休眠会社の持ち主の立場から考察してみれば、自分が経営をした事業が何らかの理由で現在はストップしていても、真っ当に商売をしてきたのであれば、必ずどこかで再開しようと機会を窺っているのが本来の姿です。

他人が放り出した会社についての話なので、必ずなにか裏があると思って、対処すべきことではないでしょうか。

また、自分の会社が稼いだ利益の中から、しかるべき税金を納めることは、経営者にとっては非常に重要な社会還元の役割となります。

「おいしい話に乗って、税金が安くなった」などと人に自慢したりすると、いつまでたっても社会に信用されない会社となってしまいます。

第 2 章

# 株式会社設立の準備

会社設立手続きの依頼

# 時間を節約したいときはプロに依頼する

## 司法書士に依頼する

会社設立の流れは、大きく、書類作成、定款認証《ていかんにんしょう》、登記《とうき》の3つに分けることができます。

これら手続きの全体を専門家に任せることもできます。その場合、当然費用はかかります（→ 59ページ）が、何度も役所に足を運んだり、煩《わずら》わしい手続きに悩んだりする必要がなく、営業を開始するための準備に力を入れることができるという大きなメリットがあります。

**手続き全体を依頼したいときは、司法《しほう》書士《しょし》**を探しましょう。

司法書士は司法書士会で紹介してもらうこともできます。

**Point 1** **登記の代理申請ができるのは、弁護士か司法書士。すべてを任せたいときは、通常は司法書士に依頼する。**

**Point 2** **会社設立手続き中、自分でできることは自分で行い、定款認証や登記申請だけを司法書士に頼むこともできる。**

**Point 3** **会社設立後の手続きは、自分ですることもできるが、時間と手間をかけたくないときは、専門家に依頼する。**

## 難しい部分のみ専門家に依頼してもいい

会社設立の手続きのうちで自分でできそうなことだけを自分でやることにして、定款の認証や登記申請だけを専門家に依頼するという方法もあります。

この場合も、司法書士に依頼することができます。

また、自分で作成した書類のチェックだけを専門家に依頼するといった方法もあります。

## 会社設立後に必要な手続きも依頼できる

会社を設立したら、すぐに**いろいろな手続きが必要**になります（→ 142ページ～181ページ）。これらについても、専門家に代行してもらうことができます。

税務署、都道府県税事務所、市町村役場に提出する書類は**税理士**、労働基準監督署、年金事務所、ハローワークに提出する書類は、**社会保険労務士**に依頼すれば手続きがスムーズです。

プラスα Information

**司法書士会**《しほうしょしかい》

都道府県ごとに司法書士会が置かれています。司法書士は必ず各都道府県の司法書士会に所属しています。
日本司法書士会連合会
https://www.shiho-shoshi.or.jp/

## 会社をつくるときに頼む専門家

### 司法書士

土地や建物の登記、会社登記や訴訟手続きなど、市民生活における法手続きの専門家。
会社に関する業務として次のようなものがある。

- **定款、議事録、その他書類の作成**
- **定款の認証手続き**
- **会社設立登記、その他変更登記手続き**

### 行政書士

役所に提出する許認可等の申請書類の作成と提出手続きの代理、権利義務に関する書面、事実証明等の作成を行う。
会社に関する業務として次のようなものがある。

- **各種許認可の申請**
- **規則・議事録、各種契約書の作成**
- **外国人を雇うとき**

## 会社をつくった後に頼む専門家

### 税理士

税金に関する相談のほか、税務署などに提出する申告書・申請書等の作成と提出をする。
会社に関する業務として次のようなものがある。

- **税務署への届出**
- **税務上のアドバイス**
- **帳簿の作成**
- **帳簿作成のサポート**
- **法人税の決算と申告**
- **給与計算、年末調整、法定調書の作成**

### 社会保険労務士

人事・労務管理に関する相談や、労働社会保険関係の書類の作成や手続きを代理で行う。
会社に関する業務として次のようなものがある。

- **労働保険、社会保険の新規適用その他の手続き**
- **就業規則の作成、運用等**
- **給与計算**
- **各種助成金の申請**
- **採用、人事、労務管理に関するアドバイス**
- **賃金、評価制度、退職金制度等の策定・アドバイス**

# 個人の印鑑登録をすませる

## 印鑑登録の手順

自治体によって多少異なる。

**本人ですか**

YES

**所定の身分証明書(※)をもって役場に行けるとき**

- 登録したい印鑑を役場に持参して登録の申請をする。
- 所定の身分証明書を提示する。

→ **申請した日に登録できる**

**所定の身分証明書をもっていないが、同じ役場で印鑑登録している人に保証人になってもらえるとき**

- 印鑑登録申請書の保証人欄に、保証人の署名と保証人の(登録)実印が必要。
- 登録申請する本人は、本人確認ができる健康保険証などを提示する。

→ **申請した日に登録できる**

**所定の身分証明書をもっておらず、保証人になってもらう人がいないとき**

- 登録したい印鑑を役場に持参して登録の申請をする。
- 後日、申請した人の自宅に照会書(回答書)が送付される。
- 申請した日から一定期間内に、本人が回答書に必要事項を記載して登録を申請した印鑑と、本人確認ができる健康保険証などを提示する。

→ **回答書を提出した日に登録できる**

NO

**本人が窓口へ行けないとき(本人が病気などの理由があるとき)**

- 登録を申請する本人が所定の様式の委任状に記載する。
- 委任状と登録したい印鑑を代理人が窓口に持参する。
- 後日、照会書(回答書)が本人宛に送付されるので、所定の期間内に、
  - **本人が記入した回答書**
  - **登録申請した印鑑**
  - **窓口に行く代理人の身分証明書**

  を代理人が窓口に持参する。

→ **回答書を提出した日に登録できる**

※所定の身分証明書とは、マイナンバーカード、免許証、パスポートなど顔写真つきのもの(有効期限内のもの)。

- 印鑑登録は、住民登録か外国人登録をしている市区町村役場で手続きをする。
- 役場により取り扱いが若干異なる場合がある。
- 登録の手数料は無料〜500円程度。再登録の場合のみ手数料が必要な役場もある。

### 印鑑登録証明書の交付

- 印鑑登録が終わったら、印鑑登録証(または印鑑登録カード)が交付されるので、その登録証(またはカード)を窓口に提示する。
- 手数料は200円〜400円程度。

注意1:会社の設立手続きでは、印鑑証明書の発行日から3か月以内という有効期限がある。

注意2:登録印(実印)と印鑑登録証は、安全のために別々の場所に保管する。

**印鑑は登録することで実印となる**

## 有効期限に注意

会社の発起人《ほっきにん》と役員は**個人の実印が必要**になります。

すでに印鑑登録をしている人は、市区町村の窓口で印鑑証明書の交付を受けます。

また、コンビニ交付やオンライン申請（郵送受領）できる市区町村もあります。その場合は、マイナンバーカードなどが必要です。

印鑑証明書の有効期限は、発行日から3か月以内ですから注意しましょう。

### 個人の実印を使うのは……

**公証人役場で**

公証人に認証してもらう定款には発起人全員の実印を押し、印鑑証明書を１通ずつ添付する。

**法務局で**

登記書類「印鑑届出書」に、会社の設立時の代表者になる取締役の実印を、会社実印の下に押印し、印鑑証明書を１通添付する。

**取締役に就任するとき**

取締役または代表取締役に就任するときは、その就任承諾書に実印を押す。

**印鑑証明書は最低2通必要、3通とっておけば安心**

### 個人の実印として認められない例

- ×スタンプタイプの簡易印鑑（印影に違いがない）
- ×ゴム印や合成樹脂の印鑑（変形しやすいので登録できない）
- ×外枠がない印鑑や、文字が切れている印鑑
- ×本人の氏名と判別できない印鑑
- ×職業や生年月日、住所など、氏名以外が入った印鑑
- ×印影サイズが一辺8mmの正方形に収まる、または一辺25mmの正方形に収まっていない

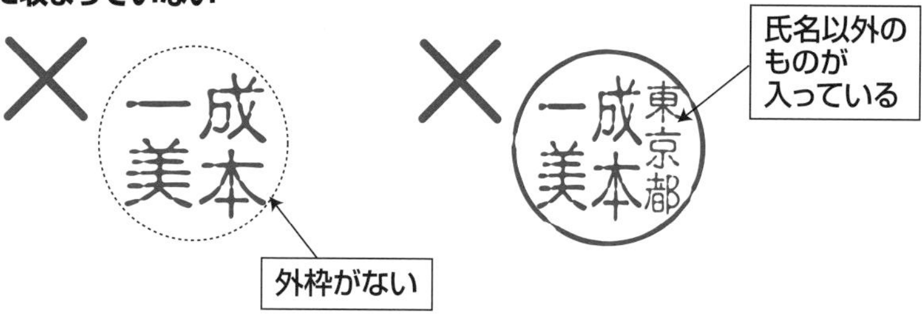


※役場によって若干異なる。　※苗字を入れなくてもよい。例「一美」　※苗字だけでもよい。例「成本」

**印鑑の材料は、象牙、黒水牛、つげ（木）などにする**

## 会社に必要な印鑑

# 会社の実印をつくる

### 社名が決定したら発注する

会社設立時には、いろいろな印鑑が必要になります。中でも、会社の実印は**原則として作成**しなければなりません。他にも下記の各種印鑑を準備しておきましょう。

なお、会社の印鑑の発注のタイミングは社名が正式に決まってからにします。印鑑を早めにつくってしまうと、いろいろな事情で最初に考えていた社名が使えない可能性もあり、せっかくつくった印鑑が無駄になることもあるからです。

## 会社設立時につくる印鑑一式

### 会社の実印

- **一般的に二重丸の内側に「代表取締役印」などと刻んである。**
- **一般的に二重丸の外側を社名が囲んでいる。**
- **大きさは、1cmを超え3cm以内かつ正方形に収まるもの。**

※会社の実印は法務局に登録する。
※実際に社名が決定した後発注する。
※形は丸が多いが、四角形や三角形でも、大きさの条件を満たせば登録が可能。

### 銀行印

- **内枠に「銀行之印」などと刻まれているのが一般的。**

※銀行口座の開設や小切手・手形などの取引をするときに使用する。

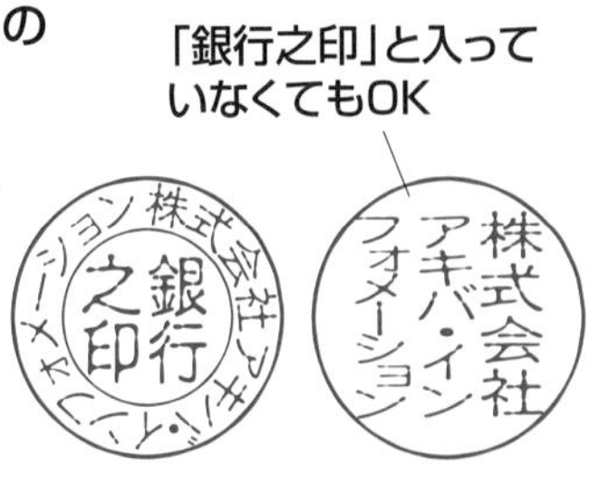

## 実印を紛失、破損した場合

実印を紛失してしまった場合には、すぐに**改印の手続き**を法務局（登記所）で行います。改印届書の用紙は会社設立時に提出した印鑑届書と同じものになります。改印届を出すときも代表者の個人の印鑑証明書を添付します。印鑑が破損したときは、新しい印鑑を作成し、紛失と同様に改印届書を法務局に提出します。

万一、盗難にあったときは、犯罪に利用される可能性が高いので、すぐに警察に届けます。

## インターネットでも購入できる

印鑑は、街の印章店でも購入できますが、インターネットなどでも安く早く購入できます。検索サイトで「会社　設立　印鑑」とキーワードを入れるとたくさんのショップが見つかります。

法人設立時の**印鑑セットは５千円前後から**購入できます。

一般的に会社設立時には、「会社の実印」「銀行印」「ゴム印」の3点を作成し、必要に応じて「角印」を作ることが多いようです。

### 角　印

●**規格はないが、2cm角くらいの会社名が入った印鑑。**

※領収書、請求書、納品書などの日々の業務に使用する。

### ゴム印

●**住所、会社名、代表者名、電話番号などが記載されたもの。**

※商号や本店の番地は省略してつくると正式な書類を作成するときに毎回訂正が必要となり、不便。

○　「株式会社アキバ・インフォメーション」「東京都新宿区新小川町1番1号」

×　「(株)アキバ・インフォメーション」「東京都新宿区新小川町1-1」

〒162-8445
東京都新宿区新小川町１番１号
株式会社　アキバ・インフォメーション
代表取締役　成本一美
電話　　03-××××-××××

※住所・会社名・電話番号の行がセパレートになっているものが便利。

# 印鑑の押し方

## 契《けい》 印《いん》

文書が2枚以上になるときや別紙があるときに、それらが一体のものであることを示したり、後から、用紙を抜き差しできないように、ページの両側にわたって押すもの。

## 割《わり》 印《いん》

契約書の原本と写しなど同じ文書を2部以上作成したときに、それぞれの同一性または、関連性を示すために、双方の文書にまたがって押すもの。

## 訂正印《ていせいいん》

文字を訂正するときに押すもの（→92ページ）。

### 契約書に押す印鑑

COLUMN

契約書に押す印鑑は、たとえ認印であっても、契約の意思に基づいて押印したものであれば、契約が成立することに変わりありません。
したがって契約書に限らず、人から求められて必要以上に認印を押すことは、好ましくありません。
仮に相手方が書類を変造して利用した場合でも、裁判になると、通常使っている認印を押印していたのであれば、負けてしまうこともあります。

## 捨《すて》　印《いん》

後で文書の文字を訂正する必要が生じたときに備え、書類の空白の場所にあらかじめ押しておくもの。
後で勝手に内容を変更される恐れがあるので、提出する相手を信頼できないときは押すべきではない。

**注意** **捨印をしたときは、その書類のコピーをもらっておくほうがよい。**

## 止《と》め印《いん》

契約書などに余白が生じたとき、後で続けて文字を書き込まれないよう、文字の最後に「以下余白」と書く代わりに押すもの。

## 消《けし》　印《いん》

契約書などに収入印紙を貼ったときに、印紙の再使用を防ぐために、印紙と書類の紙にまたぐように押すもの。
消印がなくても文書の効力そのものに影響はないが、その印紙の額面金額に相当する過怠税がかかることになる。

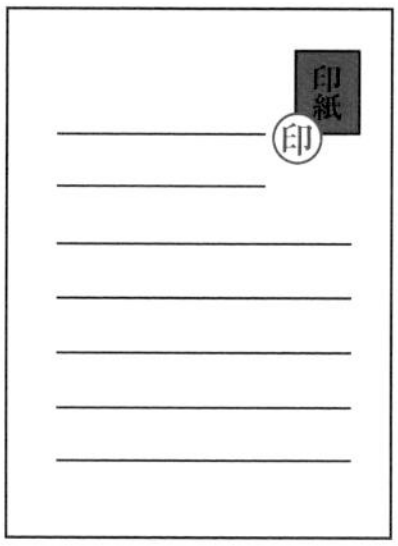

# 会社設立まで最短で1週間

## 余裕のあるスケジュールを組む

会社の設立の書類を法務局に提出してから登記が完了するまでは**約3営業日**かかります。法《ほう》務《む》局《きょく》（登《とう》記《き》所《しょ》と呼ばれることも多い）が**混んでいる場合は1週間程度**かかる場合もあります。

事業を始めるために許認可が必要な場合は、その申請書に登記事項証明書（→131ページ）を添付するので、実際の事業開始は、設立が完了してからさらに数か月かかることもあります。

あわてることのないよう、余裕のあるスケジュールを立てましょう。

## 登記申請は慎重に準備する

登記申請すると、「**登記完了予定日**」が指定されます。大きな修正がなければ、**登記完了予定日に登記完了**となることが多いようです。

簡単な補正であれば、登記所のカウンターで修正することもできますが、内容によっては、一度申請を取り下げることになるので、登記完了日が遅れます。**登記申請は慎重に準備**しましょう。

## 自力で最短スケジュールは難しい

会社設立を専門家に依頼せずに、最初から最後まで自分でするのも、よい経験にはなると思います。

しかし、最短スケジュールで会社を設立したいと思う場合は、どこかで不備が出ると、設立を予定していた日に間に合わなくなります。

定款認証の際に印鑑証明書を忘れて、認証を受けることができないといったこともあります。希望通りの会社設立日にしたいと思う場合は、専門家に依頼するのがベストです。

**Point 1** 登記完了までの必要日数は法務局ごと、混み具合によって異なる。

**Point 2** 登記が終わって会社が設立できても、許認可が必要な場合はその手続きが終了するまでは営業できない。

**Point 3** 文字修正などについては、92ページ参照。

### プラスα Information

#### 定款の確認《ていかんのかくにん》

定款認証が終わった後に、法務局で登記の審査が通らないと二度手間になるので、自分で定款をつくったときは、認証の前に法務局にもって行って目的の表現方法などを確認してもらうほうがいいでしょう。

#### 会社の基本事項

会社の基本事項とは、社名（商号）、事業の内容（目的）、本店所在地、資本金、事業年度、役員、発行する株式の数などの会社の基本となる事柄です。会社設立は、まずこれらを決定することから始まります。

## 会社設立までの流れ

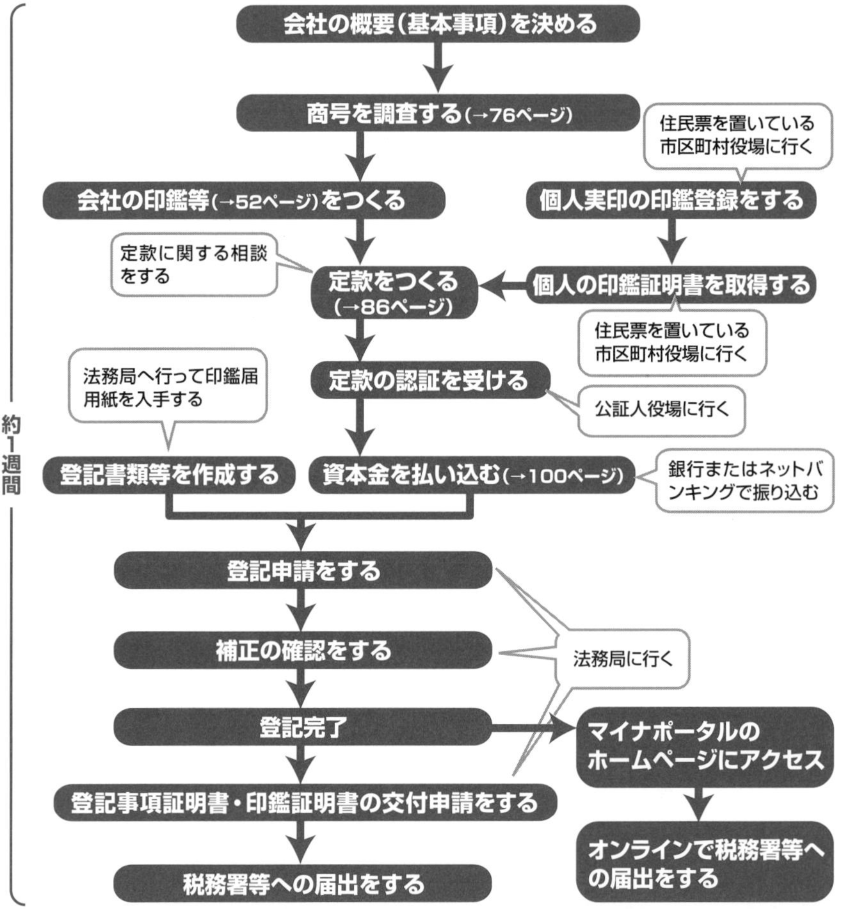


### 法務局での相談

COLUMN

法務局では、登記に関する無料相談を受けることができます。
窓口は、土地や建物の不動産登記に関するものと、会社などの法人登記に関するものに分かれています。
相談は原則予約制となっています。法務局によっては、電話相談を受け付けてくれるところもあります。
登記に関する事前相談には親切に応じてくれますので、積極的に活用しましょう。

## 会社設立に必要な費用

# 30万円あれば設立できる

### 自分でつくればおよそ30万円でできる

以前に比べると、電《でん》子《し》認証《にんしょう》ができるようになったり、最低資本金の規制が廃止されて資本金1円が認められたりしたことにより、**会社設立のための費用も少なくてすむ**ようになりました。

それでも、

- 定款印紙(電子認証では不要)40,000円
- 認証手数料30,000円～50,000円
- 登記150,000円～
- 印鑑代約10,000円
- 登記事項証明書代等1,650円～2,700円

で、約25万円はかかります。

また、これらの費用だけでなく、交通費や通信費、事務用品費等の雑費がかかりますから、自分で全部手続きをする場合でも、30万円くらいは準備しておきましょう。

**Point 1** 印鑑や交通費なども含めて最低30万円は用意しておく。

**Point 2** 資本金の額にきまりはなく、いくらでもよい。

**Point 3** 電子認証についてはよく検討すべき。4万円の収入印紙代は節約できるが、一定の機器と手続きが必要になる。

### 定款の電子認証なら収入印紙代が節約できる

公証人役場で定款の電子認証サービスを受けることができます。これを利用すると、定款は電子ファイルでのみ保存され、「文書」に該当しないので、印紙税の課税対象外となり、**収入印紙は不要**です。

ただ、40,000円の収入印紙代は節約できますが、自分で電子認証をするとなると手間と初期費用がかかるので、**司法書士に依頼**したほうがいいでしょう。

### プロに依頼し電子定款にすると+6万円～11万円

専門家に依頼する場合は、その手数料も必要になってきます。全部を依頼すると**司法書士報酬が約10万円～15万円**かかります。

ただし、電子定款に対応している司法書士に依頼すると、定款の印紙代40,000円が不要となるので、自分でつくる場合に比べ、6万円～11万円程度のプラスにおさまります。

**プラスα Information**

**設立後の届出**

会社を設立した後の各種届出書（→142ページ～179ページ）も、税理士や社会保険労務士などに依頼をすることができます。もちろん自分で届出をしてもかまいません。

## 会社設立に必要な費用

| 手続き | 手続き場所 | 内　容 | 費　用 | 備　考 |
|---|---|---|---|---|
| 定款の認証 | 公証人役場 | 印紙代 | 40,000円 | 電子定款の場合は不要 |
| | | 定款認証手数料 | 30,000円～50,000円 | 資本金額によって異なる※2 |
| | | 定款の謄本交付※1 | 1枚250円 | ― |
| 登記 | 法務局 | 登録免許税 | 150,000円～ | ※3 |
| その他 | 法務局 | 登記事項証明書 | 1,200円～1,800円 | 1通600円※4<br>2～3通とる |
| | | 代表者（法人）の印鑑証明書 | 450円～900円 | 1通450円※4<br>1～2通とる |
| | | 法人の印鑑作成 | 10,000円前後～50,000円 | 52ページ参照 |
| | ― | 交通費・通信費、雑費 | 30,000円～ | ― |
| | 合　計 | | 約300,000円～ | ― |
| 司法書士に依頼した場合 | 司法書士事務所 | ― | +10万円～15万円 | 電子定款にすると印紙代4万円は不要となる |

※1:定款の謄本は設立登記申請書の添付書類として法務局に提出するもの。
※2:2022年1月1日から、定款の認証にかかる手数料が以下に変更された。
・資本金100万円未満:30,000円
・資本金100万円以上300万円未満:40,000円
・資本金300万円以上:50,000円
※3:登録免許税は資本金額の0.7%で、最低150,000円。
※4:オンライン請求・送付なら少し安くなる。

### 株式払込金保管証明書

COLUMN

会社法が定められる前は、資本金が振り込まれたことを証明するために株式払込金保管証明書の添付が求められていましたが、銀行が発行を渋るという問題点がありました。

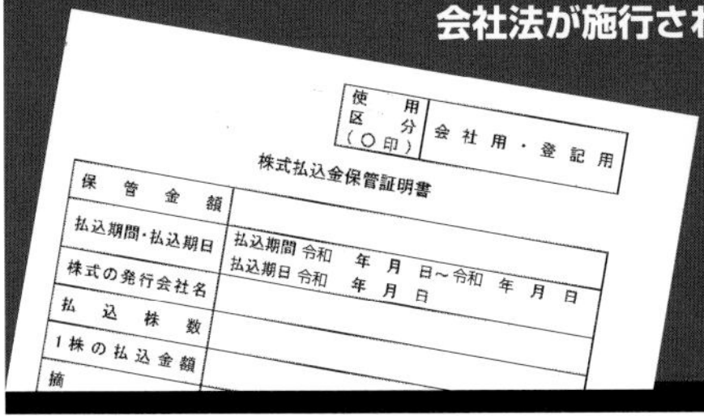
使用区分（○印）　会社用・登記用
株式払込金保管証明書

| | |
|---|---|
| 保管金額 | |
| 払込期間・払込期日 | 払込期間 令和 年 月 日～令和 年 月 日<br>払込期日 令和 年 月 日 |
| 株式の発行会社名 | |
| 払込株数 | |
| 1株の払込金額 | |
| 摘 | |

会社法が施行された現在では、発起設立については、株式払込金保管証明書の添付は必ずしも必要でなく、通帳の写しでOKとされ、会社設立の手続きが容易になりました。
なお、募集設立の場合は以前のように株式払込金保管証明書が必要です。

株式会社のしくみ

# 発起人が会社をつくる

## 株式会社のしくみは簡単

たとえば、1,000万円の資金が必要な事業をしたいときに、1人で1,000万円を出したり、銀行から1,000万円を借りたりするのは大変です。そこで、

①10人から100万円ずつ集める。

②お金を出資してくれた人には株主になってもらう（株券そのものは原則として発行しない）。

③会社の利益が出たら株主に配当する。

これが最も簡単な株式会社のしくみです。

## 発起人は1人でもOK

「会社をつくろう」と**言い出した人が発起人**となります。1人でもかまいません。

発起人は定款を作成し、株主を募集して、株主から出資金を集めます。発起人は必ず株主となるので、株主の代表のようなものと考えてかまいません。

## 設立の方法は2つある

会社の設立方法には「**発《ほっ》起《き》設《せつ》立《りつ》**」と「**募《ぼ》集《しゅう》設《せつ》立《りつ》**」の2つの方法があります。

発起設立とは、家族や友人などがお金を出し合って会社の株式全部を引き受け、かつ全員が発起人となる設立方法です。

募集設立とは、広く一般の人たちから資金を集めて株式を引き受けてもらう設立方法です。本書は手続きが簡単な「発起設立」を前提にしています。

## 株主は口出しできる

多くの事業資金を集めたいときは、単に多くの株主から出資を集めればよいというものでもありません。会社は株主のモノですから、会社の経営に口出ししてほしくないような人に株主になってもらうと、あとから不都合が出てきます。

会社の経営に口出ししてほしくないような人から資金を出してもらうときは、**出資ではなく借入**にしましょう。

**Point 1** 株式会社は、みんなでお金を出し合って事業をする。利益が出たらみんなに還元する。

**Point 2** 発起人は出資をして会社設立の中心となって手続きをする。人（自然人）でも会社（法人）でもかまわない。

**Point 3** 株主からの出資金は会社にとっての資本金。資本金は事業のための元手。

プラス α Information

**株主と債権者《かぶぬしとさいけんしゃ》**

事業のための元手資金は資本金と借入金で賄います。株主には利益が出たら配当を支払うだけですが、債権者には会社の利益に関係なく利息を払わなければなりません。

## 発起設立と募集設立

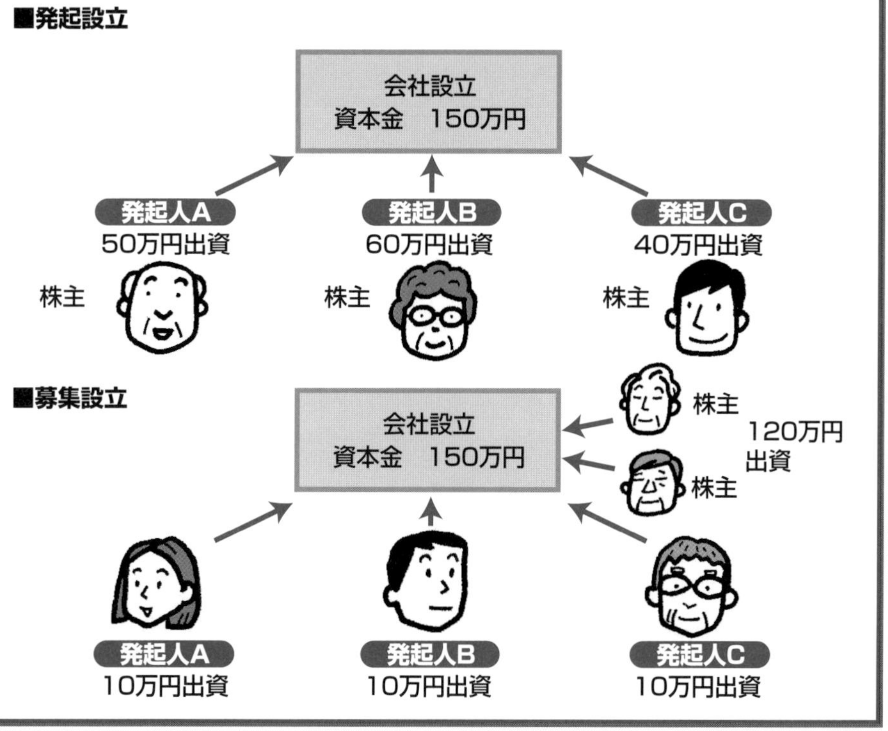


## 株主の有限責任

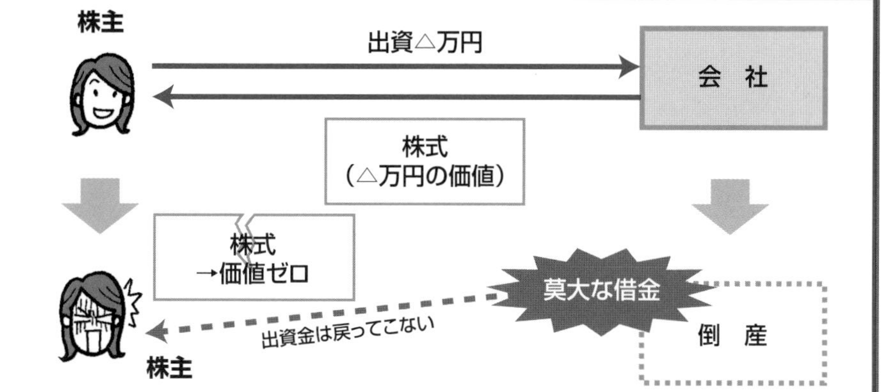


株主の有限責任：株主は、会社の事業が万一失敗しても、持っている株式の価値がゼロになるだけで、会社の借金を払う義務はない。このことを株主の有限責任という。

どこに事務所を置くのか

# 本店所在地を決める

## 管轄法務局を確認する

本店の所在地が決まると、その管轄の法務局に登記申請をすることになります。

商業登記事務の集中化が進められた結果、すべての法務局が商業登記事務を取り扱うわけではありません。**管轄は必ず確認する**ことが必要です。

## 本店の移転はお金がかかる

会社設立後に本店を移転すると、変更登記をしなければなりません。同一の法務局の管轄内で移転するときは、本店所在地の法務局へ登録免許税を3万円支払います。本店を異なる管轄の法務局へ移転するときは、旧本店所在地の法務局に3万円、新本店所在地の法務局に3万円、計6万円を納付します。

一時的な事務所を本店所在地として登記してしまうと、**移転のたびに登記や諸官庁への届出が必要**になり、上記の費用や手間もかかります。

移転の予定があるのなら、自宅住所を本店所在地とするのも1つの方法です。しかし、公団やマンションなどでは事務所不可の場合もあるので確認する必要があります。

## 事務所の移転は慎重に

生活の場と仕事場が一緒だと仕事に集中できないケースもあるので、**事務所を構えることを前提に考える**のが正解といえるでしょう。

誰もが綺麗なオフィスに憧れますが、家賃は固定費であることを忘れてはいけません。来客もあるでしょうから多少の見栄も必要ですが、一度決めたオフィスは、そう簡単に変わることはできません。

住所が変われば、名刺や会社の封筒などもつくり直さなくてはなりません。

**Point 1** 原則として、本店所在地が納税地となり、所轄の税務署、都道府県事務所、市町村役場が決まる。

**Point 2** 本店を置く場所には制限がない。基本的にどこでもOK。

**Point 3** 事務所も、登記上の本店所在地も、移転すれば費用がかかる。

プラスα Information

**看板代** かんばんだい

オフィスビルで事務所を借りるときは、通常そのビル専用の決まった形式の看板、ドアプレート、ポストプレートの作成が必要です。最低でも3万円～5万円はかかるので、あらかじめ予算に組み込んでおきましょう。

**納税地** のうぜいち

原則として、本店所在地が納税地となるので、本店所在地を管轄する諸官庁に届出を出すことになります。

**賃貸借契約書** ちんたいしゃくけいやくしょ

社会保険関係の手続きや、助成金の申請時に提示することがあるので、たいせつに保管しておきましょう。

## 手元資金

**1か月あたりの営業費×6か月分は、最低限、最初の手元資金として確保しておく。**

※営業費とは、販売費および一般管理費ともいわれるもので、
販売業務や管理業務のために発生する次のような費用のこと。

- **●人件費**
- **●交通費**
- **●家賃**
- **●通信費**
- **●広告宣伝費**
- **●交際費　　など**

**普通、営業費の中では、家賃と人件費が占める割合が大きい**

## 事務所選びのチェックポイント

**※入居してから後悔しないようしっかりチェック**

- □ 人数と広さのバランスがとれているか。
- □ 家賃は、予算内に収まっているか。
- □ 商談スペースはあるか。
- □ 交通の便はいいか。
- □ 取引先から近いか。
- □ 自宅から近いか。
- □ 24時間使用可能か。
- □ 土曜・日曜も使用可能か。
- □ 空調は個別調整でき、かつ24時間使用可能か。
- □ インターネット接続が可能か。
- □ 電力供給量は十分か。
- □ 携帯電話は使えるか。
- □ 環境は悪くないか。

**事務所選びは用途をよく考えて条件を検討する。**

**共同事務所を検討する**　COLUMN

単独事務所は費用がかかります。同じ事業または補いあうような事業を営む事業者が共同で事務所を開けば、家賃や光熱費、コピー代などを節約できます。事務所経費は、あまりかけずにスタートするのが無難です。
ただし、費用について不公平感の出ないよう負担基準を明確にすることや、応接室などの共用スペースの使用規定などをつくっておかないと、共同事務所のパートナーと喧嘩別れしてしまうことも起こりえます。

会社の事業年度

# 業務の閑散期を決算日にする

## 事業年度は1年の会社が多い

会社が儲かっているかどうかを計算するために区切られた一定の期間のことを**事業年度**《じぎょうねんど》（営業年度、会計年度、会計期間ともいう）といいます。

事業年度は1年以内であれば自由に決めることができます。かといって、その期間があまりに短いと手間がかかって大変です。

季節がちょうど一巡することもあり、「事業年度は1年」と定める会社が大多数です。

## 事業年度の最後の日が決算日

事業年度の最終日を**決算日**《けっさんび》といい、経理上、決算の作業をして決算書、税金の申告書を作成します。

会社が払うべき税金は、法人税、住民税、事業税、場合によっては消費税ですが、これらの税金の納付期限は、原則として決算日から2か月以内となっています。

## 3月末決算でなくてもいい

大きな会社では3月末決算が多いのです

### 事業年度

**事業年度が一定期間に決まっていないと……**

第1期　6か月間　利益 1,200
第2期　4か月間　利益 800
第3期　15か月間　利益 2,000

→業績が上がっているのか、下がっているのか、期間比較ができない!

**事業年度を一定期間に定めることで……**

第1期　12か月間　利益 2,000
第2期　12か月間　利益 1,500
第3期　12か月間　利益 1,300

→業績が下がっていることが一目瞭然

**税法では事業年度は1年以内と決められている**

が、必ずしも3月末決算にこだわらなくてもかまいません。

棚卸商品が少ない時期を決算日にすれば、棚卸商品を数える作業の負担も少なくてすみますし、会社の業務の閑散期を決算日にすれば、決算業務に時間をとられても本業にあまり影響しません。

しかし、消費税のことを考えると、とにかく**設立日から１年後を第１回目の決算日**とし、3年目から決算日を都合にあわせて変更するといいでしょう（→ 下図）。

## 納税と資金繰りを配慮する

法人税等の納付期限は、決算日から2か月以内となります。賞与やその他の支払いと納税の期限が重ならないように配慮しておくほうがいいでしょう。

また、売上変動が激しい業種の場合は、売上が多い月の前月を決算日としておくと、売上が多い月にかかる納税を次期にずらすことができます。

**COLUMN**

**事業年度がもし50年だったら**

**もし、会社の事業年度が50年だったらどうなるでしょうか。**
**経営上は、事業年度ごとの業績比較ができないので、結局は半年や１年で会社の業績を計算して経営判断する必要が出てくるでしょう。**
**また、税金面でも決算申告が50年間もされないということになると、実際に利益が出ていても、ずっと納税がされないということになります。**
**このように事業年度を１年以内とするのには、経営面でも税金面でも合理的な理由があるのです。**

## 消費税免税事業者の特典の活用

**期首資本金1,000万円未満の会社は第１期、第2期は売上高にかかわらず、原則として消費税の免税事業者になる**

↓

**つまり、第１期、第2期は、それぞれ１年間ずつにすると、消費税の免税事業者である期間が最大になる。**

**CASE1　第１期１か月間、第2期１年間の場合**

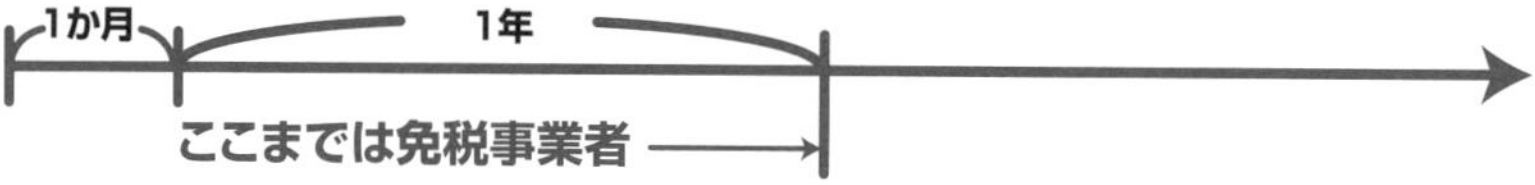


**CASE2　第１期１年間、第2期１年間の場合**

※前事業年度の開始日から6か月間の課税売上高および給与支払総額のどちらも1,000万円を超える場合には期首の資本金の額にかかわらず課税事業者となる。

# 会社の名前と事業目的は早めに決める

## 社名は会社の顔

会社の名前は、正式には「**商号**《しょうごう》」といいます。会社名は一度決めたら、そう簡単に変更することはできません。**よく考えて決めて**ください。

●何をしている会社なのか
●どういうポリシーの会社なのか
●社名の由来は何なのか

などが一目でわかり、よいイメージのものが理想的です。

## 事業目的は申請前に決める

**事業目的**、つまり「何をする会社なのか」は定款に必ず記載しなければならず、その表現方法には一定のルールがあります。

事業目的は、会社法の施行によって記載基準が緩和されましたが、設立の手続きに入る前から検討しておかないと、登記申請のときに無駄な時間や労力を費やす羽目になりかねません。はじめの段階から**法務局に足を運ぶ**か、**専門家に相談**しておきましょう（→ 78ページ）。

## 目的に専門用語等を使用する場合は注意

事業目的に外来語や専門用語等を使用する場合には、それらが一般の用語辞典に掲載されているなど、広く社会的に認知されているものでないときには、登記申請が受理されない場合があります。

外来語や専門用語等の後にかっこ書きで説明を付したり、一般的な用語に置き換えたりするなどの工夫をするとよいでしょう。

## 事業内容は銀行でチェックされる

会社設立後、金融機関で新規に口座を開設する際に、マネー・ローンダリング規制の観点から、事業内容（会社の目的）を細かく確認されます。

許認可が必要な事業であれば、許認可証の提出を求められたり、具体的に事業を行う予定の有無等の質問を受けたりすることがあります。不要不急な目的は、入れないほうがよいでしょう。

**Point 1** **会社名は、会社のイメージを決めるたいせつなもの。長すぎたら覚えてもらいにくい。**

**Point 2** **口座開設の際に、銀行は事業目的を細かくチェックする。**

プラス α Information

**商号を変える** しょうごうをかえる

会社設立後に商号を変えるには、株主総会において定款変更を決議し、そのうえで法務局に商号変更登記を行うことになります。
登記完了後は、変更の記載がされた登記事項証明書を取得し、税務署、都道府県税事務所、市区町村役場、労働基準監督署、ハローワーク、社会保険事務所等に届け出ます。

# 何をする会社なのか（事業目的）

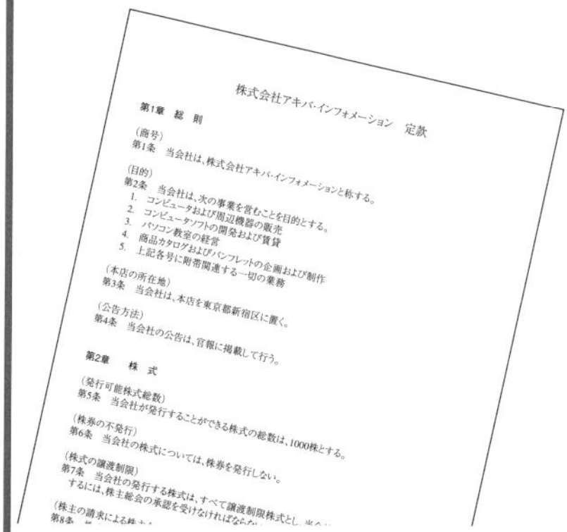

株式会社アキバ・インフォメーション　定款

第1章　総　則

（商号）
第1条　当会社は、株式会社アキバ・インフォメーションと称する。

（目的）
第2条　当会社は、次の事業を営むことを目的とする。
1. コンピュータおよび周辺機器の販売
2. コンピュータソフトの開発および賃貸
3. パソコン教室の経営
4. 商品カタログおよびパンフレットの企画および制作
5. 上記各号に附帯関連する一切の業務

（本店の所在地）
第3条　当会社は、本店を東京都新宿区に置く。

（公告方法）
第4条　当会社の公告は、官報に掲載して行う。

第2章　株　式

（発行可能株式総数）
第5条　当会社が発行することができる株式の総数は、1000株とする。

（株券の不発行）
第6条　当会社の株式については、株券を発行しない。

（株式の譲渡制限）
第7条　当会社の発行する株式は、すべて譲渡制限株式とし、
するには、株主総会の承認を受けなければなら

（株主の請求による

●定款に記載すべき事業目的は、ある程度書き方が決まっている。

●管轄の法務局の登記官の判断でOKかどうかが決まる（A法務局で認められた事業目的がB法務局で認められないということもある）。

●会社の目的は、漢字やひらがな、カタカナなどの日本文字を使うのが原則。ただし、社会的に認知されている語句についてはローマ字（アルファベット）の使用が認められている。

●悩んだときは、法務局で相談することができる。

●許認可事業の場合、「○○事業」という記載しか認可を受けられない、という場合もある。

●会社を設立して認可申請するときに、必要な事業目的の記載が定款になければ、定款を変更する事態にもなりかねない。認可申請する予定の場合は事前に監督所轄庁に確認しておくとよい。

●事業目的は、とにかく並べればいいと、やるつもりもないのに「金融業」と事業目的に書いてしまうと、金融機関からの融資が受けられない場合がある。

資本金の額

# 1円の資本金では不安な面がある

## 資本金は1円からOK

会社法施行によって、**資本金が1円の会社もできる**ようになりました。しかし、取引先が登記簿で会社の資本金の額を確認することもあります。会社の信用に影響することですから、できれば会社の「**必要資金**」(→ 39ページ)**相当額は資本金としておく**ほうがいいでしょう。

また、業種によっては一定の資本金の額が許認可の要件となっていることもあるので、許認可申請の予定があるときは、あらかじめ調べておく必要があります。

## 資本金は事業資金になる

事業をするには資金が必要です。借入金だけでなく、資本金も活動資金として使うことができます。

資本金が1円では、活動資金として役に立たないので、その場合は、実際に必要な資金を別に借入等で確保する必要があります。

つまり、資本金は多いほうが、ゆとりをもって経営に取り組むことができるということです。

## 資本金の大きさで税金が違う

無計画に大きな資本金で会社を設立してしまうのも問題です。なぜなら、**資本金の大きさが、税金に影響**するからです(→次ページ)。

消費税の課税事業者の判定の点からも、設立時の資本金の額は**最大でも1,000万円未満**がいいでしょう。

資本金は多すぎず少なすぎず、会社の業種規模にあった適当な金額を決める必要があります。

**Point 1** 資本金は会社の債権者の債権を担保する。取引先の信用にも関係してくる。

**Point 2** 現金出資の場合、会社設立後、資本金を事業資金にできる。

**Point 3** 税金のことを考え、資本金の額は、1,000万円未満とするのがよい。

プラスα Information

**株主への配当**《かぶぬしへのはいとう》

会社が儲かったら、株主に配当をすることもありますが、際限なく配当することはできません。資本金の額をベースとして計算した一定金額までは会社に留保しなければならず、株主に配当することはできません。

**資本金の額の変更**《しほんきんのがくのへんこう》

会社設立後、資本金の額を増やしたいときは、新たな出資をし、増資の手続きを行います。出資をした人は、新たな株主になるか、または持株数が増えることになります。

反対に資本金の額を減らしたいときは、株主総会で資本減少の決議を行い、官報への公告、債権者への催告などの債権者保護手続きを行うなど、より厳格な手続きをとることになります。

# 資本金等の額によって異なる主な税金

■道府県民税（標準税率）

| 資本金等の額 | 従業員数 | 税金:均等割 |
|---|---|---|
| 1,000万円以下 | 従業員数は関係なし | 20,000円 |
| 1,000万円超<br>1億円以下 | | 50,000円 |

その差は
年間3万円

資本金の額だけでなく、原則的には
株式の発行価額の合計金額をさす

■市町村民税（標準税率）

| 資本金等の額 | 従業員数 | 税金:均等割 |
|---|---|---|
| 1,000万円以下 | 50人以下 | 50,000円 |
| | 50人超 | 120,000円 |
| 1,000万円超<br>1億円以下 | 50人以下 | 130,000円 |
| | 50人超 | 150,000円 |

従業員10人の
会社なら、
資本金
1,000万円
以下か超かで、
その差は
8万円になる

■交際費の損金不算入

| 期末資本金の額 | 損金算入できない金額 |
|---|---|
| 1億円以下 | ①交際費の800万円を超える部分の金額<br>②接待飲食費の50%を超える部分の金額<br>①または②のいずれか少ない金額 |
| 1億円超 | 接待飲食費の50%を超える部分の金額 |

➡214ページ

■消費税の課税事業者の判定（消費税課税事業者選択届出書を提出していない場合）

| | 第1期 | 第2期 | 第3期 |
|---|---|---|---|
| 資本金1,000万円未満 | 免税事業者 | 免税事業者 | 第一期または第二期の売上高等による |
| 資本金1,000万円以上 | 課税事業者 | 課税事業者 | |

➡224ページ

均等割と違って「未満」「以上」であることに注意

## 法人口座の開設

COLUMN

**設立後に会社の銀行口座を開設する場合、都市銀行などの大きな銀行の中には、「資本金の額が300万円以上の場合のみ法人口座開設可能」などと定めているところもあります。**
**地方銀行や信用金庫等もありますから、資本金が少なくても法人口座の開設そのものには問題は生じません。しかし、大きな銀行で法人口座をもちたいというこだわりがあるのなら、あらかじめ資本金の額が口座開設に関係するかどうか、**
**銀行に確認しておくのがいいでしょう。**

Column

# サラリーマンの起業と兼業禁止

近年、サラリーマンのサイドビジネスが話題となり、副業を認める会社も増えてきましたが、サラリーマンには職務専念義務があるとして、会社の就業規則で兼業が禁止されている会社はいまだ多く、サイドビジネスを始める場合には、就業規則に違反しないように注意しなければなりません。

会社から独立して起業する場合には、勤めている会社を退職した後に、自分の会社を設立するようにしましょう。在職中に新会社を設立して当該会社の役員に就任することは、兼業禁止規定に違反することになります。まして、勤めている会社と同業である場合には、競業避止義務違反となり、損害賠償請求を受けるおそれもあります。

退職後についても、雇用契約や就業規則によって競業避止義務が課されていたり、職務の内容によっては守秘義務に抵触する場合もあるので注意が必要です。

また、親族や友人等が会社を経営している場合に、「取締役に就任してほしい」と頼まれるケースもあるかと思います。

2006年5月1日の会社法施行後に設立された株式会社は、取締役1名でも設立することができるようになったので、必要以上の役員を集めることは不要になっています。

しかし、会社法施行前から存在する多くの会社は、今も取締役会設置会社として、取締役3名および監査役1名以上の役員が必要なので、会社の事業に関与していない親戚や友人に役員への就任を依頼することがあります。単に名前を貸す程度の気軽な気持ちで承諾してしまう人も多いのですが、安易に就任した後で、勤めている会社に判明し、慌てて辞任しなければならなくなったというケースが後を断ちません。

なお、非常勤役員として報酬が出ている場合には、住民税や保険料の負担が増えることもあり、その報酬を実際に受け取っていない場合には、それは架空の給与となるので、脱税に加担したことになってしまいます。

代表取締役として就任させられて、詐欺的な行為が行われた場合など、後でその責任を取らされる類のことも少なからずあります。

役員への就任は、頼む側も、頼まれる側も、慎重であるべきです。

第3章

# 株式会社の設立登記

定款とは何か

# 定款は「会社の憲法」のようなもの

## 会社設立には定款が必要

会社を設立するには、必ず**定款**《ていかん》を作成しなければなりません。定款とは、会社の組織や運営に関する基本的なルール、つまり会社における憲法のようなものです。

定款を見れば、「会社の事業内容」や「創始者が誰か」といった会社の根本にかかわることがわかります。定款では、商号や目的など必ず記載しなければならない事項（**絶対的記載事項**《ぜったいてききさいじこう》という）が法律で決められています。会社設立時には発起人（→ 60ページ）全員で定款を作成し、発起人全員が定款に**署名**《しょめい》（または**記名**）**押印**《おういん》します。

定款に記載されたことは、株主、役員ともに守らなければならないのです。

**Point 1** 会社を設立するには、定款を作成し、公証人の認証を受けなければならない。

**Point 2** 会社設立後に定款を変更しても再度定款の認証を受ける必要はない。ただし、法務局に変更登記申請をすることが必要になる場合があるので注意。

**Point 3** 「公証人」とは、国の公証事務を行う法務大臣が任命する公務員。定款の認証は公証人が取り扱う。

## 公証人の認証を受けなければならない

株式会社設立時の定款は、公証人の認証を受けなければ効力を生じません。**定款の認証**（→ 詳しくは94ページ）とは、定款への署名押印または記名押印が発起人のものであることを公証人の面前で認め、公証人がその旨を記載すること、つまり、発起人による定款作成行為が正しく成立したことを証明するものです。

定款の認証が無事終われば、公証人は、定款の末尾に定款を認証したことの証明文を添付してくれます。

定款の認証は、公証人が事務をする公証人役場で取り扱っています。

会社設立後、事業拡大により商号変更や目的の追加など、定款の内容を変更しなければならないことがあります。定款変更は株主総会において変更決議を行います。変更後の定款は、公証人の認証を受ける必要はありませんが、法務局に変更登記をすることが必要になる場合があります。

プラスα Information

**原始定款と現行定款**《げんしていかんとげんこうていかん》

会社設立時に作成され、公証人の認証を受けた定款を「原始定款」といいます。これに対し、会社設立後に作成された定款を「現行定款」といいます。

## 定款についての手順

- **STEP1** 発起人全員で定款を作成する →86ページ
- **STEP2** 発起人全員が署名（または記名）押印する →86ページ
- **STEP3** 発起人全員の個人の印鑑証明書を用意する（発起人が法人の場合は、法人の登記事項証明書と印鑑証明書が必要） →50ページ
- **STEP4** 定款の認証を受ける（実質的支配者となるべき者の申告書を提出） →94ページ
- **STEP5** 定款（謄本）を登記申請書に添付する →124ページ
- **STEP6** 現行定款を会社の本店・支店で保管する

## 署名と記名

●署名とは、本人が自筆で氏名を手書きすること。

●記名とは、署名以外の方法で氏名を記載すること（記名の代表的な例として、パソコン・ワープロによる印刷やゴム印を押印する方法がある）。

定款の記載内容

# 定款に記載することは決められている

## 定款の内容は大きく3つに分類できる

定款の内容は、商号、目的、発起人の住所・氏名など必ず記載しなければならない絶対的《ぜったいてき》記載《きさい》事項《じこう》の他に、定めないと効力が生じない相対的《そうたいてき》記載事項、任意の内容である任意的《にんいてき》記載事項の3つに分けることができます。

**●絶対的記載事項**

会社法の規定により、定款に必ず記載しなければなりません。**記載のない定款は無効**となります。

①商号
②目的
③本店の所在地
④設立に際して出資される財産の価額またはその最低額
⑤発起人の氏名または名称及び住所
⑥発行可能株式総数

**●相対的記載事項**

定款に記載しなくても定款自体の効力に影響はありませんが、記載がないと、その定めの効力が生じない事項のことです。

会社法の規定により「定款の定めがないと効力を生じない事項」の規定があるものも記載します。

①現物出資（金銭以外の財産の出資）がある場合にはその内容
②財産引受（会社成立後に財産を譲受することをあらかじめ約束をしている）がある場合にその内容
③発起人が受ける報酬、その他の特別の利益の内容
④株式会社の負担する設立に関する費用（定款認証の手数料など株式会社に損害を与えるおそれがないと認められる費用を除く）
⑤株式譲渡制限に関する規定　など

**●任意的記載事項**

定款には、法律の規定に反しない内容であれば会社が任意に決めた事項を記載することができます（任意的記載事項）。

ただし、会社設立後に定款に定めた事項を変更するには、株主総会の決議が必要になるので注意しなければなりません。

①事業年度に関する定め
②株主総会の議長の定め　など

会社の「社訓」を任意的記載事項として定款に記載してもいいでしょう。

**Point 1** 定款に最低限記載すべき内容は決まっている。記載のない定款は無効。

**Point 2** 記載しないと、効力が生じない事項を相対的記載事項という。

**Point 3** 違法な内容でなければ任意の事項を定款に入れることができる。

## 「商号」のルール

●株式会社の商号には、必ず「株式会社」の文字を入れる。
●株式会社の文字は前後どちらでもOK。
例:山田商事株式会社　株式会社山田商事

### 商号として使用可能な文字

漢　　字　　第一商事
ひらがな　　だいいち商事
カタカナ　　ダイイチ商事
ローマ字　　DAIICHI SHOJI
　　　　　　Daiichi Shoji
アラビア数字　第１商事
符　　号（下記符号のみ使用できる）

### 使用可能な符号

| 符号 | 読み方 | 使用例 |
|---|---|---|
| & | アンパサンド | アキバ&インフォメーション |
| ’ | アポストロフィー | アキバ’インフォメーション |
| , | コンマ | アキバ, インフォメーション |
| - | ハイフン | アキバ-インフォメーション |
| . | ピリオド | アキバ. インフォメーション |
| ・ | 中点 | アキバ・インフォメーション |

●上記の符号は字句（日本文字を含む）を区切る際の符号として使用する場合に限り使える。ただし、「.」（ピリオド）は、その直前にローマ字を用いた場合に省略を表すものとして商号の末尾に使用することもできる。
●上記以外の文字、たとえばハングルやドイツ語のウムラウトなどは商号として登記できない。
●登記する商号は1つのみ。ただし、定款に次のように記載することができる。
「当社は、ドリーム株式会社と称し、英文ではDream Corporationと表示する」
●「ABO東北株式会社」のように、ローマ字と日本文字を組み合わせた商号にすることもできる。
●ローマ字以外の商号にスペース（空白文字）を入れることはできない。

### 商号に関する調査

# 類似商号の規制はなくなっても注意が必要

## 法人番号公表サイトで商号調査をする

同じ住所でさえなければ、同一の商号（社名）をつけることができます。念のため、**同じ住所に同じ社名をもつ会社が存在しないかどうかを確認**します。

パソコンのインターネットからオンライン登記情報検索サービスを利用して調査する方法もありますが、利用するには登録が必要です。

国税庁の法人番号公表サイトの検索ページに商号を入力して調査する方法は、登録が不要なのでおすすめです。

## 他の会社と勘違いされる名前は避ける

会社法では「不正の目的をもって、他の会社であると誤認されるおそれのある商号を使用してはならない」と決められています。

同種の事業をしている会社が近くにあるようなケースでは、同じような名前をつけても法務局では受理されますが、「不正の目的をもって誤認を生じさせる商号」として問題にされる場合があります。

## 商標権についても調査する

有名ブランド名を社名にすることは、商標権《しょうひょうけん》の侵害の問題が生じるので注意が必要です。商標登録されていないかの調査も検討しましょう（→ 次ページ）。

「有名なブランド名と同じ名前にしたらかっこいいかも」などと気軽な気持ちで使用すると、後日、通知書が届き、商号変更を余儀なくされることもありえます。

## 有名会社名は避けたほうがいい

たとえば、毎日コマーシャルが流れていて全国的にも有名な会社と同じ名前を使って営業するような場合には、差し止め請求を受ける可能性があります。

インターネットの検索機能を使って、希望する商号を入力し、調べてみましょう。

**Point 1** 同じ社名で同じ住所の会社があれば、重ねて設立することはできない。

**Point 2** 商標権や不正競争防止法には注意が必要。インターネットや電話帳で同じ名前の会社がないか調べるのも1つの方法。

プラスα Information

**「類似」の定義** るいじのていぎ

発音が違っていても、「大」「太」「犬」など、視覚的に似た漢字を使った場合も、類似した名称と判断される可能性があるので注意しましょう。また、たとえば「(株) コンサルティングサービス」と「日本コンサルティングサービス (株)」など、地域名だけが異なるような名前も類似と考えられます。

## 法人番号公表サイトの利用による商号調査

**STEP1** 国税庁法人番号公表サイトにアクセスする。
https://www.houjin-bangou.nta.go.jp/

↓

**STEP2** 「名称・所在地などから調べる」の画面の「商号又は名称」のところに希望する商号を入力する。

↓

**STEP3** 同じ画面の「所在地」のところの都道府県および市区町村を選択する。
（都道府県の選択をしないと全国の法人が表示される）

↓

**STEP4** 「検索」のボタンを押すと商号と所在地が表示されるので、同じ所在地がないか確認する。

## 商標の調査も必要

●商標登録:商品名、サービス名などのいわゆるブランド名やロゴなどを独占的に使用するために登録すること

もし、登記した社名が商標登録されたものだったら……?

例:「ロレックス工業株式会社」として、会社設立登記すれば

▶会社名としては使用可能だが、商品名やホームページのタイトルにその名称を使用することはできない。

▶会社名とは別のブランド名称を考えないといけない。

▶商標権の侵害となると商標の使用差し止めや損害賠償の請求対象になるかもしれない。

↓

●会社名を考えるときには、商標調査もしたほうがいい。特許情報プラットフォームのホームページで調べることができる

●商号と違って商標権は全国的な権利であることに注意!

※特許情報プラットフォームのホームページ:
https://www.j-platpat.inpit.go.jp/

## 不正競争防止法

●他人の商品等表示（氏名、商号、商標など）として、広く認識されているものと同一・類似の商品等表示を使用するなどにより、他人の商品や営業と混同を生じさせる行為は「不正競争防止法」により禁止される。

↓

商品表示や営業表示について、すでに知られている名前（会社名、商品名、キャッチコピーなど）や有名な名前を自分の会社名として使うことはできないということ。

## 定款の書き方①～目的

# 「目的」には将来の事業予定も記載する

### 「目的」は欲張らないこと

定款には、会社設立後に**会社が行う事業を「目的」として記載**します。「目的」は絶対的記載事項なので、必ず記載しなければなりません。

設立後すぐに営むわけではなく、近い将来予定している事業についても目的の中に入れておくのがいいでしょう。入れておかないと、事業を行う際に株主総会で目的を追加する定款変更決議をし、かつ法務局への変更登記申請が必要になります。

目的が数種類に及ぶ場合は、各項目の頭に1、2、3と数字をつけ、目的の最後の項目には、「上記各号に附帯関連する一切の業務」と記載します。

目的の数に制限はありませんが、欲張りすぎると、「いったいこの会社は何をしている会社なのか」と金融機関などに疑問をもたれて、説明を求められることもあるので注意が必要です。

新たに取引を始める場合の取引先や会社の出資者が投資を判断する上で、会社の事業目的は重要な判断材料になるということを念頭に置いて目的を決めましょう。

また、会社設立後許認《きょにん》可《か》を取得する予定があれば、目的の記載について監督官庁に確認しておくほうがいいでしょう。

### 「目的」にできないケースがある

①**適法性**：法律違反となるような目的は「適法性に欠ける」ものとして、定款の目的に入れることはできない。

②**明確性**：語句の意味が一般の人に理解できないようなものは、明確性に欠けると判断される場合がある。

③**具体性**：会社法施行後は、具体性については問われなくなったが、許認可申請や銀行の融資の際には審査の対象となるので、抽象的すぎないように注意する。

④**営利性**：株式会社の目的には営利性が必要。たとえば、「ボランティア活動」や「慈善団体への寄付」などは営利性がないと判断される。

目的の記載については、法務局の相談窓口で確認しましょう。

**Point 1** 目的には、近い将来予定している事業も盛り込んでおく。

**Point 2** 目的にできないケースがあることに注意する。

**プラスα Information**

**会社の目的以外の事業**

会社は定款に定められた目的の範囲内で事業を行うことになります。新たな事業を展開したければ、目的を追加する手続きをとらなければなりません。

ただ、定款で定めた目的そのものを行う行為でなくても、その目的を達成するために必要な行為は有効とされることもあります。

## 「目的」を決める際に注意すること

| | |
|---|---|
| 商社でもないのに、行う予定もない事業目的を数多く記載する | 「何をしている会社なのかわからない」と疑問をもたれる |
| 金融業をする予定もないのに事業目的に「金融業」を入れる | 金融機関から融資を受ける際に問題となって、スムーズに融資を受けられないことがある |
| 会社設立後すぐに許認可（→26ページ）を受ける予定がある | 許認可の監督官庁に目的の記載方法について確認しておく |
| 目的にローマ字による用語や専門用語等を使用したいとき | 用語の後にかっこ書きで説明を付したり、一般的な用語に置き換えたりするなどの工夫をするとよい（→66ページ） |

## 目的として認められない例

**適法性**

違法な目的例：馬券の販売、麻薬の売買など

**明確性**

明確性に欠ける例：雑務作業、中小企業に対する経営代行など

《参考》以下のような目的例は認められる。
●建築工事業及び土木工事業　●不動産の売買、賃貸及びその仲介　●ネイルサロンの経営
●飲食店の経営　●インターネットホームページの企画及び制作　●学習塾、カルチャー教室の経営

### 定款の書き方②～本店の所在地、株式の譲渡制限

# 町名地番は記載しないほうがいい

## 定款の本店所在地の記載方法は大きく2つある

「**本店の所在地**」については、記載方法をどうするかがポイントとなります。

**①最小行政区画まで記載する**

**②具体的に町名、地番まで記載する**

**最小行政《さいしょうぎょうせい》区《く》画《かく》**とは、東京都のうち特別区のある区域については、各区まで、その他は市町村までです。横浜市などの政令指定都市や都道府県名と同一の市の場合は、都道府県名を省略し「○○市」と表示することができます。

## 最小行政区画までの記載がおすすめ

①と②のどちらを選ぶかは自由ですが、市区町村（東京は区）までで止める方法をおすすめします。

なぜなら、町名地番まで記載してあると、将来同一市区町村内で本店移転をする場合に**定款変更手続きが必要**となるからです。定款の記載を市区町村までとしたときの具体的な本店の所在場所は発起人の決定で決めます（→ 119ページ）。

## 定款に株式の譲渡制限の定めを置く

会社にとって好ましくない者が株主になることを防止するため、株式の譲《じょう》渡《と》を自由にできない規定を置くことができます。一般的に定款に「株式の譲渡による取得について会社の承認が必要」と記載します。承認は、原則取締役会設置会社では取締役会、取締役会を置かない会社では株主総会で行います。

また、取締役を1名だけにする場合や任期を延長させたいときは、全部の種類の株式が譲渡制限株式である必要があります。

したがって、近い将来、株式の上場を目指している会社でなければ、通常は**定款に譲渡制限の定めを置く**ほうがよいでしょう。

本書の定款および申請書のサンプルは、全部の種類の株式が譲渡制限株式の会社であるという前提で作成しています（→ 87ページ～）。

**Point 1** **定款の本店所在地の記載は、市（区）町村までの記載に止める方法がおすすめ。**

**Point 2** **株式の譲渡制限に関する規定を定款で定めておこう。**

プラスα Information

**株券の発行** かぶけんのはっこう

会社法施行前は、原則として株券を発行しなければなりませんでした。会社法施行後設立された会社は、原則株券を発行しなくてもよくなり、定款で株券を発行する旨を定めた場合に限り発行することができます。

## 定款に記載する「本店所在地」のパターン（5種類）

**最小行政区画**

### ① 市区町村まで記載する

例1：神奈川県海老名市
例2：横浜市（政令指定都市、または都道府県名と同一の市の場合）

### ② 東京都のうち特別区のある区域＝特別区まで記載する

例：東京都港区

### ③ 町名、番地まで記載する

例：神奈川県海老名市中央1丁目×番×号

### ④ 町名、番地、ビル名、マンション名まで記載する

例：神奈川県海老名市中央1丁目×番×号　オウギビル

### ⑤ 町名、番地、ビル名、マンション名、号数まで記載する

例：神奈川県海老名市中央1丁目×番×号　オウギビル203号

### ③～⑤にすると次のような場合でも定款変更が必要になる

神奈川県海老名市中央1丁目×番×号　オウギビル

神奈川県海老名市中央1丁目△番○号　ハヤテビル

**WORD**

**譲《じょう》渡《と》制《せい》限《げん》株《かぶ》式《しき》**

株式は原則譲渡自由ですが、株式を譲渡する場合に、会社の承認が必要とされる株式を譲渡制限株式といいます。

**株《かぶ》主《ぬし》名《めい》簿《ぼ》**

株主名簿は、株主に関する基本情報を記載した名簿で、会社は作成の上、備えておく必要があります。各株主の住所、氏名、株式数、取得日等を記載し、株主に変更があれば書き換えます。

## 定款の書き方③〜事業年度、公告方法

# 事業年度の決め方に注意する

### 事業年度は記載したほうがよい

**事業年度**は、絶対的記載事項ではないので、定款に必ずしも記載しなくてかまいません。

ただ、税務署に対する「会社の決算期の意思表示」として、定款には、**事業年度を記載するのが通常**です。

次ページで紹介するような失敗を耳にすることがあります。事業年度は税務申告のことを考えて決めるようにしましょう。

### 公告方法は官報で十分

国や公共団体、会社が一般に対して知らせることを公告《こうこく》といいます。会社が行う公告方法として、

**①官報**
**②日刊新聞紙**
**③電子公告**

のいずれかを選択することになりますが、何も決めなかった会社は「官報」が公告方法とみなされます。上場会社でない会社は、コストの面から「官報」を選択し、定款に記載するのが一般的です。

カッコいいからと「公告は○○新聞に掲載する」などと全国紙に決定すると、いざ新聞に公告掲載する段になり、高額な掲載料金に驚くことになるかもしれません。

いったん定款に記載した公告方法を変更することは可能ですが、株主総会による定款変更決議をし、かつ公告方法変更の登記申請が必要となります。

### 発起人全員が署名押印する

定款が完成したら定款を作成した発起人全員が定款の末尾に署名（または記名）押印します。押印する印鑑は**発起人個人の実印**になります。

押印するときは印影がかすれないよう鮮明に押すことを心がけてください。

**Point 1** 事業年度を決めるときは税務申告のことを考えよう。

**Point 2** 定款の末尾には発起人全員が署名（または記名）押印する。

**Point 3** 定款作成は、失敗しないように、専門家に依頼したほうが安心。

**プラスα Information**

**官報**　かんぽう

法令、告示、予算など、政府が一般国民に知らせる必要がある事項を編集して毎日発行する刊行物（国の機関紙）です。

**日刊新聞紙**　にっかんしんぶんし

時事に関する事項を毎日掲載する新聞のことです。広告のみを掲載する新聞や週刊・月刊の新聞は該当しません。

**電子公告**　でんしこうこく

インターネットのホームページに公告すべき内容である情報を掲載します。電子公告を掲載するホームページのアドレスは登記されます。

## 事業年度の失敗例

余計な手間と費用がかかってしまった失敗例を2つ紹介する。

### CASE 1 第2期決算期がたったの10日になってしまった！

**定款の記載**
**第○条　当会社の事業年度は、毎年10月1日から翌年9月30日までの年1期とする。**
**第○条　当会社の最初の事業年度は、当会社成立の日から2025年9月30日までとする。**

↓

会社設立日=2024年9月21日

↓

定款どおりなら、第1期の事業年度は2024年9月21日から2025年9月30日まで。しかし、法人税法上、法人税の計算は1年で区切らないといけない。

↓

第1期決算期:2024年9月21日から2025年9月20日まで
第2期決算期:2025年9月21日から2025年9月30日まで
**つまり、第2期の決算期が10日間だけになってしまった!**

↓

**あわてて事業年度を8月末に変更する定款変更をし、事業年度変更届を税務署、税事務所、市役所に提出した。**

### CASE 2 会社設立後10日で決算期が来てしまった！

**定款の記載**
**第○条　当会社の事業年度は、毎年10月1日から翌年9月30日までの年1期とする。**
**第○条　当会社の最初の事業年度は、当会社成立の日から2024年9月30日までとする。**

↓

会社設立日=2024年9月21日

↓

第1期決算期:2024年9月21日から2024年9月30日まで
**つまり、会社設立してほとんど事業もしていないのに10日で第1回目の決算期が来てしまった。**

↓

**税務申告が必要。**

WORD

**事《じ》業《ぎょう》年《ねん》度《ど》**

利益計算をするための単位となる期間をいいます。1タームの事業年度を一事業年度といい、通常は1年がその期間となります。

**公《こう》告《こく》方《ほう》法《ほう》**

会社が法律に基づいて公告を行う場合の公告の方法（官報で行うことが法律で義務づけられているものを除く）のことです。

## 取締役と監査役の人数と任期

# 取締役・監査役の任期は最長10年

### 役員の人数は自由に決めてもかまわない

会社法においては、基本的に役員の人数を自由に決めることができます（従来は、株式会社の役員は、最低でも取締役3名、監査役１名を選任する必要があった）。

中小企業が選択する役員構成は次ページの2パターンが多いと思われるので、本書ではその2パターンについての定款例を掲載しています。

### 取締役と監査役の任期に注意する

取締役と監査役の任期の原則は次のとおりです。

①**取締役**：選任後2年以内に終了する事業年度のうち最終の事業年度にかかる定時株主総会の終結の時まで。

②**監査役**：選任後4年以内に終了する事業年度のうち最終の事業年度にかかる定時株主総会の終結の時まで。

特例として、全部の種類の株式が譲渡制限株式（→ 80ページ）である会社については、取締役、監査役ともに選任後10年以内に終了する事業年度のうち最終の事業年度にかかる定時株主総会の終結の時まで任期を延ばすことができます（→ 下記「役員の任期」）。

任期が満了したら、新たに取締役、監査役を選任し、登記する必要があります。

### 役員の任期

**原　則**

① 取締役：2年

② 監査役：4年

**特　例**

③ 取締役・監査役ともに4年と定めた場合

④ 取締役・監査役ともに10年と定めた場合

**例** 決算日7月31日の会社

| 2024.9.1 | 2026.7.31 | 2026.9 | 2028.7.31 | 2028.9 |
|---|---|---|---|---|
| 会社設立 | 2年以内の最終の決算日 | 定時総会<br>原則①任期満了 | 4年以内の最終の決算日 | 定時総会<br>原則②任期満了<br>特例③任期満了 |

## 一般的なパターンの役員構成

| 取締役 | 監査役 | 代表取締役 | 取締役会の有無 | 備　考 |
|---|---|---|---|---|
| 1名以上 | なし | 取締役2名以上のときは内1名を代表取締役に選定する | なし | 従来の有限会社型 |

取締役（代表取締役として登記される）　　取締役かつ代表取締役　　取締役

| | | | | |
|---|---|---|---|---|
| 3名以上 | あり（1名以上） | あり（1名） | あり | 従来の株式会社型 |

取締役かつ代表取締役　　取締役　　取締役　　監査役

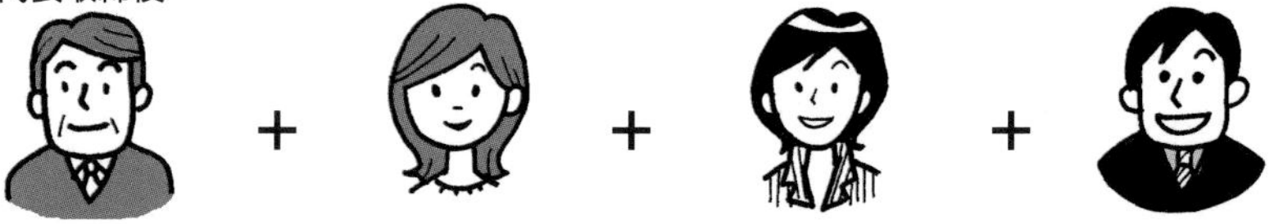


※取締役会を置く会社は、原則として監査役を置かなければならない。
※監査役の監査の範囲は、原則として業務および会計監査であるが、株式譲渡制限規定のある会社は会計監査のみとすることができる。

**2034.7.31**
10年以内の
最終の決算日

**2034.9**
定時総会
特例④任期満了

### COLUMN

**長すぎる任期は問題のもと**

**取締役や監査役の任期は、長いほうがよいと思いがちです。しかし、任期途中で解任したいと思ったときに、正当な理由がないと、損害賠償を請求される可能性があるので注意が必要です。**
**任期が長すぎると、役員任期の管理が難しくなるという問題もあります。**

## 定款の記載例①

# 定款の書き方にはルールがある

### 一般的な書き方に従う

定款は、第1条の「商号」から始まり、第2条「目的」……と書いていくのが一般的です。

また、第2項以下の項があるときには「2、3……」と算用数字で「項番号」と呼ばれる番号をつけます。ただし、第1項には「1」をつけないのが慣行となっています（→87ページ第7条）。

### 見やすい定款をつくる

**●用紙の大きさ**

紙のサイズに特に定めはありません。役所の書類はA4サイズが主流になってきているので、A4またはA3（二つ折）にするのがよいでしょう。

**●文字の大きさ・書体**

パソコン（ワープロ）で作成する場合にも、文字の大きさや書体に決まりはありません。明朝体かゴシック体の文字を使用し、大きさは11～12ポイント（活字の大きさの単位。1ポイント＝約0.35mm）が読みやすいでしょう。

**●筆記用具**

手書きの場合には、黒のボールペンか黒のペンを用います。鉛筆書きは認められません。つくり直すことになった場合に便利なので、パソコンでの作成がおすすめです。

**●押印する印鑑**

定款の最後に発起人全員が住所、氏名を署名（記名）し、発起人の個人の実印を押印します。訂正がある場合のことを考えて捨印も押しておきます。

印鑑は印影を鮮明に押してください。印影が薄いために定款認証が受け付けられない場合があります。

### 文字の大きさと書体の例

**■11ポイントの文字の例**

| 明朝体 | ゴシック体 |
|---|---|
| アキバ・インフォメーション | アキバ・インフォメーション |

**■12ポイントの文字の例**

| 明朝体 | ゴシック体 |
|---|---|
| アキバ・インフォメーション | アキバ・インフォメーション |

# 定款の記載例（発起人１名、取締役１名の会社）

株式会社アキバ・インフォメーション　定款

## 第1章　総　則

（商号）
第1条　当会社は、株式会社アキバ・インフォメーションと称する。

→75ページ

（目的）
第2条　当会社は、次の事業を営むことを目的とする。

→78ページ

1. コンピュータ及び周辺機器の販売
2. コンピュータソフトの開発及び賃貸
3. パソコン教室の経営
4. 商品カタログ及びパンフレットの企画及び制作
5. 上記各号に附帯関連する一切の業務

（本店の所在地）
第3条　当会社は、本店を東京都新宿区に置く。

→80ページ

（公告方法）
第4条　当会社の公告は、官報に掲載してする。

→82ページ

## 第2章　　株　式

（発行可能株式総数）
第5条　当会社の発行可能株式総数は、1000株とする。

（株券の不発行）
第6条　当会社の株式については、株券を発行しない。

株券を発行しない会社の例

（株式の譲渡制限）
第7条　当会社の発行する株式は、すべて譲渡制限株式とし、当会社の株式を譲渡により取得するには、当会社の承認を受けなければならない。
2　前項の承認機関は、株主総会とする。

→80ページ

（株主の請求による株主名簿記載事項の記載等）
第8条　株式の取得により株主名簿記載事項の記載または記録を請求するには、株式取得者とその取得した株式の株主として株主名簿に記載され、もしくは記録された者またはその相続人その他の一般承継人が、当会社所定の書式による請求書に署名または記名押印し、共同してしなければならない。

（質権の登録および信託財産の表示）
第9条　当会社の株式につき質権の登録または信託財産の表示を請求するには、当会社所定の書式による請求書に当事者が署名または記名押印して提出しなければならない。その登録または表示の抹消についても同様とする。

（手数料）
第10条　前2条に定める請求をする場合には、当会社所定の手数料を支払わなければならない。

## 定款の記載例（発起人１名、取締役１名の会社）

（株主の住所等の届出）
第11条　当会社の株主および登録された質権者またはその法定代理人もしくは代表者は、当会社の定める書式により、その氏名、住所および印鑑を当会社に届け出なければならない。届出事項に変更を生じたときも、その事項につき同様とする。

### 第3章　株主総会

（招集の時期および議決権）
第12条　当会社の定時株主総会は、毎事業年度末日の翌日から3か月以内に招集し、臨時株主総会は、その必要がある場合に随時これを招集する。
2　定時株主総会において権利を行使すべき株主は、毎事業年度末日の最終の株主名簿に記載または記録された議決権を有する株主とする。

（招集権者および議長）
第13条　株主総会は、社長たる取締役がこれを招集し、議長となる。
2　株主総会の招集は、株主総会の日の3日前までに、議決権を行使することができる株主に対して招集通知を発することにより行う。
3　前項の招集通知は書面ですることを要しない。
4　第2項の規定にかかわらず、株主総会は、その総会において議決権を行使することができる株主の全員の同意があるときは、会社法第298条第1項第3号または第4号に掲げる事項を定めた場合を除き、招集の手続きを経ることなく開催することができる。

（決議の方法）
第14条　株主総会の決議は、法令または定款に別段の定めがある場合のほか、議決権を行使することができる株主の議決権の過半数を有する株主が出席し、出席した株主の議決権の過半数をもって行う。

（議決権の代理行使）
第15条　株主またはその法定代理人は、当会社の議決権を有する株主1名を代理人として、議決権を行使することができる。ただし、この場合には、総会ごとに代理権を証する書面を提出しなければならない。

### 第4章　取締役および代表取締役

（取締役の員数）
第16条　当会社には、取締役1名以上5名以内を置く。

（取締役の選任）
第17条　取締役は、株主総会において選任する。
2　取締役の選任決議は、累積投票によらないものとする。

→84、85ページ

任期は原則2年。任期を延ばす規定を置いている

（取締役の任期）
第18条　取締役の任期は、選任後10年以内に終了する事業年度のうち最終のものに関する定時株主総会の終結の時までとする。
2　補欠として選任された取締役の任期は、退任した取締役の任期の満了する時までとする。
3　増員により選任された取締役の任期は、他の取締役の任期の満了する時までとする。

# 定款の記載例（発起人１名、取締役１名の会社）

（代表取締役）
第19条　取締役を複数名置くときは、内1名を代表取締役とし、株主総会において選定するものとする。
2　当会社を代表する取締役は、社長とする。

代表取締役選任のことを選定という

「取締役の互選によって選定する」としてもよい

第5章　　計　算

（事業年度）
第20条　当会社の事業年度は、毎年4月1日から翌年3月31日までの年1期とする。

→82、83ページ

第6章　　附　則

払い込む金額の総額

（設立に際して発行する株式等）
第21条　当会社の設立に際して発行する株式（以下、「設立時発行株式」という。）の総数は、普通株式80株とし、発起人がその全部を引き受ける。
2　発起人が前項の設立時発行株式と引換えに払い込む金銭の額は、1株につき金1万円とする。

（設立に際して出資される財産の価額）
第22条　当会社の設立に際して出資される財産の価額は、金80万円とする。

（発起人）
第23条　発起人の氏名および住所ならびに発起人が割当てを受ける設立時発行株式の数および当該株式と引換えに払い込む金銭の額は、次のとおりである。

東京都世田谷区三軒茶屋×丁目×番×号
成本 一美
普通株式80株　金80万円

個人の住所

（設立時の資本金および資本準備金）
第24条　設立時の資本金の額は、設立に際して発起人が払込みをした財産の全額とする。
2　設立時の資本準備金は計上しないこととする。

（設立時取締役）
第25条　当会社の設立時取締役は次の者とする。
東京都世田谷区三軒茶屋×丁目×番×号
成本 一美

→82、83ページ

（最初の事業年度）
第26条　当会社の最初の事業年度は、当会社成立の日から令和××年3月31日までとする。

以上、株式会社アキバ・インフォメーションを設立するため、この定款を作成し、発起人が次に記名押印する。

日付は元号を用いる

令和××年7月1日

東京都世田谷区三軒茶屋×丁目×番×号
発起人　成本 一美　（印：成本一美）

個人の実印を鮮明に押印する

### 定款の記載例②

# 定款の修正の仕方にもルールがある

## 修正のしかたを知っておく

ここでは、「取締役会設置会社」の定款サンプルを紹介します。

なお、92ページで定款の訂正方法を説明しています。定款の訂正方法について理解しておくと、認証を受けるときに、あわてることがありません。

## 綴じ方にもルールがある

定款の綴じ方には、2つの方法があります。定款の枚数が少なければ「ホチキス留め」、多ければ「袋とじ」の方法を選ぶとよいでしょう。登記申請書の綴じ方（→125ページ）とあわせ、**ルールに従って、作成**してください。

## 定款の綴じ方

### ホチキス留め

●左端2か所をホチキスで留める。

●各ページ（すべてのページ）の継ぎ目に押印する。
●この印のことを契印という。
●印鑑は発起人個人の実印。

### 袋とじ

●左端2か所を
ホチキスで
留める。

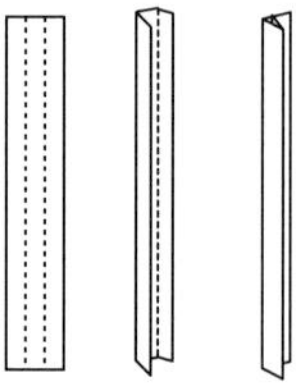

●片方を折り込む。

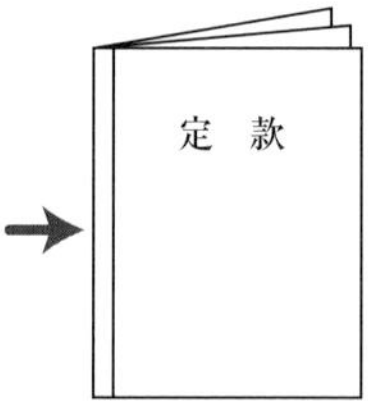


●折り込んだほうを
表紙側にして
のりで貼りつける。

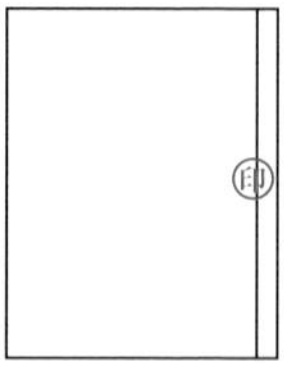


●裏表紙に紙を貼りつけ、
境目に押印する。
●印鑑は発起人個人の実印。

## 定款の記載例（取締役3名、監査役１名の取締役会設置会社）

株式会社アキバ・インフォメーション　定款

第1章　総　則

（発起人1名、取締役1名の会社における定款例と同じ）

**ここでは省略しているが、87ページの第1章を参考に作成する**

第2章　株　式

**株式譲渡制限規定のない会社は、設立時発行株数の4倍を超えてはいけない**

（発行可能株式総数）
第5条　当会社の発行可能株式総数は、1000株とする。

（株券の不発行）
第6条　当会社の株式については、株券を発行しない。

（株式の譲渡制限）
第7条　当会社の発行する株式は、すべて譲渡制限株式とし、当会社の株式を譲渡により取得するには、当会社の承認を受けなければならない。
2　前項の承認機関は取締役会とする。

（株主の請求による株主名簿記載事項の記載等）
第8条　株式の取得により株主名簿記載事項の記載または記録を請求するには、株式取得者とその取得した株式の株主として株主名簿に記載され、もしくは記録された者またはその相続人その他の一般承継人が、当会社所定の書式による請求書に署名または記名押印し、共同してしなければならない。

（質権の登録および信託財産の表示）
第9条　当会社の株式につき質権の登録または信託財産の表示を請求するには、当会社所定の書式による請求書に当事者が署名または記名押印して提出しなければならない。その登録または表示の抹消についても同様とする。

（手数料）
第10条　前2条に定める請求をする場合には、当会社所定の手数料を支払わなければならない。

（株主の住所等の届出）
第11条　当会社の株主および登録された質権者またはその法定代理人もしくは代表者は、当会社の定める書式により、その氏名、住所および印鑑を当会社に届け出なければならない。届出事項に変更を生じたときも、その事項につき同様とする。

第3章　株主総会

（招集の時期および議決権）
第12条　当会社の定時株主総会は、毎事業年度末日の翌日から3か月以内に招集し、臨時株主総会は、その必要がある場合に随時これを招集する。
2　定時株主総会において権利を行使すべき株主は、毎事業年度末日の最終の株主名簿に記載または記録された議決権を有する株主とする。

（招集権者および議長）
第13条　株主総会は、社長たる取締役がこれを招集し、議長となる。
2　株主総会の招集は、株主総会の日の1週間前までに、議決権を行使することができる株主に対して招集通知を発することにより行う。
3　前項の規定にかかわらず、株主総会は、その総会において議決権を行使することができる株主の全員の同意があるときは、会社法第298条第1項第3号または第4号に掲げる事項を定めた場合を除き、招集の手続きを経ることなく開催することができる。

## 定款の記載例（取締役3名、監査役1名の取締役会設置会社）

（決議の方法）
第14条　株主総会の決議は、法令または定款に別段の定めがある場合のほか、議決権を行使することができる株主の議決権の過半数を有する株主が出席し、出席した株主の議決権の過半数をもって行う。

（議決権の代理行使）
第15条　株主またはその法定代理人は、当会社の議決権を有する株主1名を代理人として、議決権を行使することができる。ただし、この場合には、総会ごとに代理権を証する書面を提出しなければならない。

第4章　取締役および取締役会

**取締役会を置くときに必要**

（取締役会の設置）
第16条　当会社は、取締役会を置く~~る~~。

**原則は2年だが、監査役とあわせて4年にしている**

（取締役の員数）
第17条　当会社には、取締役~~参~~名以上~~七~~名以内を置く。
3　7

**→84、85ページ**

（取締役の選任）
第18条　取締役は、株主総会において選任する。
2　取締役の選任決議は、累積投票によらないものとする。

**代表取締役は「選定」とする**

事業

（取締役の任期）
第19条　取締役の任期は、選任後4年以内に終了する年度のうち最終のものに関する定時株主総会の終結の時までとする。
2　補欠として選任された取締役の任期は、退任した取締役の任期の満了する時までとする。
3　増員により選任された取締役の任期は、他の取締役の任期の満了する時までとする。

（代表取締役および役付取締役）
第20条　代表取締役は、取締役会の決議により選定する。
2　取締役会の決議により、取締役社長を定め、必要に応じて専務取締役および常務取締役各若干名を定めることができる。

（取締役会の決議の省略）
第21条　取締役が取締役会の決議の目的である事項について提案をした場合において、当該提案につき決議に加わることができる取締役の全員が書面または電磁的記録により同意の意思表示をしたときは、当該提案を可決する旨の取締役会の決議があったものとみなす。

第5章　監査役

**株式譲渡制限の規定を置いた会社のみ認められる条項**

（監査役の設置および監査の範囲）
第22条　当会社は監査役1名以上3名以内を置く。
2　当会社の監査役の監査の範囲は、会計に関するものに限定する。

**→84、85ページ**

（任期）
第23条　監査役の任期は、選任後4年以内に終了する事業年度のうち最終のものに関する定時株主総会の終結の時までとする。
2　任期満了前に退任した監査役の補欠として選任された監査役の任期は、前任者の任期の残存期間と同一とする。

**発起人全員が押印する**

**訂正方法**

㊞　第16条中　1字削除
㊞　第17条中　2字訂正
第19条中　2字加入

## 定款の記載例（取締役３名、監査役１名の取締役会設置会社）

第6章　計　算

（事業年度）
第24条　当会社の事業年度は、毎年4月1日から翌年3月31日までの年1期とする。

第7章　附　則

１株１万円が計算しやすくおすすめ

（設立に際して発行する株式等）
第25条　当会社の設立に際して発行する株式（以下、「設立時発行株式」という。）の総数は、普通株式80株とし、発起人がその全部を引き受ける。
2　発起人が前項の設立時発行株式と引換えに払い込む金銭の額は、1株につき金1万円とする。

（設立に際して出資される財産の価額）
第26条　当会社の設立に際して出資される財産の価額は、金80万円とする。

払い込む金額の総額

（発起人）
第27条　発起人の氏名および住所ならびに発起人が割当てを受ける設立時発行株式の数および当該株式と引換えに払い込む金銭の額は、次のとおりである。

東京都世田谷区三軒茶屋×丁目×番×号
成本 一美
普通株式50株　金50万円

発起人全員の住所、氏名と各発起人が引き受けた株数および金額を記載する

東京都文京区小石川×丁目×番×号
大阪 太郎
普通株式30株　金30万円

（設立時の資本金および資本準備金）
第28条　設立時の資本金の額は、設立に際して発起人が払込みをした財産の全額とする。
2　設立時の資本準備金は計上しないこととする。

（設立時取締役および設立時監査役）
第29条　当会社の設立時取締役および設立時監査役は次の者とする。
設立時取締役　成本一美、大阪太郎、山田秋男
設立時監査役　小川春子

定款で定めない場合は発起人の決定書が必要

（最初の事業年度）
第30条　当会社の最初の事業年度は、当会社成立の日から令和××年3月31日までとする。

以上、株式会社アキバ･インフォメーションを設立するため、この定款を作成し、発起人が次に記名押印する。

令和××年7月1日

東京都世田谷区三軒茶屋×丁目×番×号
発起人　成本 一美

発起人全員の住所、氏名を記載する

東京都文京区小石川×丁目×番×号
発起人　大阪 太郎

個人の実印を鮮明に押印する

※このサンプルをもとに必要箇所を変更し定款を作成する。
※定款は会社設立後も会社で保管する。写しを銀行に提出することもあるので誤字・脱字などないかよく見直す。

公証人役場とは

# 定款は公証人役場で認証を受けなければならない

## 公正証書の作成や認証事務を行うのが公証人

**公証人《こうしょうにん》**は、国の公証事務を行う法務大臣が任命する公務員です。通常の公務員と異なり、国から給与や補助金などを受けず、国が政令で定めた手数料収入によって、事務を運営する事業者であるという特徴があります。

公証人は、遺言書、金銭消費貸借契約書、離婚契約書等の各種公正証書の作成、会社定款や私署証書の認証事務を行います。

## 民間人も公証人になれる

公証人には、裁判官、検察官、法務局長などを長く務め退官した人が選ばれることが多いようです。

最近では民間にも開放され、一定の要件を満たした民間人が試験に合格すれば公証人になることができるようになりました。民間人の第1号は司法書士が任命されています。

**Point 1** 本店所在地の都道府県内の公証人役場で定款認証を受ける。

**Point 2** 公証人は出張などにより不在のことも多いので、事前に電話予約をしよう。

## 本店所在地の公証人役場で認証を受ける

**公証人役場《こうしょうにんやくば》**とは、公証人が執務をする事務所のことです。

定款の認証は、本店所在地を管轄する法務局または地方法務局所属の公証人が取り扱います。株式会社の本店所在地の都道府県内に公証人役場を設置している管内の公証人になります。

たとえば、「東京都新宿区内に本店を置く」とする会社は、東京都内の公証人の認証を受けなければなりません。自宅が神奈川県だからといって、神奈川県内の公証人役場で定款認証をしてもらうことはできません。万一、誤って管轄違いの公証人役場で認証を受けてしまった場合は、正しい管轄の公証人役場で再度認証をし直してもらう必要があります。

定款認証後設立登記前に本店の所在地を他府県に変更したい場合も、改めて変更後の本店がある公証人役場で、再度定款認証をしてもらうことになります。注意してください。

プラスα Information

**公証人役場**　こうしょうにんやくば

公証人役場は、全国の主要な都市にあります。日本公証人連合会のホームページで全国の公証人役場の所在地を調べることができます。
https://www.koshonin.gr.jp/

# 定款認証に必要なもの

## 定款　3通

●公証人保管用（原本）、会社保存用（正本）、登記申請用（謄本）の合計3通を用意する。
●謄本を2通以上ほしい場合には余分に必要数だけ用意する。
●すべての定款に発起人の署名（または記名）押印をする。
●押印する印鑑はすべて個人の実印。

株式会社アキバ・インフォメーション　定款

第1章　総　則

（商号）
第1条　当会社は、株式会社アキバ・インフォメーション

## 発起人の印鑑証明書　各1通

●印鑑証明書は、発行後3か月以内のものを用意する。

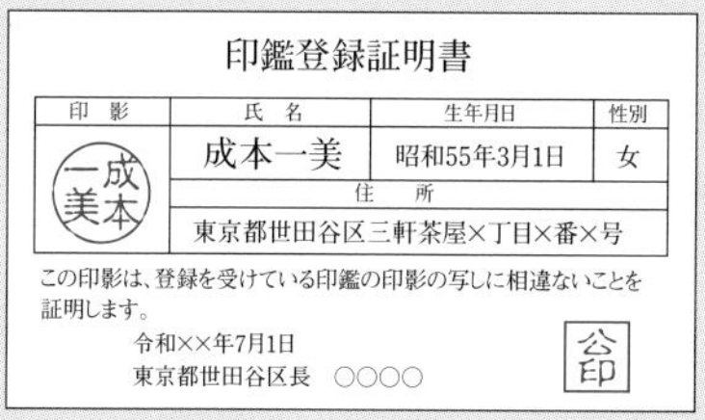
印鑑登録証明書

| 印　影 | 氏　名 | 生年月日 | 性別 |
|---|---|---|---|
| | 成本一美 | 昭和55年3月1日 | 女 |
| | 住　所 | | |
| | 東京都世田谷区三軒茶屋×丁目×番×号 | | |

この印影は、登録を受けている印鑑の印影の写しに相違ないことを証明します。
令和××年7月1日
東京都世田谷区長　○○○○

## 定款認証時欠席する発起人がいれば委任状

●定款認証時欠席する発起人がいる場合には、委任状が必要。
●委任状には個人の実印を押印する。
●日付の記載は元号を用いる。

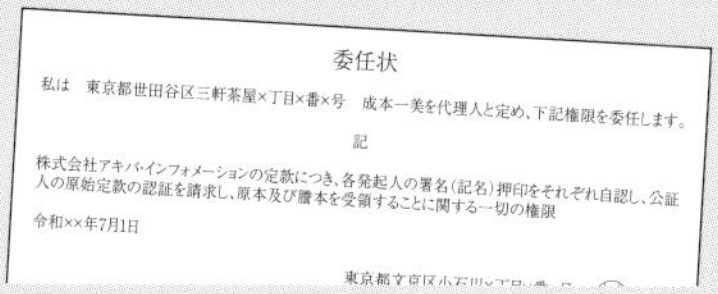
委任状

私は　東京都世田谷区三軒茶屋×丁目×番×号　成本一美を代理人と定め、下記権限を委任します。

記

株式会社アキバ・インフォメーションの定款につき、各発起人の署名（記名）押印をそれぞれ自認し、公証人の原始定款の認証を請求し、原本及び謄本を受領することに関する一切の権限

令和××年7月1日

## 収入印紙

●4万円の収入印紙が必要。
●定款に不備があったときのことを考え、印紙は定款に貼らずに持参する。

## 公証人の手数料

●公証人の定款認証手数料は3万円～5万円。
●定款の謄本の交付手数料は、１枚につき250円。
●公証人の手数料は印紙でなく現金、事前の振込み、またはクレジットカードで支払う。

## 発起人の実印

●発起人の実印を用意する。

## 実質的支配者となるべき者の申告書

●96、97ページ参照。

## 発起人に未成年者がいる場合は以下の書類も用意する

| | |
|---|---|
| ①法定代理人（通常は親権者である両親）の同意書 | 1通 |
| ②法定代理人の印鑑証明書 | 各1通 |
| ③戸籍謄本 | 1通 |

## 発起人が株式会社である場合は以下の書類も用意する

| | |
|---|---|
| ①株式会社の登記事項証明書 | 1通 |
| ②株式会社の印鑑証明書 | 1通 |

定款認証に必要な書類

# 実質的支配者となるべき者の申告書を公証人に提出する

## 公証人に申告書を提出する

会社の不正使用（マネー・ローンダリング、テロ資金供与等）を抑止することが国内外から求められていることを踏まえて、平成30年11月30日から株式会社成立の時に実質的支配者となるべき者が暴力団員および国際テロリスト（以下、「暴力団員等」という）に該当するか否かを**公証人に申告する**ことになりました。

## 実質的支配者とは

実質的支配者とは、会社の事業経営を実質的に支配することが可能となる関係にある**個人**（具体的には次の①～④のいずれかに該当する個人）をいいます。

① 株式の50%を超える株式を保有する個人
② ①のような人がいない場合には、株式の25%を超える株式を保有する個人
③ ①、②のような人がいない場合には、事業活動に支配的な影響力を有する個人
④ ①、②、③のような人がいない場合には、代表取締役

実質的支配者の要件を満たす者が複数名いる場合には、基本的にすべての者について申告する必要があります。

## 暴力団員等が実質的支配者であるときは認証されない

公証人は、実質的支配者となるべき者が、暴力団員等に該当、または該当するおそれがあると認めるときは、嘱託人または当該実質的支配者となるべき者に必要な**説明を求める**ことになります。

暴力団員等が実質的支配者であり、その会社の設立行為に違法性があると認められる場合には、公証人は認証することができません。申告書を提出しなかったり、説明を求められて説明がされない場合も同様です。

実質的支配者が暴力団員等に該当しないと認められたら、定款の認証文に「設立される法人の実質的支配者となるべき者が○○である旨及び同人が暴力団員等でない旨を申告した。」旨の文言が付記されます。

## 申告受理及び認証証明書

定款認証後、公証人は無料で、「実質的支配者に関する申告受理及び認証証明書」を発行してくれます。金融機関で口座を開設する際には、この証明書の提出を求められることが多くなったので、必ず発行してもらってください。

プラスα Information

### 申告書の入手方法《しんこくしょのにゅうしゅほうほう》

「実質的支配者となるべき者の申告書」は公証人役場で入手できます。日本公証人連合会のホームページからダウンロードすることもできます。
https://www.koshonin.gr.jp/pdf/declaration_company2023.pdf

# 実質的支配者となるべき者の申告書

## 実質的支配者となるべき者の申告書（株式会社用）

定款認証を行う公証人役場、公証人名を記載する

（公証役場名）

認証担当公証人

（商号）株式会社　アキバ・インフォメーション

の成立時に実質的支配者となるべき者の本人特定事項等及び暴力団員等該当性について、以下のとおり、申告する。

令和　　年　　月　　日

■ 嘱託人住所
東京都世田谷区三軒茶屋×丁目×番×号

■ 嘱託人氏名（記名又は署名）
成本 一美

**実質的支配者となるべき者の該当事由（①から④までのいずれかの左側の□内に✔印を付してください。）（※1）**

☑ ❶　設立する会社の議決権の総数の５０％を超える議決権を直接又は間接に有する自然人となるべき者（この者が当該会社の事業経営を実質的に支配する意思又は能力がないことが明らかな場合を除く。）：犯罪による収益の移転防止に関する法律施行規則（以下「犯収法施行規則」という。）１１条２項１号参照

□ ❷　❶に該当する者がいな　合は、設立する会社の議決権の総数の２５％を超える議決権を直接又は間接に有する自然人となるべき者（この者　該会社の事業経営を実質的に支配する意思又は能力がないことが明らかな場合又は他の者が設立する会社の議決権　決権を直接又は間接に有する場合を除く。）：犯収法施行規則１１条２項１号参照

□ ❸　❶及び❷のいずれにも　、出資、融資、取引その他の関係を通じて、設立する会社の事業活動に支配的な影響力を有　犯収法施行規則１１条２項２号参照

□ ❹　❶、❷及び❸のいずれ　合は、設立する会社を代表し、その業務を執行する自然人となるべき者：犯収法施行規則１１条２項４号参照

!! 該当するところにチェックを入れる。本書では1番

| 実質的支配者となるべき者の本人特定事項等（※2、※3） | | | | | | 暴力団員等該当性（※4） |
|---|---|---|---|---|---|---|
| 住居 | 東京都世田谷区三軒茶屋<br>×丁目×番×号 | 国籍等 | 日本・その他　（※5）<br>（　　　） | 性別 | 男・女<br>（※6） | （暴力団員等に） |
| | | 生年月日 | （昭和・平成・西暦）<br>55 年 3 月 1 日生 | 議決権割合 | 100 %<br>（※7） | 該当 |
| 氏名 | フリガナ　なりもと　かずみ<br>成本 一美 | 実質的支配者該当性の根拠資料 | 定款・定款以外の資料・なし<br>（※8） | | | ・<br>非該当 |
| | | 国籍等 | 日本・その他　（※5）<br>（　　　） | | ・女 | （暴力団員等に） |
| | | 生年月日 | （昭和・平成・西暦）<br>年　月　日生 | | | |
| | | 実質的支配者該当性の根拠資料 | 定款・定款以外の資料・なし<br>（※8） | | | 非該当 |
| 住居 | | 国籍等 | 日本・その他　（※5）<br>（　　　） | 性別 | 男・女<br>（※6） | （暴力団員等に） |
| | | 生年月日 | （昭和・平成・西暦）<br>年　月　日生 | 議決権割合 | %<br>（※7） | 該当 |
| 氏名 | フリガナ | 実質的支配者該当性の根拠資料 | 定款・定款以外の資料・なし<br>（※8） | | | ・<br>非該当 |

上記に該当する者を記載する。本書では株式の50%超を保有する成本一美になる

所有割合を記入する（87ページの場合）

※１　❶の５０％及び❷の２５％の計算は、次に掲げる割合を合計した割合により行う（犯収法施行規則１１条３項）。
　(1)　当該自然人が有する当該会社の議決権が当該会社の議決権の総数に占める割合
　(2)　当該自然人の支配法人（当該自然人がその議決権の総数の５０％を超える議決権を有する法人をいう。この場合において、当該自然人及びその一若しくは二以上の支配法人又は当該自然人の一若しくは二以上の支配法人が議決権の総数の５０％を超える議決権を有する他の法人は、当該自然人の支配法人とみなす。）が有する当該会社の議決権が当該会社の議決権の総数に占める割合
※２　「住居、氏名」欄には、❶の場合は、該当する者１名を記載し、❷から❹までの場合は、該当者全員を記載する。
※３　犯収法施行規則１１条４項によって、上場企業等及びその子会社は自然人とみなされるので、上記自然人の「住居、氏名」欄に、その「住所、名称」を記載する。
※４　実質的支配者となるべき者が暴力団員（暴力団員による不当な行為の防止等に関する法律第２条第６号）、国際テロリスト（国際連合安全保障理事会決議第 1267 号等を踏まえ我が国が実施する財産の凍結等に関する特別措置法第３条第１項の規定により公告されている者若しくは同法第４条第１項の規定による指定を受けている者）又は大量破壊兵器関連計画等関係者（国際連合安全保障理事会決議第 1267 号等を踏まえ我が国が実施する財産の凍結等に関する特別措置法第３条第２項の規定により公告されている者）のいずれにも該当しない場合には、「暴力団員等該当性」欄の「非該当」を○で囲み、いずれかに該当する場合には、「該当」を○で囲む。なお、該当する選択肢を○で囲むことに代えて、実質的支配者となるべき者が作成したその旨の表明保証書を提出することも可能である。
※５　「国籍等」欄は、日本国籍の場合は「日本」を○で囲み、日本国籍を有しない場合は「その他」を○で囲んで具体的な国名等を（　）内に記載する。
※６　「性別」欄は、該当するものを○で囲む。
※７　「議決権割合」欄は、❶及び❷の場合のみ記載する。
※８　「実質的支配者該当性の根拠資料」欄は、該当するものを○で囲み、定款以外の資料がある場合には、その原本又は写しを添付する。また、実質的支配者となるべき者の本人特定事項等が明らかになる資料も添付する（自然人の場合には、運転免許証、旅券、個人番号カード（マイナンバーカード）、在留カード等の写し等、法人の場合には、全部事項証明書及び印鑑証明書の原本又は写し）。

**実質的支配者となるべき者が３名を超える場合は、更に申告書を用いて記入してください。**

定款認証を受ける方法

# 公証人役場へは発起人全員で行く

## 行けない場合は委任状が必要

公証人役場で**定款の認証**を受けます。

定款の認証とは、定款への署名または記名押印が発起人のものであることを公証人の面前で認め、公証人がその旨を記載すること、つまり、発起人による定款作成行為が正しく成立したことを公の機関が証明することです。

公証人役場には、原則、**発起人全員で行く**ことになっています。発起人の中で行けない人がいる場合は、委任状が必要になります。

## 手数料を支払う

用意する書類は95ページのとおりです。定款認証が無事終了すると、こちらが用意した定款に公証人による認証の旨が記載され、会社保存用（正本）と登記申請用（謄本）の2通が渡されます。公証人に**手数料3万円～5万円**と**謄本手数料（1枚につき250円）**を支払います。

**Point 1** **発起人の中で公証人役場に行けない人がいれば、委任状が必要。**

**Point 2** **公証人役場へは、発起人全員で行くのが法律の建前だが、実務では発起人代表か司法書士を代理人に立てることが多い。**

## 電子定款による作成も可能

定款は、通常は紙に印字して公証人役場に持参しますが、役所のIT化推進により定款を電子文書により作成し、認証を受けることもできるようになりました。これを**電子定款**といいます。電子定款の場合、印紙税4万円を節約できます。しかし、自分でする場合には、労力を考えると**紙で用意するほうが簡単**です。

## ウェブ会議方式による認証

平成31年3月29日から、定款を電子定款とする場合には、公証人役場に行かなくても、ウェブ会議を通じて公証人が本人確認等を行うことにより認証を受けることが可能になりました。

公証人からウェブ会議用のURLをメールで受け取り、予約日時に、パソコンまたはスマートフォンを利用して、ウェブ会議で接続することによって、音声と映像により確認等が行われます。

この場合、ウェブ会議を利用できるインターネット環境が必要になります。

**プラスα Information**

**定款の保管《ていかんのほかん》**

公証人が認証した定款（原本）は公証人役場で20年間保管されます。万一、会社保存用定款を紛失した場合には保存期間内であれば謄本を取得できます。

## 定款認証に行けない発起人の委任状の例

委任状

私は　東京都世田谷区三軒茶屋×丁目×番×号　成本一美を代理人と定め、下記権限を委任します。

記

株式会社アキバ・インフォメーションの定款につき、各発起人の署名（記名）押印をそれぞれ自認し、公証人の原始定款の認証を請求し、正本及び謄本を受領することに関する一切の権限

令和××年7月1日

東京都文京区小石川×丁目×番×号
大阪　太郎　（大阪太郎）

!! 日付は元号を用いる

!! 必ず個人の実印を押す

※紙の定款の場合の委任状例。

## 電子定款を受けるための準備

- □ウィンドウズのパソコン（インターネットに接続できるもの）
- □アドビ社のソフト「アクロバット（Adobe Acrobat）」
- □電子証明書の取得
- □ICカードリーダライタ（電子証明書がICカードに格納されている場合）
- □法務省オンライン申請システムにユーザー登録する

## 電子定款の認証を受ける主な手順

STEP1　ワード、一太郎などの文書作成ソフトを用いて文書を作成する。

↓

STEP2　アクロバットでPDF形式に変換する。

↓

STEP3　公証人へ連絡をする。

↓

STEP4　電子署名をする。

↓

STEP5　法務省オンライン申請システムにログインをする。

↓

STEP6　嘱託情報を送信する。

↓

STEP7　公証人役場へ行き、電子署名を付した電子データの交付を受ける。

資本金の払込み方法

# 発起人名義の口座に資本金を払い込む

## 1つの口座に発起人全員が払い込む

発起人は設立時発行株式の引受け後遅滞なく、つまり通常は定款認証が終わり次第すぐに**資本金の払込み**をします。

払い込むのは発起人が定めた特定の金融機関（銀行等）の発起人個人名義の口座で、1つの口座に各発起人が振込みをします。通帳に振込みをした各発起人名の記載がなくても登記は受け付けられますが、出資者を明らかにするために各発起人の名前が記載されるようにするのが望ましいといえます。

資本金の払込みをした後、会社代表者の証明書に預金通帳の写しを添付して、「出資の払込みを証する書面」を作成します。

預金通帳の写しの代わりに、取引明細票、取引履歴照会票、払込金受取書、インターネットバンキング等の取引状況に関する画面をプリントアウトしたものでもかまいません。

ただし、払込先金融機関名、口座名義人名、払込日および払込金額が記載されていることが必要です。

## 新しい口座を開設する

資本金を払い込む発起人名義の金融機関口座は、新しい口座でなくてもかまいません。しかし、個人の預金と区別するために、専用の口座を開設することをおすすめします。

なお、会社名義の口座は、株式会社設立後に開設することになります。

金融機関は、審査をした上で、口座開設の可否を決定します。事前に金融機関に連絡し、相談しておくことが望ましいといえます。

## 出資の払込みを証する書面の綴じ方

●左端2か所をホチキスで留める。

●すべてのページの継ぎ目に契印（割印）を押す。

# 出資の払込みを証する証明書

証　明　書

当会社の設立により発行する株式につき、次のとおり発行価額全額の払込みを受けたことを証明します。

| | |
|---|---|
| 払込みを受けた金額の総額 | 金80万円 |
| 払込みがあった株式数 | 80株 |
| 1株の払込金額 | 金1万円 |

日付は元号を用いる

令和××年7月10日

（本店）東京都新宿区新小川町×番×号
（商号）株式会社アキバ・インフォメーション
（代表者）設立時代表取締役　　成本一美

※用紙はA4を用い、パソコン（ワープロ）もしくは手書きで作成する。
※手書きの場合の筆記用具は黒のボールペンまたは黒のペン。
※資本金が振り込まれた預金通帳のコピーに、この証明書を綴じて、ホチキスで2か所留めをする。

●金融機関名、店名、口座番号および口座名義人が記載されているページ（表紙と裏表紙で1枚、通帳をめくり、金融機関名、店名、口座番号および口座名義人の記載のあるページで1枚）と発起人が振り込んだ旨の記載があるページのコピーが必要。

出資者名で振り込む

1 普通預金

| | 年　月　日 | 概　要 | お支払金額 | お預り金額 | 差引残高 |
|---|---|---|---|---|---|
| 1 | ××-07-01 | ご新規 | | ＊0 | |
| 2 | ××-07-03 | 振込 | ナリモトカズミ | ＊500,000 | ＊500,000 |
| 3 | ××-07-03 | 振込 | オオサカタロウ | ＊300,000 | ＊800,000 |
| 4 | | | | | |
| 5 | | | | | |
| 6 | | | | | |
| 7 | | | | | |

下線またはラインマーカーを引く

※上記証明書は一番上に綴じる。
※払込みに関する事項の記載箇所には下線またはマーカーを付す。

現物出資

# 現物出資は500万円以下におさえる

## 金銭以外の財産を出資するのが現物出資

自動車、不動産、有価証券など、金銭以外の財産を出資することを「**現《げん》物《ぶつ》出《しゅっ》資《し》**」といいます。ただし、「労務」や「人の信用」などは、現物出資として認められません。

なお、現物出資をする場合には、**必ず定款に記載**しておかなければなりません。また、現金出資せずに、現物出資のみの会社設立でもOKです。

## 検査役の選任は避ける

出資する財産の評価が適切でない場合には、他の株主との間で不公平が生じることになるので、現物出資する場合には、現物出資財産の調査のため、原則として本店所在地の裁判所に対し、検査役の選任を申し立てることになります。

この申立てをすると、裁判所が検査役を選任します。通常は弁護士または公認会計士が選任されます。

検査役の調査には、多額の費用がかかり、また数か月の時間を要するので、**現物出資は避ける**か、検査役が不要な現物出資のパターン（→次ページ）を選ぶことをおすすめします。

## 現物出資は金銭出資と同時にする

金銭出資と同じ時期に現物出資をする財産を引き渡します。

ただし、発起人全員の同意により、登記（不動産名義変更等）、登録（自動車の所有者変更登録等）、その他権利の設定、移転などの手続きは、会社設立後に行ってもかまいません。

実務的に会社名義に変更する手続きは、会社の登記事項証明書を添付して行うことになるので、会社設立後ということになります。

### 現物出資できる財産

- ●不動産
- ●自動車・バイク・船舶
- ●株式・社債・国債などの有価証券
- ●機械
- ●パソコン
- ●商品類　　など

## 現物出資であっても検査役の検査が不要なケース

① 現物出資財産額が500万円以下の場合

または

② 現物出資財産が市場価格のある有価証券であり、定款に定めた価額が市場価格を超えない場合（算定方法は法律の規定による）

または

③ 現物出資財産について、定款に記載された価額が相当であることについて、弁護士、弁護士法人、公認会計士、監査法人、税理士または税理士法人（不動産については不動産鑑定士の鑑定評価も必要）の証明を受けた場合

**検査役費用は約100万円かかる！**

↓

**現物出資は避けるか、**
**検査役の不要な現物出資パターンを**
**採用するのがポイント！**

## 名義変更手続きが必要な主な財産

| 財産名 | 手続きを取り扱うところ | 必要な手続名 | 専門家 |
|---|---|---|---|
| 不動産 | 法務局 | 所有権移転登記 | 司法書士 |
| 自動車 | 全国の運輸支局 | 自動車検査証の移転登録 | 行政書士 |
| 株式（上場株式） | 株主名簿管理人である信託銀行など | 株式の名義書換 | 信託銀行 |

登記とは

# 登記により会社は成立する

## 代表者が登記の申請をする

**登記**とは、株式会社、合名会社、合資会社、合同会社といった会社やその他の法人に関し、重要な事項を登録して、取引の安全と円滑化を図るために広く一般に公開する制度のことです。

登記は法律に定められた方法により行います。登記事項には「会社の商号」「本店」「取締役」「支店」といった重要な内容が含まれています。会社の登記においては、代表者が会社を代表して登記の申請をします。

## 登記が完了すれば会社は成立

登記所である法務局の登記申請窓口に、申請書および添付書類一式を提出し、登記を申請して登記が完了すると、**正式に会社が成立**したことになります。

登記申請の不備により取下げや却下（→128ページ）にならない限りは、**登記申請日が会社設立日**になります。

**Point 1** 登記を取り扱う登記所は各地の法務局になる。

**Point 2** 会社の商号や本店など、登記された内容を登記事項という。

**Point 3** 会社の登記を商業登記という。

## 法務局の管轄に注意する

登記は、本店の所在地を管轄する法務局に申請します。法務局の管轄をまちがえて申請してしまうと却下されます。

商業登記事務の集中化により、取扱い法務局が変更になっていることがあります。設立登記を申請する法務局がどこになるのかを**必ず確認**してください。法務局のホームページで確認できます。

## オンライン登記申請もできる

会社等のパソコンからオンラインで登記の申請をすることもできます。設立登記のオンライン申請と定款の認証手続き（テレビ電話による場合に限る）の同時申請（スーパー・ファストトラック・オプション）の方法によることもできますが、定款が当日中に認証されないと登記申請が却下されるので、慣れていない方にはおすすめできません。

登記事項をオンラインで提出し、申請書（QRコード付き）を添付書面とともに法務局に提出する方法もあります（→111ページ方法2）。

プラスα Information

**設立日が1月1日の会社はない**

法務局は、国民の祝日および土曜・日曜は受け付けていないので、1月1日を会社設立日にしたいと思っても残念ながらできません。

## 登記の種類

株式会社などの商業登記、医療法人などの法人登記の他にも各種の登記がある（主なものは次のとおり）。

| 登記の種類 | 対象となるもの | 取り扱う役所 |
| --- | --- | --- |
| 不動産登記 | 土地、建物 | 各地の法務局 |
| 成年後見登記 | 人 | 東京法務局 |
| 債権譲渡登記 | 債権 | 東京法務局 |
| 動産譲渡登記 | 動産 | 東京法務局 |
| 船舶登記 | 船舶 | 各地の法務局 |

法務局のホームページ　全国の法務局は、以下のホームページで検索できる。
https://houmukyoku.moj.go.jp/homu/static/kankatsu_index.html

## 会社登記の郵送申請

- ●郵送による登記申請も可能。
- ●ただし、登記申請に慣れていない人は窓口で申請をするほうが確実。

**郵送申請のポイント**

- ●普通郵便でも可能だが、念のため書留やレターパックプラスなどで送付する。
- ●封筒には「登記申請書在中」と明記する。
- ●申請書には連絡先（電話番号等）を必ず記載する。

## オンライン登記申請手続きの流れ

- STEP1　登記・供託オンライン申請システムを利用するための環境設定を行う。
- STEP2　申請用総合ソフトをインストールする。
- STEP3　申請者情報の登録を行う。
- STEP4　電子署名に必要な証明書を取得する。
- STEP5　登記・供託オンライン申請システムにログインする。
- STEP6　申請書情報を作成する。
- STEP7　電子署名の付与。
- STEP8　申請データを送信する。
- STEP9　登録免許税を納付する。
- STEP10　添付書面、印鑑届書の提出。

本人確認証明書

# 本人確認証明書を添付する

## 実在しない役員の登記を防止する

かつては、会社の登記簿に実在しない取締役が記載されたり、他人の氏名を不正に使って登記がされたりして、そうした会社が詐欺事件に使われるということが起きていました。

そこで、実在しない、あるいは、就任していない取締役等の登記を防止すべく、2015年2月27日以降、法務局に株式会社設立登記を申請する際には、**役員の住民票等の提出が義務づけられました。**

## 取締役および監査役の全員分必要

印鑑証明書の提出をする代表取締役を除く、取締役および監査役全員について、住所および氏名の記載がある市区町村長その他の公務員が職務上作成した証明書の添付が必要になりました。

**Point 1** **本人確認証明書は、取締役および監査役の全員分必要。**

**Point 2** **コピーを提出するときは、原本と相違がないことの証明をする。**

**Point 3** **運転免許証のように裏面に変更履歴等が記載される証明書のコピーは、裏面もコピーをとる。**

本人を確認する証明書として、

①住民票
②住民票記載事項証明書
③印鑑証明書
④戸籍の附票の写し
⑤外国に居住する取締役等の氏名および住所が記載されている日本国領事が作成した証明書
⑥運転免許証
⑦住基カード（住所および氏名の記載あるもの）
⑧マイナンバーカード（表面）
⑨在留カード
⑩特別永住者証明書
⑪運転経歴証明書

などがあります。

なお、運転免許証のように原本を提出できないものについては、コピーでかまいません。

ただし、住所変更が裏面に記載されるような証明書（⑥～⑪）については、表面に加え裏面のコピーも必要です。

また、コピーを提出するときは、**その証明書の本人が、「原本と相違がない」旨を記載し、記名します。**

プラスα Information

**パスポート**

パスポートには住所の印字がなされていないので、本人確認証明書として使うことはできません。

# 本人確認証明書

## 原本のケース

**印鑑証明書**

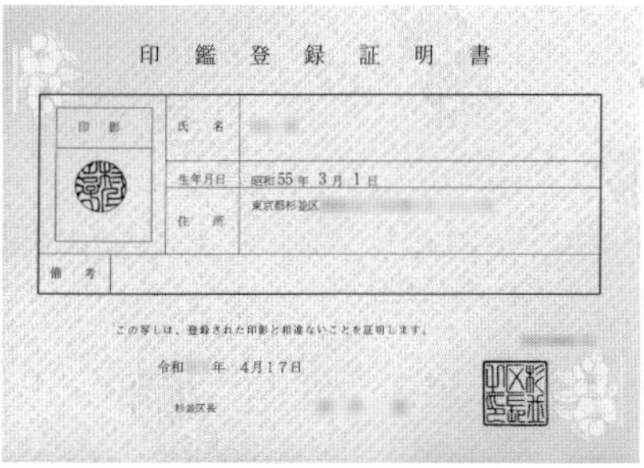


!! 市区町村の役所窓口で交付を受ける

## コピーのケース

**運転免許証のコピー（表）**

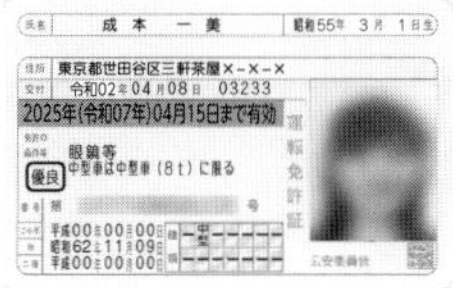


!! A４の用紙にコピーする。コピーはカラー・白黒のどちらでもよい

**運転免許証のコピー（裏）**

原本と相違がない。
取締役　成本一美

!! 必ず証明書の本人が書く

※裏表を別のA4用紙にコピーしてもよいが、その場合は名前の横に押印し、同じ印鑑で契印（→54ページ）をする。または、それぞれの用紙に「原本と相違がない。取締役 成本一美」と書く。

婚姻前の氏名の登記

# 婚姻前の氏名を登記できる

## 希望者は婚姻前の氏名を併記できる

近年、旧姓を使用して社会活動を行う方が増えており、会社登記役員欄に戸籍上の氏名のみが登記されることで不都合が生じていました。2015年2月の改正で、戸籍名に加えて婚姻前の氏も登記することができるようになりました。

ただし、旧姓のみの登記はできません。**現在の氏名の横にカッコ書きで婚姻前の氏名が併記される**ことになります。

## 婚姻以外の原因による氏の変更にも拡大

離婚や養子縁組によっても氏は変更されることがありますが、併記が認められるのは、婚姻を原因とする氏の変更に限られていました。

ただし、2022年9月1日からは離婚や養子縁組など、婚姻以外の原因による氏の変更の場合についても旧氏を登記することができるようになっています。

## 戸籍謄本等を添付する

旧姓を登記するには、婚姻前の氏についての証明書を添付する必要があります。

具体的には、婚姻に関する事項の記載がある戸籍謄本または戸籍事項証明書があります。

ほかにも、婚姻により氏が改められた旨および婚姻前の氏の記載がされている住民票の写し、または住民票記載事項証明書でもかまいません。

## 再任の場合の扱い

旧姓を登記した役員の任期が満了し、その者が再任されたときは、引き続き、当該婚姻前の氏の登記を希望する旨の申し出がなくても婚姻前の氏が併記されます。

再任後に婚姻前の氏を登記したくないときは、「当該婚姻前の氏の登記を希望しない旨」の申し出をすれば現在の氏名のみが登記されることになります。

**Point 1** 現在の氏名の横にカッコ書きで変更前の氏名が併記される。

**Point 2** 再任の場合に旧姓の併記をやめることができる。

**Point 3** 離婚を原因とする氏の変更の場合にも併記が可能。

プラスα Information

### 既存会社の役員の氏

既存の会社の役員についても婚姻前の氏を併記するよう申し出ることができます。ただし、いつでも申し出ができるわけではなく、役員就任による変更登記、役員の氏の変更登記申請をする場合に限られます。

# 婚姻前の氏名を登記する場合の登記申請書

株式会社設立登記申請書

（この間の記載は112、113ページ参照）

上記のとおり登記の申請をする。

下記の者につき、旧氏を記録するよう申し出ます。
なお、旧氏を証する書面として、
□戸籍の全部事項証明書・個人事項証明書・一部事項証明書、
　戸籍謄本・抄本
□その他（　　　　　　　　　　　　　）
を添付します。

（どちらかにチェックを入れる）
（添付する証明書名を記入する）

記

旧氏をも記録する者の資格及び氏名
　　資格　取締役及び代表取締役
　　氏名　成本一美
記録すべき旧氏　　　石山

令和○○年○○月○○日

（日付は元号を用いる）

**登記事項証明書（→135ページ）には次のように記載される。**

取締役　　成本一美（石山一美）

東京都世田谷区三軒茶屋×丁目×番×号
代表取締役　成本一美（石山一美）

（婚姻前等の氏名がカッコ書きで併記される）

登記申請書および別紙の作成

# 登記に必要な書類を作成する

## 登記申請書類には用紙が決まっているものがある

会社を設立するために必要な最低限の書類は下の表のとおりです。**全部まとめて法務局に提出**します。

登記申請書は、112、113ページのように記載します。登記事項については、申請書ではなく、別紙に記載して提出します。

申請書を訂正する場合は、定款と同じ要領で訂正します（→92ページ）。

### 登記に必要な書類

| | |
|---|---|
| 登記申請書 | 1通（→112、113ページ） |
| 別紙 | 1通（→114～116ページ） |
| 印鑑届書 | 1通（→123ページ） |
| 添付書類 | 一式（→118ページ） |

### 登記申請書(112ページ)記載上の注意

①「商号」は省略せずに正確に記載する。
②「本店の所在場所」は省略せずに正確に記載する。
③ 通常は設立時取締役の調査が完了した日となる。
④ 別紙を作成する(→114～116ページ)。
⑤ 資本金の額を記載する。
⑥ 資本金の額の1,000分の7(最低15万円)で計算した額を記載する。
⑦ 公証人役場で認証済みの定款の謄本を添付する。
⑧ 本店の具体的な所在場所などを決めた書面(→119ページ)。
⑨ 就任承諾書は役員全員分必要(→120ページ)。
⑩ 3か月以内の印鑑証明書1通を添付する。
⑪ 銀行口座に振込みした通帳のコピーに証明書を添付する(→101ページ)。
⑫ 当分の間、現金出資のみの場合、資本金の額の計上に関する証明書は不要(→121ページ)。

# 別紙の作成方法

## 方法 1　別紙に印字して申請書と一緒に綴じる

「登記すべき事項」を別紙に記載し、申請書と一緒に綴じ、契印して提出する(→114〜116ページ)。

## 方法 2　QRコード付き書面で提出する

「登記・供託オンライン申請システム」を利用し、申請書および別紙(登記すべき事項)を作成して送信した上で、印刷・押印して添付書面とともに管轄登記所に提出する方法。

houmukyoku.moj.go.jp/homu/shogyo_qr01.html

**QRコード付き書面申請の流れ**

1. 事前準備(申請用総合ソフト等をダウンロード)

▼

2. QRコード付き書面申請書の作成および送信

▼

3. 登記申請書を印刷・押印して、添付書面と一緒に登記所へ提出

## 方法 3　電磁的記録（CD-R等）に記録する

申請書の「登記すべき事項」の項目欄に「別添CD-Rのとおり」と記載して、登記すべき事項を電磁的記録（磁気ディスク）に記録して提出する。

また、申請書の「登記すべき事項」の項目欄に「別紙のとおり（CD-R添付）」と記載し、磁気ディスクの記録内容を印字したものを別紙として申請書に契印し、当該磁気ディスクと共に提出することもできる。

登記すべき事項は、「メモ帳」機能等を利用してテキスト形式で記録し、ファイル名は「（任意の名称）.txt」とする。

●電磁的記録媒体の種類

日本産業規格X0606形式またはX0610形式に適合する120㎜光ディスク

例：CD-R、DVD-Rなど

## 方法 4　申請書に直接記載する

申請書の「登記すべき事項」の項目欄に登記すべき事項を直接記載する方法。設立の場合、記載事項が多いので、この方法はあまり使われない。

# 登記申請書の記載例（取締役1名の場合）

!! 5cm程度の余白を設ける

株式会社設立登記申請書

商号の上部に片仮名でフリガナを記載する
フリガナは左に詰めて、スペースを空けずに記載する（株式会社のフリガナは不要）

1. 商　　号《フリガナ》　株式会社アキバ・インフォメーション《アキバインフォメーション》　①
1. 本　　店　東京都新宿区新小川町×番×号　②
1. 登記の事由　令和××年7月10日発起設立の手続終了　③
1. 登記すべき事項　別紙のとおり　④
1. 課税標準金額　金80万円　⑤
1. 登録免許税　金15万円　⑥
1. 添付書類

!! 3cm程度の余白を設ける

| | | |
|---|---|---|
| 定款 | 1通 | ⑦ |
| 発起人の決定書 | 1通 | ⑧ |
| 設立時取締役の就任承諾書 | 1通 | ⑨ |
| 設立時取締役の印鑑証明書 | 1通 | ⑩ |
| 出資の払込みを証する証明書 | 1通 | ⑪ |
| 資本金の額の計上に関する設立時代表取締役の証明書 | 1通 | ⑫ |

上記のとおり登記の申請をする。

令和××年7月15日

申請する日を記載する

東京都新宿区新小川町×番×号
申請人　株式会社アキバ・インフォメーション
東京都世田谷区三軒茶屋×丁目×番×号
代表取締役　成本 一美
電話番号　03-××××-××××

!! 会社の実印を押印する

連絡先の電話番号を記載する

東京法務局新宿出張所御中

●登記申請書は、A4サイズの用紙を使用する。
●パソコン・ワープロでも手書きでもかまわない。ただし、鉛筆書きは認められない。
●法務局の管轄は法務局のホームページで調べることができる。
https://houmukyoku.moj.go.jp/homu/static/kankatsu_index.html
●別紙は114ページを参照。
●日付の記載は元号を用いる。

## 登記申請書の記載例（取締役3名、監査役１名の取締役会設置会社の場合）

5㎝程度の余白を設ける

商号の上部に片仮名でフリガナを記載する
フリガナは左に詰めて、スペースを空けずに記載する（株式会社のフリガナは不要）

株式会社設立登記申請書

3㎝程度の余白を設ける

1. 商　　号《フリガナ》　株式会社アキバ・インフォメーション《アキバインフォメーション》
1. 本　　店　東京都新宿区新小川町×番×号
1. 登記の事由　令和××年7月10日発起設立の手続終了
1. 登記すべき事項　別紙のとおり
1. 課税標準金額　金80万円
1. 登録免許税　金15万円
1. 添付書類

| | |
|---|---|
| 定款 | 1通 |
| 発起人の決定書 | 1通 |
| 設立時取締役および設立時監査役の就任承諾書 | 4通 |
| 設立時代表取締役選定書 | 1通 |
| 設立時代表取締役の就任承諾書 | 1通 |
| 設立時代表取締役の印鑑証明書 | 1通 |
| 本人確認証明書 | 3通 |
| 出資の払込みを証する証明書 | 1通 |
| 資本金の額の計上に関する設立時代表取締役の証明書 | 1通 |

→119ページ

就任する取締役、監査役全員の就任承諾書を添付する

→122ページ

代表取締役の就任承諾書を添付する

→107ページ

→121ページ

上記のとおり登記の申請をする。

令和××年7月15日

申請する日

東京都新宿区新小川町×番×号
申請人　株式会社アキバ・インフォメーション
東京都世田谷区三軒茶屋×丁目×番×号
代表取締役　成本 一美
電話番号　03-××××-××××

会社の実印を押印する

東京法務局新宿出張所御中

●「取締役1名の場合の株式会社設立登記申請書」は前ページを参照。
●別紙は115、116ページを参照。
●日付の記載は元号を用いる。

## 別紙（取締役1名の場合）

「商号」株式会社アキバ・インフォメーション

「本店」東京都新宿区新小川町×番×号

「公告をする方法」官報に掲載してする

「目的」

定款の目的と同じ

1．コンピュータ及び周辺機器の販売

2．コンピュータソフトの開発及び賃貸

3．パソコン教室の経営

4．商品カタログ及びパンフレットの企画及び制作

5．上記各号に附帯関連する一切の業務

忘れずに入れる

「発行可能株式総数」１０００株

「発行済株式の総数並びに種類及び数」

発行済株式の総数　８０株

「資本金の額」金８０万円

「株式の譲渡制限に関する規定」

当会社の株式を譲渡により取得するには、当会社の承認を受けなければならない

「役員に関する事項」

「資格」取締役

「氏名」成本一美

「役員に関する事項」

「資格」代表取締役

取締役が1名であっても代表取締役と記載する

「住所」東京都世田谷区三軒茶屋×丁目×番×号

「氏名」成本一美

「登記記録に関する事項」設立

- A4サイズの用紙を使用する。A4サイズであれば適宜の用紙でかまわない。
- パソコン、ワープロで作成する。手書きでもOK。ただし、鉛筆書きは認められない。
- ページあたりの行数や1行あたりの字数に決まりはないが、左側は3cm程度余白を設ける。
- 1行に1項目ずつ記載する。
- 印鑑の押印は不要。ただし、契印は必要（→124、125ページ）。

## 別紙（取締役３名、監査役１名の取締役会設置会社の場合）１枚目

「商号」株式会社アキバ・インフォメーション
「本店」東京都新宿区新小川町×番×号
「公告をする方法」官報に掲載してする
「目的」
1．コンピュータ及び周辺機器の販売
2．コンピュータソフトの開発及び賃貸
3．パソコン教室の経営
4．商品カタログ及びパンフレットの企画及び制作
5．上記各号に附帯関連する一切の業務
「発行可能株式総数」１０００株
「発行済株式の総数並びに種類及び数」
発行済株式の総数８０株
「資本金の額」金 ８０万円
「株式の譲渡制限に関する規定」
当会社の株式を譲渡により取得するには、当会社の承認を受けなければならない
「役員に関する事項」
「資格」取締役
「氏名」成本一美
「役員に関する事項」
「資格」取締役
「氏名」大阪太郎
「役員に関する事項」
「資格」取締役
「氏名」山田秋男
「役員に関する事項」

定款の目的と同じ

忘れずに入れる

平取締役と監査役は
住所の記載不要

●A4サイズの用紙を使用する。A4サイズであれば適宜の用紙でかまわない。
●パソコン、ワープロで作成する。手書きでもOK。ただし、鉛筆書きは認められない。
●ページあたりの行数や1行あたりの字数に決まりはない。
●1行に1項目ずつ記載する。
●印鑑の押印は不要。ただし、契印は必要（→124、125ページ）。

## 別紙（取締役3名、監査役1名の取締役会設置会社の場合）2枚目

代表取締役は住所も記載する

「資格」代表取締役
「住所」東京都世田谷区三軒茶屋×丁目×番×号
「氏名」成本一美
「役員に関する事項」
「資格」監査役
「氏名」小川春子
「役員に関する事項」
「資格」監査役の監査の範囲に関する事項
「役員に関するその他の事項」
監査役の監査の範囲を会計に関するものに限定する旨の定款の定めがある
「取締役会設置会社に関する事項」
取締役会設置会社
「監査役設置会社に関する事項」
監査役設置会社
「登記記録に関する事項」設立

2015年5月1日から登記されることになった

注：以前は法務局で配布されるOCR用紙に印字していたが、OCR用紙の配布は終了している。

## 収入印紙貼付台紙

収入印紙金15万円

申請書に記載した登録免許税（→112、113ページ）と同額の収入印紙を貼る

収入印紙15万円分を貼付する

収入印紙
100,000円

収入印紙
50,000円

収入印紙には絶対に消印をしない

●A4サイズの用紙を使用する。A4サイズであれば適宜の用紙でかまわない。
●申請書（→112または113ページ）の後ろにつける。左端2か所でホチキス留めし、会社実印で契印する。
●収入印紙の金額の組み合わせに決まりはなく、15万円分貼ってあればよい。
※印紙の金額は、資本金の額の1,000分の7で計算した金額（最低15万円）。

## 添付書類の作成

# 登記に必要な添付書類を作成する

### 必要な添付書類

会社設立登記申請書に添付する書類として、下記のものが必要となります（該当ページ参照）。

### 見やすい添付書類をつくる

用紙の大きさや文字の大きさ・書体、筆記用具などについては、86ページを参考にしてください。

### 添付書類一覧

| 書類名 | 必要部数 | 備　　考 | 参照ページ |
| --- | --- | --- | --- |
| 定　款 | 1 | 公証人の認証がされた定款の謄本 | 95 |
| 発起人の決定書 | 1 | 本店の所在場所および払い込む金融機関を決める | 119 |
| 就任承諾書 | 各1 | 設立時取締役、設立時監査役全員必要 | 120 |
| 選定書 | 1 | 取締役会設置会社が設立時代表取締役を選ぶ場合に必要 | 122 |
| 設立時代表取締役の就任承諾書 | 1 | 設立時代表取締役を選ぶ場合に必要 | 120 |
| 印鑑証明書 | 各1 | 設立時取締役全員（取締役会設置会社は設立時代表取締役）個人の印鑑証明書 | 50 |
| 本人確認証明書 | 各1 | 住民票、運転免許証のコピー等 | 107 |
| 出資の払込みを証する証明書 | 1 | 証明書と銀行通帳のコピー等 | 101 |
| 資本金の額の計上に関する証明書 | 1 | 資本金の額が会社法および会社計算規則の規定に従って計上されたことを証する書面（当分の間、現金出資のみの場合は不要） | 121 |

## 発起人の決定書の記載例

発起人の決定書

令和××年7月1日午前10時30分より、当社創立事務所（東京都新宿区新小川町×番×号）において、発起人は次のとおり決定した。

記

1　本店の所在場所
　東京都新宿区新小川町×番×号

正確な住所を記載する

2　払込金を振り込むべき金融機関の口座
　金融機関　株式会社あんしん銀行（新宿支店）
　口座番号　普通　No.　1234567
　名義人　成本一美（ナリモトカズミ）

発起人の銀行口座番号を記載する

上記の決定事項を明確にするため、この決定書を作り、発起人がこれに記名押印する。

令和××年7月1日

東京都新宿区新小川町×番×号
株式会社アキバ・インフォメーション

発起人　成本一美　成本一美

- ●本店の所在場所は、不動産の登記事項証明書や賃貸借契約書などを見て、正確に記載する。
- ●本店の所在場所にビル名を入れることもできるが、オーナーが変わり、ビル名が変わると変更の登記が必要になることに注意。
- ●本店の所在場所は郵便物が確実に届く表示にする。
- ●発起人全員が署名（または記名）する。
- ●日付の記載は元号を用いる。

# 就任承諾書の記載例

令和××年7月3日

株式会社アキバ・インフォメーション　御中

就任承諾書

私は、令和××年7月3日貴社設立時取締役に選任されましたので、その就任を承諾します。

住所と氏名を正確に記載する

（住所）　東京都世田谷区三軒茶屋×丁目×番×号
（氏名）　成本 一美

成本
一美

個人の実印を押印する

- 就任承諾書は役員全員の分が必要。１人ずつ作成する。
- 設立時監査役の就任承諾書はアンダーライン部分を「貴社設立時監査役に選任されましたので」とする。
- 設立時代表取締役の就任承諾書はアンダーライン部分を「貴社設立時代表取締役に選定されましたので」とする。
- 役員の住所は、本人確認証明書どおりに記載する。
- 日付の記載は元号を用いる。

# 証明書の記載例

令和 ×× 年 7 月 10 日

東京法務局新宿出張所　御中

証明書

（資本金の額が会社法および会社計算規則の規定に従って計上されたことを証する書面）

株式会社アキバ・インフォメーションの設立に際し、会社法および会社計算規則の規定に従って、資本金の額を次のとおり計上する。

資本金の額　金 80 万円

> 資本金の額を書く

① 発起人の出資に係る払込みを受けた金銭の額

金 50 万円

②金銭以外の財産の給付を受けた場合に、当該現物出資財産の給付があった日における価額

金 30 万円

> 本書では現物出資がある場合の例

③設立に要した費用の額のうち設立に際して資本金または資本準備金の額として計上すべき金額から減ずるべき額

金 0 円

④設立に際して株主となる者が払込みまたは給付をした財産の額

① ＋ ② － ③＝ 80 万円

⑤④の全額を資本金の額とし、資本準備金の額は計上しない。

以上のとおりに相違ありません。

東京都新宿区新小川町 × 番 × 号

株式会社アキバ・インフォメーション

設立時代表取締役　成本一美

- 設立に際して出資される財産が金銭のみである場合には、通達により当分の間この書面の添付は不要。
- 通常は金銭出資のみであり、本書の作成は不要。
- 日付の記載は元号を用いる。

# 選定書の記載例

選定書

令和××年7月3日午前10時30分より、当社創立事務所（東京都新宿区新小川町×番×号）において、設立時取締役全員一致により下記の者を設立時代表取締役に選定した。

記

東京都世田谷区三軒茶屋×丁目×番×号
設立時代表取締役　　成本 一美

上記の事項を明確にするため、この選定書を作り、設立時取締役がこれに記名押印する。

令和××年7月3日

東京都新宿区新小川町×番×号
株式会社アキバ・インフォメーション
設立時取締役　成本一美
設立時取締役　大阪太郎
設立時取締役　山田秋男

**住所と氏名を正確に記載する**

**設立時代表取締役は取締役の中から選ぶ**

**発起人ではなく設立時取締役全員が署名（または記名）する**

- 会社設立時の取締役、代表取締役をそれぞれ「設立時取締役」「設立時代表取締役」という。
- 日付の記載は元号を用いる。

# 印鑑届書の記載例

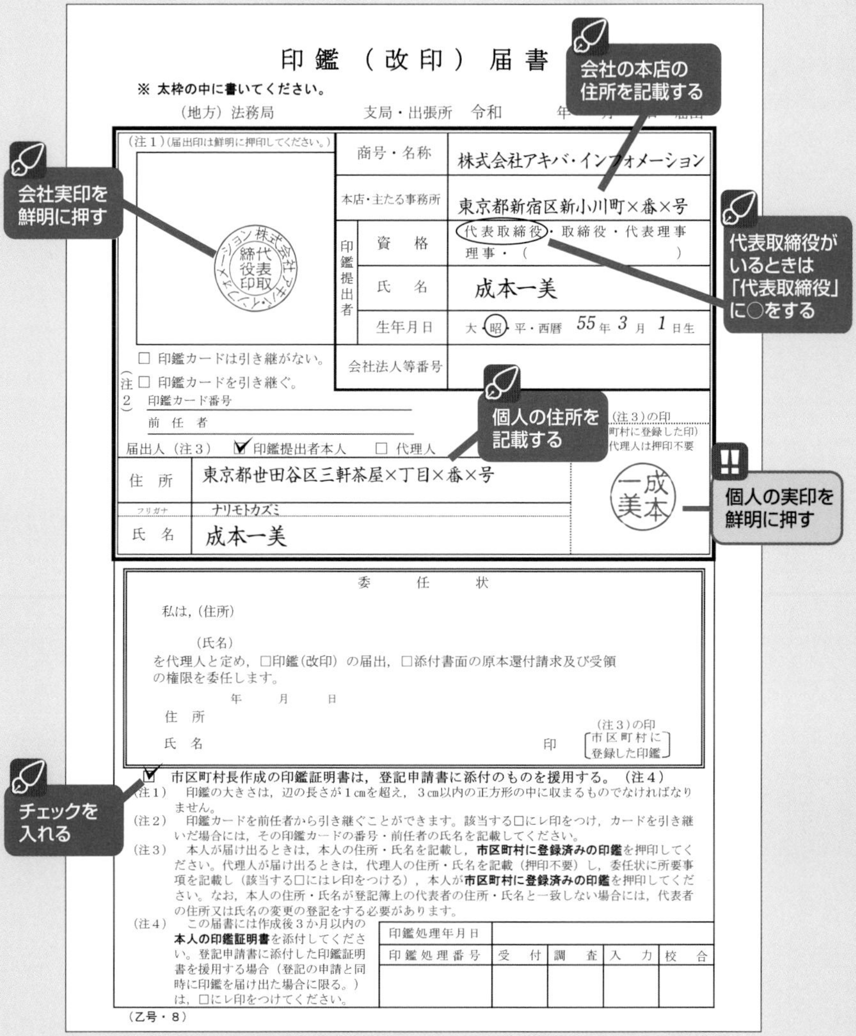


印鑑（改印）届書

**※ 太枠の中に書いてください。**

（地方）法務局　　　支局・出張所　令和　　年　月　日届出

（注１）（届出印は鮮明に押印してください。）

| | | |
|---|---|---|
| 商号・名称 | | 株式会社アキバ・インフォメーション |
| 本店・主たる事務所 | | 東京都新宿区新小川町×番×号 |
| 印鑑提出者 | 資格 | ㊀代表取締役・取締役・代表理事<br>理事・（　　　） |
| | 氏名 | 成本一美 |
| | 生年月日 | 大・昭・平・西暦　55年　3月　1日生 |
| 会社法人等番号 | | |

□ 印鑑カードは引き継がない。

（注２）□ 印鑑カードを引き継ぐ。

印鑑カード番号

前任者

届出人（注３）☑ 印鑑提出者本人　□ 代理人

| | | |
|---|---|---|
| 住所 | 東京都世田谷区三軒茶屋×丁目×番×号 | （注３）の印<br>町村に登録した印）<br>代理人は押印不要 |
| フリガナ | ナリモトカズミ | |
| 氏名 | 成本一美 | |

委任状

私は，（住所）

（氏名）

を代理人と定め，□印鑑（改印）の届出，□添付書面の原本還付請求及び受領の権限を委任します。

年　月　日

住所

氏名　　　　印　（注３）の印〔市区町村に登録した印鑑〕

☑ 市区町村長作成の印鑑証明書は，登記申請書に添付のものを援用する。（注４）

（注１）　印鑑の大きさは，辺の長さが１cmを超え，３cm以内の正方形の中に収まるものでなければなりません。

（注２）　印鑑カードを前任者から引き継ぐことができます。該当する□にレ印をつけ，カードを引き継いだ場合には，その印鑑カードの番号・前任者の氏名を記載してください。

（注３）　本人が届け出るときは，本人の住所・氏名を記載し，**市区町村に登録済みの印鑑**を押印してください。代理人が届け出るときは，代理人の住所・氏名を記載（押印不要）し，委任状に所要事項を記載し（該当する□にはレ印をつける），本人が**市区町村に登録済みの印鑑**を押印してください。なお，本人の住所・氏名が登記簿上の代表者の住所・氏名と一致しない場合には，代表者の住所又は氏名の変更の登記をする必要があります。

（注４）　この届書には作成後３か月以内の**本人の印鑑証明書**を添付してください。登記申請書に添付した印鑑証明書を援用する場合（登記の申請と同時に印鑑を届け出た場合に限る。）は，□にレ印をつけてください。

| 印鑑処理年月日 | | | | |
|---|---|---|---|---|
| 印鑑処理番号 | 受付 | 調査 | 入力 | 校合 |
| | | | | |

（乙号・８）

●会社実印、個人実印とも鮮明に押印する。

●2021年2月15日施行の改正で、電子署名をしてオンライン申請する場合には、印鑑届書が不要になった。ただし、会社の印鑑証明書を取得するには、印鑑届書を提出しておく必要がある。

# 登記申請書の綴じ方にはルールがある

## 並べる順番が決まっている

登記申請書の綴じ方には、決まりがあり、これを守らないと、**窓口で綴じ直しを指示される**ことがあります。

申請書と添付書類を左端でホチキス留めします。ただし、印鑑届書だけはホチキスで綴じこまずにクリップで留めるだけにします。

並べる順番は、

①登記申請書
②別紙
③収入印紙貼付台紙
④添付書類（定款～証明書）
⑤印鑑届書

となります。

印紙台紙には登録免許税額（資本金の額の1,000分の7で計算した額。最低15万円）の収入印紙を貼り、登記申請書～印紙台紙の間には会社実印で契印をします。

## 登記申請書の並べ方

| | | | |
|---|---|---|---|
| ① 登記申請書 | ② 別紙（登記すべき事項） | ③ 収入印紙貼付台紙 | ④−1 定款 |
| ④−2 発起人の決定書 | ④−3 選定書 | ④−4 就任承諾書 | ④−5 印鑑証明書 |
| ④−6 本人確認証明書 | ④−7 出資の払込みを証する証明書 | ④−8 資本金の額の計上に関する証明書 | ⑤ 印鑑届書 |

●①を一番上にして、以下番号順に重ねていく。

## 登記申請書の綴じ方

### ①〜④−8 までをホチキスで留める

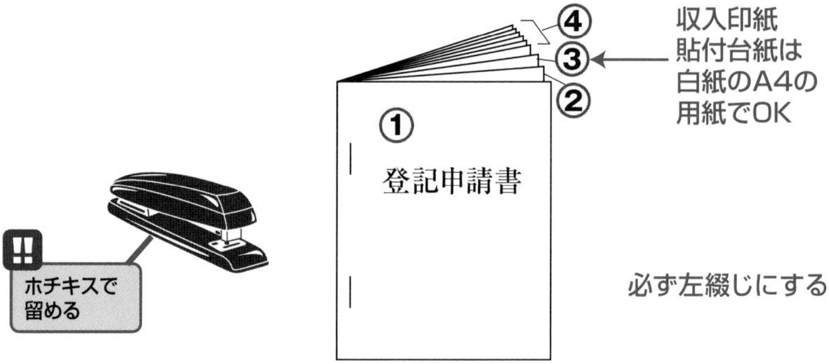


### ①、②、③の間に契印をする

### ①〜④−8をホチキスで留めたものと⑤をクリップで留める

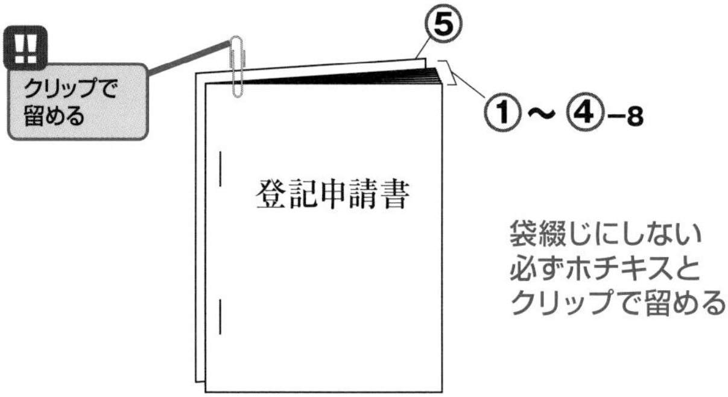

登記期間

# 決められた期間内に登記をする

## 一定の日から2週間以内に登記申請をする

株式会社の設立登記をいつまでにするかは法律で決められています。その本店の所在地を管轄する法務局において、**一定の日から2週間以内に登記申請**をする必要があります。

一定の日とは、発起設立（→60ページ）の場合、設立時取締役による出資金の払込みや設立手続きが法令や定款に違反していないことの調査完了日もしくは、発起人が定めた日になります。

募集設立（→60ページ）の場合には、創立総会を開催することになり、通常はその終了日から2週間以内に登記することになります。

## 登記が遅れると過料の罰則がある

登記すべき期間を過ぎた場合には、過《か》料《りょう》の制裁を受ける可能性があります。過料とは、行政法規上の義務違反に対して少額の金銭を徴収するという罰則のことです。罰金と過料は金銭罰ということでは同じですが、罰金は犯罪の処罰として科せられるものであり、過料は刑罰ではありません。

なお、過料は、その場で言い渡されるのではなく、後日通知されることになります。

また、過料は会社に対してではなく、会社を代表する取締役宛てに請求が来るため、税務上は損金にできません。

## 法務局の受付は午前8時30分から午後5時15分まで

国民の祝日に関する法律に規定する休日および年末年始の休日を除く月曜日から金曜日までの午前8時30分から午後5時15分までが、法務局の受付時間です。

法務局での申請前には、

- **書類が揃っているか**
- **押印もれがないか**
- **収入印紙が貼られているか**

など、再度確認しましょう。

法務局の閉庁時間ぎりぎりに行くのではなく、時間に余裕をもって行くことをおすすめします。

**Point 1** 一定の手続き終了日から2週間以内に設立登記申請をする。

**Point 2** 登記期間を経過すると過料に処せられることがある。

プラスα Information

**設立以外の登記期間**

会社の登記では、設立登記以外でも決められた登記期間内に登記しなければ過料の問題が生じます。

## 設立登記までの流れ

**STEP1** 会社の概要（商号、事業目的、本店、出資者、決算期など）を決定する →74ページ

↓

**STEP2** 商号調査をする
最低限の調査として、「同じ名前の会社がまったく同じ住所に存在しないか」を確認 →76,77ページ

↓

**STEP3** 定款に記載する事業目的を確認する →78,79ページ

↓

**STEP4** 会社実印を作成する
同時に銀行印、ゴム印も作成しておくと便利 →52ページ

↓

**STEP5** 個人の印鑑証明書を取得する →50ページ

↓

**STEP6** 定款を作成し、認証を受ける →94、95ページ

↓

**STEP7** 資本金を金融機関に払い込む →100、101ページ

↓

**STEP8** 取締役会設置会社であれば代表取締役を選定する →122ページ

↓

**STEP9** 資本金が払込みされたことなどを取締役、監査役（置く場合）が調査する

↓ 2週間以内

**STEP10** 設立登記申請をする

※発起設立における設立登記は、STEP9の終了日から2週間以内に行う。
※発起人が日を定め、その日から2週間以内に登記を行うという方法もあるが、その場合には、日を定めたことがわかる書類を登記申請書に添付しなければならない。特別なことがない限りは、調査完了日から2週間以内の登記ということになる。

登記の補正とは

# 登記の補正は印鑑に関するものが多い

## 申請書類は審査される

法務局（登記所）で登記申請をすれば、受付けはしてもらえますが、それで登記が完了したわけではありません。受け付けられた申請書類について審査が行われます。申請時には、**登記完了予定日**がいつになるのかを必ず確認してください（申請受付のところに示してあることが多い）。

登記完了予定日は、申請日から3日後ぐらいに設定されることが多いようです。ただし、そのときに法務局が抱えている事件数等により日数は異なります。

## 登記完了予定日に補正を確認する

補正とは、申請に何らかの不備があった場合に訂正を行うことです。登記完了予定日には、法務局に出向き補正（訂正事項）がないかを確認します。

**Point 1** 登記申請書および添付書類に不備があれば補正、取下げ、却下のいずれかで処理される。

**Point 2** 補正（訂正）がある場合は、すみやかに対処する。

**Point 3** 補正（訂正）できない重大な事由があれば取り下げる。取下げせずに放っておくと却下される。

補正が必要な場合には、すみやかに補正をしなければなりません。補正は、原則その場で行います。

補正では修正できない**重大な誤りがある場合には取下げ**をすることになります。

取下げが必要な重大な誤りの例として、法務局の管轄違い、登記できない違法性がある事業目的の記載などがあります。

## 指示に従い補正する

補正時には、登記所で補正の内容を確認します。補正の内容により必要な印鑑や書類を持参し、申請書や添付書類を訂正します。

印鑑の押印が不鮮明なために、補正となる場合があります。「印鑑に朱肉が詰まっていて、印鑑不照合により補正となった」という例もあります。

## 補正をしないといずれ却下される

不備があるにもかかわらず、補正も取下げもせずに長期間放っておくと、**却下**されてしまいます。

登記が却下や取下げになると再度登記申請をしなければなりません。事業開始予定日がずれこむことにもなるので、登記申請書類は慎重に準備する必要があります。仮に補正や取下げの事由があった場合には、すみやかに対応しましょう。

## 登記申請以降の流れ

- 不備なし → 登記完了
- 不備あり → 補正できる → 補正完了 → 登記完了
  - 補正できる → 補正しない → 却下
- 不備あり → 補正できない重大な誤り → 取下げ
  - 補正できない重大な誤り → 却下

## よくある補正内容

- ●押印もれ、契印もれ
  （申請書や添付書類の印鑑押し忘れ）
- ●印鑑まちがい
  （個人実印が必要な書類に認印を押す）
- ●不鮮明な押印
  （印鑑の照合ができない）
- ●印鑑証明書の期限切れ
  （3か月の期限を超えている）

印鑑に関する補正が多い

- ●必要書類の不足
  （不足している書類がある）
- ●書類の誤字・脱字
  （申請書や添付書類の字のまちがい）

**WORD**

**取《とり》下《さ》げと却《きゃっ》下《か》**

取下げとは、申請人（会社代表者）が申請自体を取り下げることです。却下とは、登記官が登記の申請を退けることです。

**登《とう》記《き》官《かん》**

登記所に勤務する法務事務官のうちから法務局長が指定し、主要な登記事務を取り扱う者を登記官といいます。

## 登記完了後に法務局で取得する書類

# 登記事項証明書と印鑑証明書を取得する

### 登記事項証明書を取得する

登記が無事完了したら、**法務局で登記《とうき》事項証明書《じこうしょうめいしょ》を取得**します。

登記事項証明書とは、登記された内容を法務局（登記官）が証明したものです。手数料を納付すれば、誰でも登記事項証明書を取得することができます。代表者でなくても取得でき、申請用紙は法務局に置いてあります。申請する人の身分証明書や印鑑は不要です。

オンラインによる申請をすると手数料は安くすみますが、環境を整えるための手間を要します。

会社を設立すると、許認可の取得や銀行に口座を開設するため、登記事項証明書が必要になります。原本を提示すればコピーを取って返却してくれる銀行もあるので、必要通数を確認しておきます。

登記事項証明書交付申請書の書き方は132ページを参照してください。

### 印鑑証明書を取得するには印鑑カードが必要

個人の実印と同様、会社も**設立と同時に実印の届**をします。

印鑑証明書《いんかんしょうめいしょ》を取得する場合には、印鑑カードの交付を受けておかなければなりません。

印鑑カードの交付を受けたら、印鑑証明書の交付を受けることができます。個人の印鑑証明書の交付と同様に、法務局の窓口で「印鑑カード」と「印鑑証明書交付申請書」を提出すれば何通でも印鑑証明書の交付を受けることができます。

印鑑証明書交付申請書の書き方は134ページを参照してください。

### 発行請求機による証明書の取得

法務局によっては、証明書発行請求機を設置しているところがあり、この機械を利用すると交付申請書に手書きしなくてもタッチパネル操作で、登記事項証明書や印鑑証明書を請求することができます。

タッチパネルで必要な情報を入力したら整理番号票が発行されるので、それを持って、名前または番号が呼ばれるのを待ち、呼ばれたら整理番号票と引き換えに申請用紙を受領して印紙を貼って提出し、証明書を受け取ります。

この方法であっても印鑑証明書の請求には、印鑑カードと生年月日の入力が必要となります。

**Point 1** **誰でも手数料を納付すれば登記事項証明書を取得できる。**

**Point 2** **印鑑カードは無料で交付を受けられる。**

## 登記事項証明書等の手数料

| 証明書の種類 | 証明書交付の手数料 | オンライン申請の手数料 |
|---|---|---|
| 登記事項証明書 | 600円 | 500円(郵送)<br>480円(窓口交付) |
| 代表者事項証明書 | 600円 | 500円(郵送)<br>480円(窓口交付) |
| 登記事項要約書 | 450円 | 取得不可 |
| 印鑑証明書 | 450円 | 410円(郵送)<br>390円(窓口交付) |

※手数料は収入印紙で支払う。
※登記事項証明書等の申請用紙は、法務局の窓口に備え付けられている。
※オンライン申請をして法務局の窓口で受け取る場合の手数料は、郵送で受け取る場合より20円安い。

## 登記事項証明書の種類

**登記事項証明書**

- **履歴事項証明書**
  現在効力がある登記事項に加えて過去3年の間に抹消された事項を含む証明
- **現在事項証明書**
  現在効力がある登記事項の証明
- **閉鎖事項証明書**
  閉鎖された登記事項の証明

※それぞれ一部だけの証明書(一部事項証明書という)を取得することができる。
　全部取得すると枚数が多く費用がかさむときなどに一部事項証明書を取得することがある。
※すでに閉鎖された登記事項については、閉鎖事項証明書を取得する。閉鎖された登記事項とは、たとえば他の登記所に本店移転をした場合の旧本店での登記や、過去3年以上前に抹消された登記事項などのこと。

# 登記事項証明書交付申請書

会社の本店の住所を記載する

申請する人の氏名を記載する

1通につき600円の収入印紙が必要

必要な通数を書く

会社法人用

登記事項証明書
登記簿謄抄本　交付申請書
概要記録事項証明書

※太枠の中に書いてください。

（地方）法務局　　支局・出張所　　年　月　日　申請

| | |
|---|---|
| 窓口に来られた人（申請人） | 住所　東京都新宿区新小川町×番×号 |
| | フリガナ　ダイヒョウトリシマリヤク　ナリモトカズミ |
| | 氏名　代表取締役　成本一美 |
| 商号・名称（会社等の名前） | 株式会社アキバ・インフォメーション |
| 本店・主たる事務所（会社等の住所） | 東京都新宿区新小川町×番×号 |
| 会社法人等番号 | |

※ 必要なものの□に√印をつけてください。

| 請求事項 | 請求通数 |
|---|---|
| ①全部事項証明書（謄本）<br>□　履歴事項証明書（閉鎖されていない登記事項の証明）<br>※現在効力がある登記事項に加えて，当該証明書の交付の請求のあった日の３年前の日の属する年の１月１日から請求があった日までの間に抹消された事項等を記載したものです。<br>☑　現在事項証明書（現在効力がある登記事項の証明）<br>□　閉鎖事項証明書（閉鎖された登記事項の証明）<br>※当該証明書の交付の請求があった日の３年前の属する年の１月１日よりも前に抹消された事項等を記載したものです。 | 3 通 |
| ②一部事項証明書（抄本）<br>□　履歴事項証明書<br>□　現在事項証明書<br>□　閉鎖事項証明書<br>※商号・名称区及び会社・法人状態区は，どの請求にも表示されます。<br>※ 必要な区を選んでください。<br>□　株式・資本区<br>□　目的区<br>□　役員区<br>□　支配人・代理人区<br>※２名以上の支配人・参事等がいる場合で，その一部の者のみを請求するときは，その支配人・参事等の氏名を記載してください。<br>（氏名　　　）<br>（氏名　　　）<br>□　その他（　　　） | 通 |
| ③□代表者事項証明書（代表権のある者の証明）<br>※２名以上の代表者がいる場合で，その一部の者の証明のみを請求するときは，その代表者の氏名を記載してください。（氏名　　　） | 通 |
| ④コンピュータ化以前の閉鎖登記簿の謄抄本<br>□　コンピュータ化に伴う閉鎖登記簿謄本<br>□　閉鎖謄本（　　年　月　日閉鎖）<br>□　閉鎖役員欄（　　年　月　日閉鎖）<br>□　その他（　　　） | 通 |
| ⑤概要記録事項証明書<br>□　現在事項証明書（動産譲渡登記事項概要ファイル）<br>□　現在事項証明書（債権譲渡登記事項概要ファイル）<br>□　閉鎖事項証明書（動産譲渡登記事項概要ファイル）<br>□　閉鎖事項証明書（債権譲渡登記事項概要ファイル）<br>※請求された登記記録がない場合には，記録されている事項がない旨の証明書が発行されます。 | 通 |

収入印紙欄

収入印紙

収入印紙

（登記印紙も使用可能）

紙は割印をしないでここに貼ってください。

| 交付通数 | 交付枚数 | 手数料 | 受付・交付年月日 |
|---|---|---|---|
| | | | |

（乙号・6）

●手書きでかまわない。

●収入印紙には消印をしないこと。

# 印鑑カード交付申請書

## 印鑑カード交付申請書

※ 太枠の中に書いてください。

（地方）法務局　　支局・出張所　　年　月　日 申請　　照合印

| （注１）登記所に提出した印鑑の押印欄 | | |
|---|---|---|
| | 商号・名称 | 株式会社アキバ・インフォメーション |
| | 本店・主たる事務所 | 東京都新宿区新小川町×番×号 |
| 印鑑提出者 | 資格 | 代表取締役・取締役・代表社員・代表理事・理事・支配人（　　） |
| | 氏名 | 成本一美 |
| | 生年月日 | 大・昭・平・西暦 55 年 3 月 1 日生 |
| | 会社法人等番号 | ○○○○-○○-○○○○○○ |

代表者名を記載する

会社の登記事項証明書の上部に記載してある番号。わからなければ空欄でもよい

申請人（注２）☑ 印鑑提出者本人　□ 代理人

| | | | |
|---|---|---|---|
| 住所 | 東京都世田谷区三軒茶屋×丁目×番×号 | 連絡先 | ☑勤務先　□自宅　□携帯番号 |
| フリガナ | ナリモト　カズミ | | 電話番号 03 |
| 氏名 | 成本一美 | | XXXX-XXXX |

当てはまるものに✓をし、電話番号を記載する

私は，（住所）

（氏名）

を代理人と定め，印鑑カードの交付申請及び受領の権限を委任します。

年　月　日

住所

氏名　　印（登記所に提出した印鑑）

代理人が申請するときのみ記載する

（注１）　押印欄には，登記所に提出した印鑑を押印してください。
（注２）　該当する□にレ印をつけてください。代理人の場合は，代理人の住所・氏名を…てください。その場合は，委任状に所要事項を記載し，登記所に提出した印鑑…てください。

| 交付年月日 | 印鑑カード番号 | 担当者印 | 受領印又は署名 |
|---|---|---|---|
| | | | |

（乙号・９）

- 手書きでかまわない。
- 印鑑は鮮明に押すこと。

# 印鑑証明書交付申請書

会社の本店の住所を記載する

1通につき450円の収入印紙が必要

肩書きに○をする

チェックを入れる

**会社法人用**　印鑑証明書交付申請書

※太枠の中に書いてください。

（地方）法務局　支局・出張所　年　月　日　申請

| | | |
|---|---|---|
| 商号・名称（会社等の名前） | | 株式会社アキバ・インフォメーション |
| 本店・主たる事務所（会社等の住所） | | 東京都新宿区新小川町×番×号 |
| 支配人・参事等を置いた営業所又は事務所 | | |
| 印鑑提出者 | 資格 | 代表取締役・取締役・代表社員・代表理事・理事・支配人（　　） |
| | 氏名 | 成本一美 |
| | 生年月日 | 大・昭・平・西暦　55年　3月　1日生 |
| 印鑑カード番号 | | ○○○○○○ |
| 請求通数 | | 1通 |

窓口に来られた人（申請人）　※いずれかの□に✓印をつけ、代理人の場合は住所・氏名を記載してください。

☑ 印鑑提出者本人

□ 代理人

住所

氏名《フリガナ》

※代理人の場合でも委任状は必要ありません。

**※必ず印鑑カードを添えて申請してください。**

収入印紙欄

収入印紙

収入印紙

収入印紙は割印をしないでここに貼ってください。

（登記印紙も使用可能）

| 交付通数 | 整理番号 | 手数料 | 受付・交付年月日 |
|---|---|---|---|
| | | | |

（乙号・11）

- 手書きでかまわない。
- 印鑑カードを添えて申請する。
- 個人の印鑑カードの法人版と考えればよい。
- 印鑑カードの保管には気をつけること。

## 登記事項証明書

### 現在事項全部証明書

東京都新宿区新小川町×番×号
株式会社アキバ・インフォメーション

| | |
|---|---|
| 会社法人等番号 | ○○○○-○○-○○○○○○○ |
| 商　号 | 株式会社アキバ・インフォメーション |
| 本　店 | 東京都新宿区新小川町×番×号 |
| 公告をする方法 | 官報に掲載してする |
| 会社成立の年月日 | 令和×年7月15日 |
| 目　的 | 1.コンピュータ及び周辺機器の販売<br>2.コンピュータソフトの開発及び賃貸<br>3.パソコン教室の経営<br>4.商品カタログ及びパンフレットの企画及び制作<br>5.上記各号に附帯関連する一切の業務 |
| 発行可能株式総数 | 1,000株 |
| 発行済株式の総数並びに種類及び数 | 発行済株式の総数<br>80株 |
| 資本金の額 | 金80万円 |
| 株式の譲渡制限に関する規定 | 当会社の株式を譲渡により取得するには、当会社の承認を受けなければならない |
| 役員に関する事項 | 取締役　成本一美 |
| | 取締役　大阪太郎 |
| | 取締役　山田秋男 |
| | 東京都世田谷区三軒茶屋×丁目×番×号<br>代表取締役　成本一美 |
| | 監査役　小川春子 |
| | 監査役の監査の範囲を会計に関するものに限定する旨の定款の定めがある |
| 取締役会設置会社に関する事項 | 取締役会設置会社 |
| 監査役設置会社に関する事項 | 監査役設置会社 |
| 登記記録に関する事項 | 設立<br>令和×年7月15日登記 |

これは登記簿に記録されている現に効力を有する事項の全部であることを証明した書面である。
令和×年7月23日
東京法務局　新宿出張所
登記官　○○○○　印

**●代表取締役の住所非表示措置**

代表取締役の住所は登記事項であるが、令和６年10月１日以降は、登記事項証明書上、非表示措置を選択することができる（ただし、「東京都港区」や「神戸市」等の独立最小行政区画は記載される）。

しかし、非表示措置をとった場合には、登記事項証明書等によって代表取締役の住所を証明することができないこととなるため、金融機関から融資を受ける等の取引に当たって不都合が生じたり、取引先から要求される書類（会社の印鑑証明書等）が増えたりするなど、一定の支障が生じることが想定される。

参考：https://www.moj.go.jp/MINJI/minji06_00210.html

Column

# スピーディに会社をつくるコツ

「1日も早く会社をつくりたい」と考えるのであれば、次のことに気をつけてください。

**1　資本金の出資者である発起人の数をなるべく少なくする。**

発起人は1人でもいいので、自分だけが発起人となれば、定款内容の決定も1人ででき、払込みに手間取ることもありません。

**2　出資は、現物出資を避けて現金のみとする。**

現物出資は、評価に手間取り時間がかかることがあります。

**3　定款で定めることができることは定款で定めておく。**

設立に際して出資する財産の最低額だけを定款で定めておいて、具体的な発行株式数や出資額を発起人全員の同意で決めることができます。会社が発行することができる株式の総数についても原始定款で定めずに、定款認証後に発起人全員の同意で決めることもできます。また、設立当初の取締役、監査役は発起人が決めることも定款で決めることもできます。定款で定めておけば書類の数が少なくてすみ簡単といえます。しかし、定款認証後は簡単には定款を変更することができないので、変更の可能性がある場合は、定款でなく、発起人全員の同意で決めるほうがよいといえます。

**4　取締役を自分1人とする。**

自分1人が取締役であれば、個人の印鑑証明書の取得や書類への押印に手間取ることがありません。役員を増員したければ、会社設立後に取締役、監査役、会計参与などを選任することもできます（ただし、増員した場合には、変更登記が必要）。

第4章

# 設立後のアクション

営業開始の準備

# 営業ツールを作成する

## 印象に残る名刺にする

会社設立が完了したら、次は営業の体制を整えなければなりません。営業は自社の存在を正しく知ってもらうことから始まります。その第一歩となる**名刺や挨拶状は、タイミングを逃さず準備**しましょう。

営業ツールの中でも、名刺は必須アイテムです。どうせなら、カラー刷り、ロゴマークや顔写真入りのものにして、印象に残るものにしましょう。

両面刷りもいいのですが、費用がかかるわりにはあまり裏面は見てもらえません。裏面を利用したい場合は、シールをつくって裏面に貼る方法もあります。それであれば後から内容を変更するのも簡単です。また、ポップアップ型の名刺や角をまるくした名刺など、個性的な名刺は相手の印象に残ります。

名刺は自分でつくると安っぽくなるので、業者に依頼したほうがいいでしょう。

## 「会社設立のご挨拶」を作成する

友人や知人への**挨拶状**は、単なる「会社設立の報告」ではありません。大きな営業ツールとなるので、タイミングを逃さないように出すことがたいせつです。

意気込みが伝わるような文面で、自社の最も有望な商品やサービスも記載するようにします。

## 会社案内を作成する

**会社案内**や**パンフレット**は相手と取引をするときに必要ですから、あらかじめつくっておきましょう。最初はパソコンで作成し、カラープリンタで印刷してもかまいません。

会社案内には、自社の具体的な仕事内容や社長のプロフィールなどを記載します。当然のことですが、会社案内にウソは書いてはいけません。

また、個人消費者が顧客の場合は、チラシを作成しましょう。いずれにしても「**自社の商品、サービス、料金表**」は、一定の書式で準備しておくことが必要です。

**Point 1** 受け取った相手の印象に残るような名刺を工夫する。

**Point 2** 友人、知人は最大の見込み客。挨拶状と一緒に会社概要や商品・サービス一覧なども同封する。

**Point 3** 料金表の準備も忘れずに。

プラスα Information

**パソコンの活用**

DMやチラシも必要に応じてつくります。会社案内や挨拶状の内容を抜粋すれば、自分でもすぐにつくることができます。

## 会社設立のご挨拶（ハガキのケース）

控えめに
小さく書く

拝啓、○○の候、ますますご健勝のこととお慶び申し上げます。

さて、私儀このたび、株式会社アキバ・インフォメーションを設立し、○月○日より発足することとなりました。株式会社○○に在職中は格別のご厚情を賜り誠にありがとうございました。

新会社におきましては、今までの経験を活かし、鋭意専心努力して参る所存ですので、今後とも皆様のご指導、ご支援を賜りたく、心からお願い申し上げます。

まずは、略儀ながら書面にてご挨拶申し上げます。

敬具

20××年4月吉日

株式会社アキバ・インフォメーション
代表取締役社長　成本　　一美

〒162-8445　東京都新宿区新小川町×番×号
TEL　03-××××-××××
FAX　03-××××-○○○○
Mail　info@××××.co.jp

取締役が複数のときは
名前を並記する

地図を入れても
よい

ホームページがあれば
URLも記載する

## ロゴマークの作成

会社のロゴは会社の顔。プロに依頼したほうがよい → 費用は5万円程度から。ただし、 →

●誰に依頼するか
●ロゴデザインの提案の数や修正回数
●印刷物を含むのか

によって、かなり異なる

※すでに商標登録されているロゴと類似のものでないかを調査してから自社のロゴを決める（→77ページ）。

※名刺、似顔絵、ロゴ、会社案内等を作成してくれる業者がある。「名刺」「似顔絵」「ロゴ」「会社案内」等をキーワードにインターネットで検索してみよう。

### 固定電話の検討

COLUMN

固定電話は会社設立手続きとして必須のものではありません。しかし、信頼性という点からは、固定電話の電話番号を取得するべきです。

電話加入権を購入しないプランを利用すれば初期費用を節約できます。他にも、ネット回線を利用する方法などもあります。オフィスのインターネット設備の状況を確認した上で、比較検討することが重要です。

事業設備の購入

# 安易なリースは事故のもと

## 事業に必要な設備を検討する

事業を始めるにあたって必要な設備はたくさんあります。当初は予定していなかった設備でも、後になってから必要に迫られることも多々あります。

開業して間もない頃は、電話機、コピー機、自動車などのセールス業者がひっきりなしに事務所に訪れます。セールスマンの話を聞いていると、ついその設備があったほうがよいような錯覚に陥りがちですが、**購入前にじっくり検討してから必要なもののみを購入する**ようにしなければなりません。

たとえば、電話機にしても、多回線のビジネスフォンは将来従業員が増えたときには必要になりますが、1人で事業をしているのであれば今は特に必要のない設備です。

通常は事業が軌道に乗り、売上が増え、人手が足りなくなってから従業員を増やしていくという段階を踏むので、将来本当に必要に迫られたときには、もっと最新のものを余力資金で楽々購入することができるようになっているはずです。

セールス業者は一括購入ではなく、月々の支払が安価なリース契約をすすめてセールスしてきます。そこで、つい「月々の支払が安いから」と契約してしまうと、結局は無駄な経費を毎月支払うことになり、最終的には資金不足となってしまう危険性があります。

## リース契約は解約できない

必要な設備を導入する場合であっても、**リース契約には思わぬ落とし穴がある**ことに注意しなければなりません。

リース契約はレンタルとは違って、契約期間中は原則中途解約ができません。それでも中途解約したい場合には、通常、残りのリース期間で支払うべきリース料がすべて違約金となり、それを支払わなければ解約できません。

リース料は、リース会社がその資産を購入してその代金に利息と手数料を上乗せした金額で算定しています。

自己資金や銀行借入によって**購入した場合よりも必ず割高となる**ので、購入する資産の必要性や期間価値などを十分に検討したうえで自己資金や銀行借入で購入するか、リース契約にするかを決定すべきです。

**Point 1** 本当に必要な設備かどうかを検討する。

**Point 2** セールスマンの話術に騙されてはいけない。

**Point 3** リースは自己資金での購入よりも最終的に割高となる。

## リース契約のメリットとデメリット

### メリット

●開業資金が少額ですむ
設備投資に使うお金を分割して支払うことができるので、その分他の必要資金に充当することができる。

●メンテナンス料がタダ
通常リース期間中のメンテナンスや不慮の故障があったときの修理などが無料（保守契約が付いているリース契約かどうか確認が必要）。

●再リースができる
リース期間終了後もその資産を使いたければ、格安の料金で再リースできる（再リース特約が付いているリース契約かどうか確認が必要）。

実は →

■当初の出費がおさえられるだけで、その後に固定費が増える。
■リース物件の所有権はリース会社にあるので、自分のものではない。勝手に人に貸したり売却したりすることはできない。
■保守契約やメンテナンス料金もリース料に含めて計算されている。
■再リースは、リース会社にとってお得な特約。リース期間を延ばせば、購入価格と比べた割高額が増える。

### デメリット

●金利や手数料が銀行の借入利息よりも高め
●最新鋭の設備が新発売されても容易に借り換えができない

実は →

■リース業者は銀行から調達した資金に利益を乗せてリース料の設定をしている。
■借り換えができても違約金を上乗せしたリース料で再設定されるので、どんどんリース料が割高になっていく。

**注意**

●リース期間中は原則として中途解約ができない。
●リース料の支払は、高金利で資金調達をして設備を購入しているのと同じ経済効果があることを理解する。
●メンテナンスや修理などの保守契約の特約が組まれているかどうかを必ず確認する。特約がなければ故障したときの修理代やメンテナンス料は思わぬ出費となる。

リース料総額＝リース業者の購入価額＋金利＋リース業者の利益

### 税務署に提出する書類

# 届出書の用紙は税務署かインターネットで入手する

## 書類は簡単に入手できる

会社を設立したら、所定の書類を税務署に提出します。書類には、提出が必須のものと任意のものがあり、中には期限が厳格に定められているものもあるので、それぞれ**十分確認した上で提出**するようにしましょう（→次ページ）。

用紙は近くの税務署で入手するか国税庁のホームページからダウンロードすることができます。また、インターネットを使った「e-Tax」や「法人設立ワンストップサービス」でも手続き可能です。

## 本店所在地を所轄する税務署に提出する

各届出書の提出先は、納税地の所轄税務署長、つまり会社の本店所在地を所轄する税務署になります。

**Point 1** マイナンバーカード・ICカードリーダライタ・パソコン・マイナポータルAPがあれば、「法人設立ワンストップサービス」を利用することができる。

**Point 2** 「法人設立ワンストップサービス」では、設立時に必要なほとんどの手続きを一度に行うことができる。

## 紙提出よりもオンラインの流れ

法人設立時の届出書等について、従来は2部提出して1部を控えとして保管するのが一般的でした。その控えに日付入りの受付印を押してもらい、書類提出の証として保管していたのです。

しかし、行政手続きのオンライン化などの観点から、税務署では**令和7年1月から受付印の押印を廃止**します。今後は書類を2部提出して1部を保管するということができなくなります。

代表者のマイナンバーカード等があればオンラインで提出でき、その場合は**「受信通知」が提出の証明**となります。

なお、地方公共団体へは、eLTAXを利用して各種届出書を提出することができます。

## 紙提出の控えは電子取得する

税務署に紙で届出書等を提出した場合には、e-Taxを利用して、**届出書等のイメージデータ（PDF）を取得**することができます。

プラスα Information

**ペナルティはないが……**

各種書類を提出しなかったからといって、ペナルティがあるわけではありません。ただし、青色申告の承認申請書の場合は、期限までに書類を提出しないと特典を受けられないなどの不利益が生じます。忘れないように提出しておきましょう。

## 業種を問わず一般的に提出する書類

| 書類の名前 | 提出期限 | 備　　考 |
| --- | --- | --- |
| **法人設立届出書** | 設立登記の日以後<br>2か月以内 | 必ず添付する書類<br>（他にも状況によっては添付する書類がある）<br>●定款の写し |
| **青色申告の承認申請書** | 「設立から3か月を経過した日」か「最初の事業年度終了の日」のどちらか早いほうの前日まで | 提出期限に遅れた場合、第1期からの青色申告はできなくなる。期限に注意。 |
| **給与支払事務所等の開設・移転・廃止届出書** | 事務所開設から<br>1か月以内 | 取締役への給与支払も対象となる。 |
| **源泉所得税の納期の特例の承認に関する申請書** | 定められていない | 給与の支給人数が常時9人以下の場合は、この届出書を提出することによって、毎月納付すべき源泉所得税（→148ページ）を半年分まとめて納付することができる。 |
| **減価償却資産の償却方法の届出書** | 第1期事業年度終了の日から2か月以内（確定申告書の提出期限まで） | 提出しなくてもよい。<br>届出書を提出しなかった場合は、法定償却方法（→150ページ）が適用される。 |
| **棚卸資産の評価方法の届出書** | 第1期事業年度終了の日から2か月以内（確定申告書の提出期限まで） | 提出しなくてもよい。<br>届出書を提出しなかった場合は、法定評価方法（→151ページ）が適用される。 |

## 状況に応じて提出する書類

| 書類の名前 | 提出期限 | 備　　考 |
| --- | --- | --- |
| **適格請求書発行事業者の登録申請書（→156ページ）** | （経過措置）いつでも登録できる | 登録すれば課税事業者となり、2023年10月から消費税インボイスの発行ができる。 |
| **消費税の新設法人に該当する旨の届出書** | 該当する場合はすみやかに | 会社を資本金の額1,000万円以上で設立した場合等は、第1期から消費税の課税事業者となるので、この届出が必要※。 |
| **消費税簡易課税制度選択届出書** | 第1期から適用する場合は第1期末まで | 消費税の免税事業者の場合は、消費税の申告義務がないので、この届出を提出しても簡易課税の適用はされない。 |
| **消費税課税事業者選択届出書** | 第1期から適用する場合は第1期末まで | 消費税の免税事業者が、あえて課税事業者になることを選択したい場合に提出する。 |

※「法人設立届出書」の所定欄に記載した場合は提出不要。

- **各種届出をする際は、設立登記後に通知される「法人番号」が必要。**
- **届出書等の各種用紙を入手したいとき**

国税庁HPトップページ ➡ 税の情報・手続・用紙 ➡ 申告手続・用紙 ➡ 申告・申請・届出等、用紙（手続の案内・様式）➡ 届出書・申請書等の様式（様式検索システム）
https://www.nta.go.jp/taxes/tetsuzuki/shinsei/kensaku02/search/index.php
※2021年4月以降、上記書類への押印は不要になった。

- **所轄税務署を確認したいとき**

国税庁HPトップページ ➡ 国税庁等について ➡ 組織（国税局・税務署等）➡ 税務署の所在地などを知りたい方

## 法人設立届出書の記載例

第1期と第2期以降の開始日が違うときは次のように記載する
(自) 第1期 5月1日 (至) 3月31日
　　 第2期以降 4月1日 　　 3月31日

法人登記により指定される法人番号を記載する

設立時の資本金の額が1,000万円以上のときは、設立年月日を記載する

携帯の番号でもOK

自分で作成した場合は空欄

### 法人設立届出書

税務署受付印

| ※整理番号 | |
|---|---|

| | | |
|---|---|---|
| 令和 × 年 月15日<br><br>四谷税務署長殿<br><br>新たに内国法人を設立したので届け出ます。 | 本店又は主たる事務所の所在地 | 〒162-8445<br>東京都新宿区新小川町×ー×<br>電話( 03 )××××−×××× |
| | 納税地 | 〒<br>同上 |
| | (フリガナ) | カブシキガイシャ |
| | 法人名 | 株式会社アキバ・インフォメーション |
| | 法人番号 | 1 2 3 4 5 6 7 8 9 0 1 2 3 |
| | (フリガナ) | ナリモト　カズミ |
| | 代表者氏名 | 成本　一美 |
| | 代表者住所 | 〒154-0024<br>東京都世田谷区三軒茶屋×ー×ー×<br>電話( 03 )××××−×××× |

| | | | |
|---|---|---|---|
| 設立年月日 | 令和 ×年4月1日 | 事業年度 | (自) 4月1日 (至) 3月31日 |
| 設立時の資本金又は出資金の額 | 1,500,000 円 | 消費税の新設法人に該当することとなった事業年度開始の日 | 令和 年 月 日 |

| | | | |
|---|---|---|---|
| 事業の目的 | (定款等に記載しているもの)<br>コンピュータ及び周辺機器の販売<br>(現に営んでいる又は営む予定のもの)<br>同上 | 支店・出張所・工場等 | 名称 / 所在地 |

| | |
|---|---|
| 設立の形態 | 1 個人企業を法人組織とした法人である場合( 税務署)(整理番号: )<br>2 合併により設立した法人である場合<br>3 新設分割により設立した法人である場合 (□分割型・□分社型・□その他)<br>4 現物出資により設立した法人である場合<br>⑤ その他( 新規設立、金銭出資 ) |

| | | | |
|---|---|---|---|
| 設立の形態が2〜4である場合の適格区分 | 適格・その他 | 添付書類 | ① 定款等の写し<br>② その他<br>( ) |
| 事業開始(見込み)年月日 | 令和 × 年 4 月 1 日 | | |
| 「給与支払事務所等の開設届出書」提出の有無 | ㊒ ・ 無 | | |
| 関与税理士 氏名 | | | |
| 関与税理士 事務所所在地 | 電話( ) − | | |

| | |
|---|---|
| 税理士署名 | |

| | | | | | | | | | |
|---|---|---|---|---|---|---|---|---|---|
| ※税務署処理欄 | 部門 | 決算期 | 業種番号 | 番号 | 入力 | 名簿 | 通信日付印 | 年 月 日 | 確認 |

(規格A4)

03.06改正

※法人番号は、原則、設立登記完了日の2稼働日後に登記住所に普通郵便で送付される(法人設立ワンストップサービス利用の場合はメール)。
※法人番号は「国税庁法人番号公表サイト」https://www.houjin-bangou.nta.go.jp/で調べることができる。
※会社が東京都にある場合は、都と税務署へ提出する法人設立届出書を同時に作成できる。
※様式は東京都主税局のホームページ(https://www.tax.metro.tokyo.lg.jp/)からダウンロードできる。
メニューボタンより「各種様式」>「法人事業税・特別法人事業税・地方法人特別税・法人都民税」の「1.申請書・届出書」「①法人設立・支店設置・異動の際の届出」>「法人設立・設置届出書」

## 法人設立ワンストップサービス（マイナポータル）

マイナポータルは、政府が運営するWebサービス。
2020年1月20日より、新たに「法人設立ワンストップサービス」が開始された。
法人設立ワンストップサービスとは、法人設立登記後の手続きが、インターネットを使用したオンラインにより365日24時間、いつでも自分でできるサービス。
2021年2月26日からは、定款認証や法人設立登記も含めたすべての手続きが、ワンストップで可能となりました。

**マイナポータル（法人設立ワンストップサービス）**
**https://app.e-oss.myna.go.jp/Application/ecOssTop/**

※申請には、マイナンバーカード、ICカードリーダライタ、マイナポータルアプリのインストールが必要。
マイナポータルアプリはマイナポータルホームページ「動作環境」ページからインストールできる。

●必要事項を入力することによりオンラインで必要な申請書類を作成し提出できる（オンライン申請できる主な届出）。

| 申請先機関 | 手続名 |
|---|---|
| 公証役場 | ● 電磁的記録の認証の嘱託（定款認証） |
| 法務局 | ● 設立登記の申請　※株式会社の定款認証同時申請用 |
| 税務署 | ● 法人設立届出<br>● 給与支払事務所等の開設等届出<br>● 消費税の新設法人に該当する旨の届出<br>● 青色申告の承認申請<br>● 棚卸資産の評価方法の届出<br>● 減価償却資産の償却方法の届出<br>● 有価証券の一単位当たりの帳簿価額の算出方法の届出<br>● 申告期限の延長の特例の申請<br>● 消費税課税事業者選択届出<br>● 消費税簡易課税制度選択届出<br>● 消費税課税期間特例選択・変更届出<br>● 源泉所得税の納期の特例の承認に関する申請<br>● 電子申告・納税等開始（変更等）届出（税理士代理提出・法人開始用）<br>● 消費税の特定新規設立法人に該当する旨の届出<br>● 事前確定届出給与に関する届出（付表1：金銭交付用）<br>● 事前確定届出給与に関する届出（付表2：株式交付用）<br>● 事前確定届出給与に関する届出（付表1・付表2） |
| 地方公共団体 | ● 法人設立・設置届（都道府県）<br>● 法人設立・設置届（市町村）<br>● 申告書の提出期限の延長の承認申請<br>● 事業所等新設・廃止申告 |
| 年金事務所 | ● 健康保険・厚生年金保険　新規適用届 |
| 労働基準監督署 | ● 保険関係成立届（継続）（一元適用）<br>● 保険関係成立届（継続）（二元適用労災保険分） |
| 公共職業安定所 | ● 雇用保険の事業所設置の届出<br>● 雇用保険被保険者資格取得届 |

※内閣府ホームページより

## 青色申告の承認申請書の記載例

日付は空欄でも可

法人登記により指定される法人番号を記載する

# 青色申告の承認申請書

| | | |
|---|---|---|
| 税務署受付印 | ※整理番号 | |
| 令和 × 年 4 月 15 日 | 納税地 | 〒 162-8445<br>東京都新宿区新小川町×−×<br>電話（ 03 ）××××−×××× |
| | （フリガナ） | |
| | 法人名等 | 株式会社《カブシキガイシャ》アキバ・インフォメーション |
| | 法人番号 | 1 2 3 4 5 6 7 8 9 0 1 2 3 |
| | （フリガナ） | |
| | 代表者氏名 | 成本《ナリモト》　一美《カズミ》 |
| | 代表者住所 | 〒 154-0024<br>東京都世田谷区三軒茶屋×−×−× |
| | 事業種目 | 小売 業 |
| 四谷税務署長殿 | 資本金又は出資金額 | 1,500,000 円 |

第1期の期間を書く

自令和 ×年 4月 1日
至令和 ○年 3月 31日
事業年度から法人税の申告書を青色申告書によって提出したいので申請します。

記

1　次に該当するときには、それぞれ□にレ印を付すとともに該当の年月日等を記載してください。

□　青色申告書の提出の承認を取り消され、又は青色申告書による申告書の提出をやめる旨の届出書を提出した後に再び青色申告書の提出の承認を申請する場合には、その取消しの通知を受けた日又は取りやめの届出書を提出した日
平成・令和　年　月　日

☑　この申請後、青色申告書を最初に提出しようとする事業年度が設立第一期等に該当する場合には、内国法人である普通法人若しくは協同組合等にあってはその設立の日、内国法人である公益法人等若しくは人格のない社団等にあっては新たに収益事業を開始した日、公共法人に該当していた収益事業を行う公益法人等にあっては当該公益法人等に該当することとなった日、又は公共法人若しくは収益事業を行っていない公益法人等に該当していた普通法人若しくは協同組合等にあっては当該普通法人若しくは協同組合等に該当することとなった日
平成・(令和) × 年 4 月 1 日

第1期から青色申請書を提出するときは、チェックを入れて、法人設立日を記載する

□　所得税法等の一部を改正する法律（令和2年法律第8号）（以下「令和2年改正法」といいます。）による改正前の法人税法（以下「令和2年旧法人税法」といいます。）第4条の5第1項（連結納税の承認の取消し）の規定により連結納税の承認を取り消された後に青色申告書の提出の承認を申請する場合には、その取り消された日
平成・令和　年　月　日

□　令和2年旧法人税法第4条の5第2項各号の規定により連結納税の承認を取り消された場合には、同項各号のうち、取消しの基因となった事実に該当する号及びその事実が生じた日
令和2年旧法人税法第4条の5第2項第　号
平成・令和　年　月　日

□　連結納税の取りやめの承認を受けた日を含む連結親法人事業年度の翌事業年度に青色申告書の提出をしようとする場合には、その承認を受けた日
令和　年　月　日

□　令和2年改正法附則第29条第2項の規定による届出書を提出した日を含む最終の連結事業年度の翌事業年度に青色申告書の提出をしようとする場合には、その届出書を提出した日
令和　年　月　日

パソコンソフト利用の場合、一般的にはこのように記載すればよい

毎日、毎月、随時などと書く

2　参考事項
(1)　帳簿組織の状況

| 伝票又は帳簿名 | 左の帳簿の形態 | 記帳の時期 | 伝票又は帳簿名 | 左の帳簿の形態 | 記帳の時期 |
|---|---|---|---|---|---|
| 総勘定元帳 | ファイル | 随時 | 売掛帳 | ファイル | 毎月 |
| 現金出納帳 | ファイル | 随時 | 買掛帳 | ファイル | 毎月 |
| | | | | | |

(2)　特別な記帳方法の採用の有無
イ　伝票会計採用
ロ　電子計算機利用

(3)　税理士が関与している場合におけるその関与度合

自分で作成した場合は空欄

| 税理士署名 | |
|---|---|

| ※税務署処理欄 | 部門 | | 決算期 | | 業種番号 | | 番号 | | 入力 | | 備考 | | 通信日付印 | 年 月 日 | 確認 | |
|---|---|---|---|---|---|---|---|---|---|---|---|---|---|---|---|---|

05.06 改正

（規格A4）

### 青色申告をするメリット

COLUMN

青色申告が承認されている法人には、法人税上の優遇制度が利用できる特典が付与されます。たとえば、特定設備を取得した場合に法人税額が一定額免除されたり、当期に赤字が生じても、その赤字を将来の黒字から相殺したり、前期の法人税の還付を受けることもできます。
また、銀行など社外の取引先からも青色申告をしている法人は、していない法人に比べて信用されるので、設立の際には期限までに必ず青色申告の承認について申請しておくべきです。

# 給与支払事務所等の開設届出書の記載例

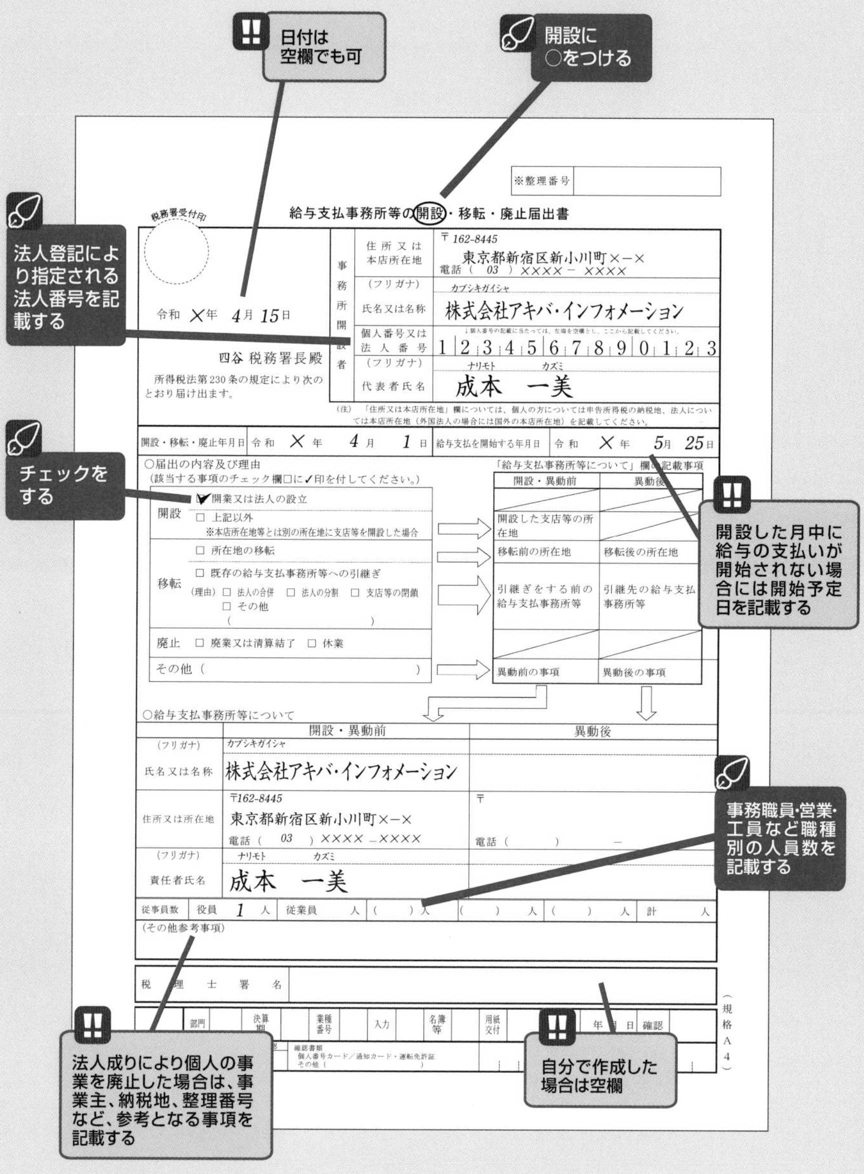


※整理番号

給与支払事務所等の(開設)・移転・廃止届出書

税務署受付印

令和　×年　4月　15日

四谷 税務署長殿

所得税法第230条の規定により次のとおり届け出ます。

| 事務所開設者 | | |
|---|---|---|
| | 住所又は本店所在地 | 〒162-8445<br>東京都新宿区新小川町×－×<br>電話（　03　）××××－×××× |
| | （フリガナ） | カブシキガイシャ |
| | 氏名又は名称 | 株式会社アキバ・インフォメーション |
| | 個人番号又は法人番号 | ↓個人番号の記載に当たっては、左端を空欄とし、ここから記載してください。<br>1 2 3 4 5 6 7 8 9 0 1 2 3 |
| | （フリガナ） | ナリモト　カズミ |
| | 代表者氏名 | 成本　一美 |

（注）「住所又は本店所在地」欄については、個人の方については申告所得税の納税地、法人については本店所在地（外国法人の場合には国外の本店所在地）を記載してください。

| 開設・移転・廃止年月日 | 令和　×　年　4　月　1　日 | 給与支払を開始する年月日 | 令和　×　年　5月　25日 |
|---|---|---|---|

○届出の内容及び理由
（該当する事項のチェック欄□に✓印を付してください。）

| | |
|---|---|
| 開設 | ☑ 開業又は法人の設立<br>□ 上記以外<br>※本店所在地等とは別の所在地に支店等を開設した場合 |
| 移転 | □ 所在地の移転<br>□ 既存の給与支払事務所等への引継ぎ<br>（理由）□ 法人の合併　□ 法人の分割　□ 支店等の閉鎖<br>□ その他<br>（　　　　　　） |
| 廃止 | □ 廃業又は清算結了　□ 休業 |
| その他（　　　　　　） | |

「給与支払事務所等について」欄の記載事項

| 開設・異動前 | 異動後 |
|---|---|
| | |
| 開設した支店等の所在地 | |
| 移転前の所在地 | 移転後の所在地 |
| 引継ぎをする前の給与支払事務所等 | 引継先の給与支払事務所等 |
| | |
| 異動前の事項 | 異動後の事項 |

○給与支払事務所等について

| | 開設・異動前 | 異動後 |
|---|---|---|
| （フリガナ） | カブシキガイシャ | |
| 氏名又は名称 | 株式会社アキバ・インフォメーション | |
| 住所又は所在地 | 〒162-8445<br>東京都新宿区新小川町×－×<br>電話（　03　）××××－×××× | 〒<br>電話（　　）　－ |
| （フリガナ） | ナリモト　カズミ | |
| 責任者氏名 | 成本　一美 | |

| 従事員数 | 役員　1　人 | 従業員　　人 | （　）　人 | （　）　人 | （　）　人 | 計　　人 |
|---|---|---|---|---|---|---|

（その他参考事項）

税理士署名

| | 部門 | | 決算期 | | 業種番号 | | 入力 | | 名簿等 | | 用紙交付 | | 年月日 | 確認 |
|---|---|---|---|---|---|---|---|---|---|---|---|---|---|---|
| | 確認書類<br>個人番号カード／通知カード・運転免許証<br>その他（　　　　） | | | | | | | | | | | | | |

（規格A4）

※他の書類と一緒に提出しておけば出し忘れの心配がない。
※事務所を移転した場合にも提出する。

## 源泉徴収義務

●給料などを支払うときは、その支払金額に応じた所得税を天引きする。

●天引きした所得税のことを源泉所得税といい、源泉所得税を天引きする義務がある会社や個人のことを源泉徴収義務者という。

●源泉徴収義務者は、天引きした所得税を従業員などのかわりに国に納付する。

※税理士へ支払う報酬や、外注費などの特定の支払いについても源泉徴収する。

※2013年1月1日から2037年12月31日まで、源泉徴収所得税の額の2.1％相当額の復興特別所得税をあわせて源泉徴収する。

**CASE** 100,000円の給料から8,000円の源泉徴収をして給与を払う場合

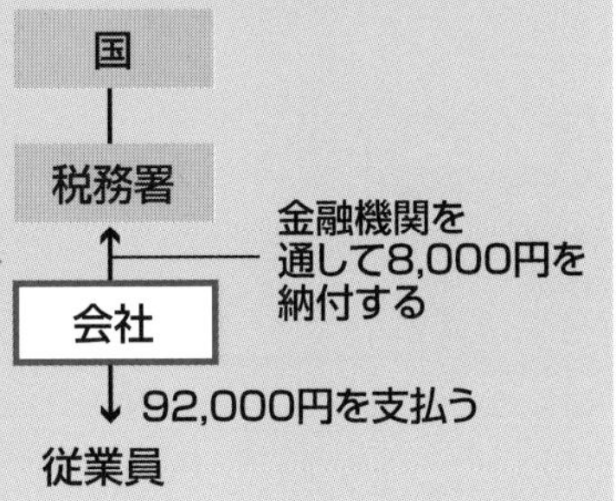


## 源泉所得税の納付義務

●会社などが天引きして預かった所得税は、原則として給与等を支払った月の翌月の10日までに納付することになっている。

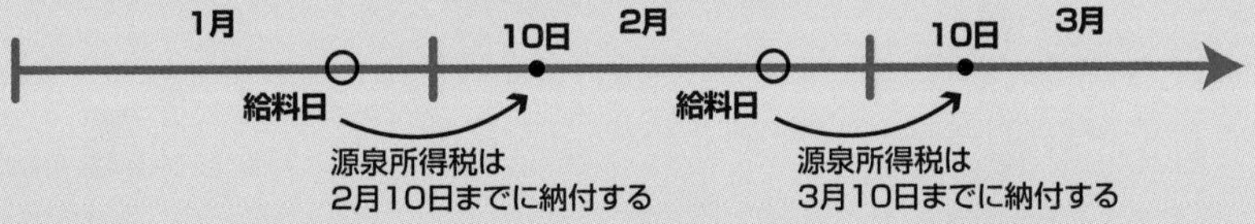


●毎月源泉所得税を納付することが面倒な場合は、従業員数9名以下であれば、次ページの届出書を提出することで、年2回（1月20日と7月10日）まとめて納付することもできる。

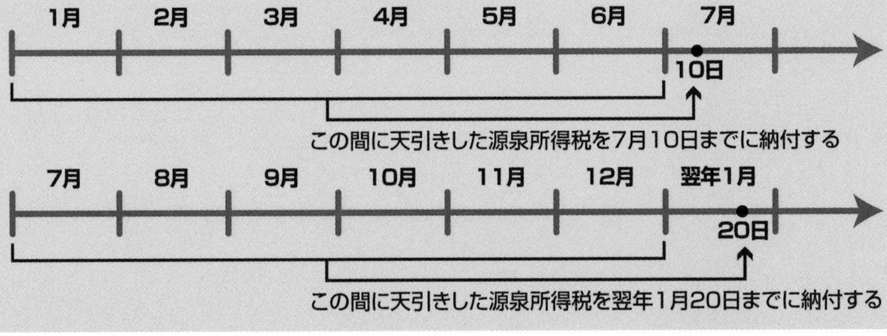

# 源泉所得税の納期の特例の承認に関する申請書の記載例

法人登記により指定される法人番号を記載する

支給実績がないことを書く

## 源泉所得税の納期の特例の承認に関する申請書

| | |
|---|---|
| ※整理番号 | |

税務署受付印

| | | |
|---|---|---|
| 令和 × 年 4 月 15 日 | 住所又は本店の所在地 | 〒162-8445<br>東京都新宿区新小川町×−×<br>電話 03 −×××× −×××× |
| | （フリガナ） | カブシキガイシャ |
| | 氏名又は名称 | 株式会社アキバ・インフォメーション |
| | 法人番号 | ※個人の方は個人番号の記載は不要です。<br>1 2 3 4 5 6 7 8 9 0 1 2 3 |
| | （フリガナ） | ナリモト　カズミ |
| 四谷 税務署長殿 | 代表者氏名 | 成本 一美 |

次の給与支払事務所等につき、所得税法第 216 条の規定による源泉所得税の納期の特例についての承認を申請します。

| 給与支払事務所等に関する事項 | | | | |
|---|---|---|---|---|
| | 給与支払事務所等の所在地<br>※ 申請者の住所（居所）又は本店（主たる事務所）の所在地と給与支払事務所等の所在地とが異なる場合に記載してください。 | 〒<br>電話 − − | | |
| | 申請の日前６か月間の各月末の給与の支払を受ける者の人員及び各月の支給金額<br>〔外書は、臨時雇用者に係るもの〕 | 月区分 | 支給人員 | 支給額 |
| | | 年 月 | 外 新設法人のため支給実績なし 人 | 外 円 |
| | | 年 月 | 外 人 | 外 円 |
| | | 年 月 | 外 人 | 外 円 |
| | | 年 月 | 外 人 | 外 円 |
| | | 年 月 | 外 人 | 外 円 |
| | | 年 月 | 外 人 | 外 円 |
| | 1 現に国税の滞納があり又は最近において著しい納付遅延の事実がある場合で、それがやむを得ない理由によるものであるときは、その理由の詳細<br>2 申請の日前１年以内に納期の特例の承認を取り消されたことがある場合には、その年月日 | | | |

| | |
|---|---|
| 税理士署名 | |

| | | | | | | | | | | | | | | | | |
|---|---|---|---|---|---|---|---|---|---|---|---|---|---|---|---|---|
| ※税務署処理欄 | 部門 | | 決算期 | | 業種番号 | | 番号 | | 入力 | | 名簿 | | 通信日付印 | 年 月 日 | 確認 | |

03. 06 改正

※この用紙を提出すると、1月から6月までに源泉徴収した所得税は、7月10日が納付期限に、7月から12月までの分は、翌年1月20日が納付期限となる。

※この用紙を提出すると翌月から納期の特例等の効果が生じる。したがって、提出した月の源泉所得税は原則どおり支払った月の翌月10日が納付期限になる。

※半年に一度の納期の特例は、給与や税理士等への報酬に関する源泉所得税に適用されるのであって、デザイン等の外注費にかかる源泉所得税には、納期の特例の適用がないことに注意。

# 減価償却資産の償却方法の届出書の記載例

税務署受付印

## 減価償却資産の償却方法の届出書

| ※整理番号 | |
|---|---|

**日付は空欄でも可**

令和 ×年 4月15日

| | |
|---|---|
| 納税地 | 〒162-8445<br>東京都新宿区新小川町×番×号<br>電話（ 03 ）××××－×××× |
| （フリガナ） | カブシキガイシャ |
| 法人名等 | 株式会社アキバ・インフォメーション |
| 法人番号 | 1 2 3 4 5 6 7 8 9 0 1 2 3 |
| （フリガナ） | ナリモト　カズミ |
| 代表者氏名 | 成本　一美 |
| 代表者住所 | 〒154-0024<br>東京都世田谷区三軒茶屋×丁目×番×号 |
| 事業種目 | 小売　業 |

**法人登記により指定される法人番号を記載する**

四谷　税務署長殿

| 連結子法人（届出の対象が連結子法人である場合に限り記載） | | ※税務署処理欄 | |
|---|---|---|---|
| （フリガナ） | | 整理番号 | |
| 法人名等 | | 部門 | |
| 本店又は主たる事務所の所在地 | 〒　（　局　署）<br>電話（　）　－ | 決算期 | |
| （フリガナ） | | 業種番号 | |
| 代表者氏名 | | 整理簿 | |
| 代表者住所 | 〒 | | |
| 事業種目 | 業 | 回付先 | □ 親署 ⇒ 子署<br>□ 子署 ⇒ 調査課 |

減価償却資産の償却方法を下記のとおり届け出ます。

記

| 資産、設備の種類 | 償却方法 | 資産、設備の種類 | 償却方法 |
|---|---|---|---|
| 建物附属設備 | | | |
| 構築物 | | | |
| 船舶 | | | |
| 航空機 | | | |
| 車両及び運搬具 | 定額法 | | |
| 工具 | | | |
| 器具及び備品 | | | |
| 械及び装置 | | | |
| ）設備 | | | |
| ）設備 | | | |

**該当する資産、設備ごとに償却方法を記載する**

| | |
|---|---|
| 参考事項 | 1 新設法人等の場合には、設立等年月日　令和 ×年 4月 1日<br>2 その他 |
| 税理士署名 | |

**自分で作成した場合は空欄**

| ※税務署処理欄 | 部門 | | 決算期 | | 業種番号 | | 番号 | | 整理簿 | | 備考 | | 通信日付印 | 年 月 日 | 確認 | |
|---|---|---|---|---|---|---|---|---|---|---|---|---|---|---|---|---|

04.03 改正

（規格A4）

※届出書を提出しなかった場合は、以下の法定償却方法が自動的に適用される。

建物：平成10年3月31日以前に取得したもの……定率法

　　　平成10年4月1日以後に取得したもの……定額法

建物附属設備・構築物：平成28年3月31日以前に取得したもの……定率法

　　　　　　　　　　　平成28年4月1日以後に取得したもの……定額法

上記以外の有形減価償却資産……定率法

※減価償却資産の種類ごとに償却方法を選択する。

# 棚卸資産の評価方法の届出書の記載例

!! 日付は空欄でも可

法人登記により指定される法人番号を記載する

資産の区分ごとに評価方法を記載する

!! 自分で作成した場合は空欄

## 棚卸資産の評価方法の届出書

※整理番号

税務署受付印

令和×年４月15日

四谷　税務署長殿

| | |
|---|---|
| 納税地 | 〒162-8445<br>東京都新宿区新小川町×番×号<br>電話（03）××××－×××× |
| （フリガナ） | カブシキガイシャ |
| 法人名等 | 株式会社アキバ・インフォメーション |
| 法人番号 | 1 2 3 4 5 6 7 8 9 0 1 2 3 |
| （フリガナ） | ナリモト　カズミ |
| 代表者氏名 | 成本　一美 |
| 代表者住所 | 〒154-0024<br>東京都世田谷区三軒茶屋×丁目×番×号 |
| 事業種目 | 小売　業 |

| 連結子法人（届出の対象が連結子法人である場合に限り記載） | | ※税務署処理欄 | |
|---|---|---|---|
| （フリガナ）<br>法人名等 | | 整理番号 | |
| 本店又は主たる事務所の所在地 | 〒　（　局　署）<br>電話（　）　－ | 部門 | |
| | | 決算期 | |
| （フリガナ）<br>代表者氏名 | | 業種番号 | |
| 代表者住所 | 〒 | 整理簿 | |
| 事業種目 | 業 | 回付先 | □ 親署 ⇒ 子署<br>□ 子署 ⇒ 調査課 |

棚卸資産の評価方法を下記のとおり届け出ます。

記

| 事業の種類（又は事業所別） | 資産の区分 | 評価方法 |
|---|---|---|
| | 商品又は製品 | 先入先出法による原価法 |
| | 半製品 | |
| | 仕掛品（半成工事） | |
| | 主要原　料 | |
| | 補助原<br>その他の棚 | |
| | | |
| | | |
| | | |

参考事項

1　新設法人等の場合には、設立等年月日　令和×年４月１日

2　新たに他の種類の事業を開始した場合又は事業の種類を変更した場合には、開始又は変更の年月日　令和　年　月　日

3　その他

| 税理士署名 | |
|---|---|

| ※税務署処理欄 | 部門 | | 決算期 | | 業種番号 | | 番号 | | 整理簿 | | 備考 | | 通信日付印 | 年月日 | 確認 | |
|---|---|---|---|---|---|---|---|---|---|---|---|---|---|---|---|---|

04.03改正

（規格Ａ４）

※届出書を提出しなかった場合は、期末に一番近い日の仕入価額で評価する最終仕入原価法（法定評価方法）が適用される。

### 棚卸資産の通常の評価方法

**1 原価法**

①個別法　②先入先出法　③総平均法　④移動平均法

⑤最終仕入原価法　⑥売価還元法

**2 低価法**

原価法の評価額と期末時価とのいずれか低いほうの価額で評価する方法

# 消費税課税事業者選択届出書

第１号様式

## 消費税課税事業者選択届出書

収受印

令和　　年　　月　　日

| | | | |
|---|---|---|---|
| 届出者 | （フリガナ） | トウキョウトシンジュククシンオガワマチ | |
| | 納税地 | （〒 162－8445 ）<br>東京都新宿区新小川町×番×号<br>（電話番号 03－XXXX－XXXX ） | |
| | （フリガナ） | | |
| | 住所又は居所<br>（法人の場合）<br>本店又は<br>主たる事務所<br>の所在地 | （〒　－　）<br>同上<br>（電話番号　－　－　） | |
| | （フリガナ） | カブシキガイシャ | |
| | 名称（屋号） | 株式会社アキバ・インフォメーション | |
| | 個人番号<br>又は<br>法人番号 | ↓ 個人番号の記載に当たっては、左端を空欄とし、ここから記載してください。<br>1 2 3 4 5 6 7 8 9 0 1 2 3 | |
| | （フリガナ） | ナリモト　カズミ | |
| | 氏名<br>（法人の場合）<br>代表者氏名 | 成本　一美 | |
| | （フリガナ） | トウキョウト セタガヤク サンゲンヂャヤ | |
| | （法人の場合）<br>代表者住所 | 東京都世田谷区三軒茶屋×丁目×番×号<br>（電話番号 03－XXXX－XXXX ） | |

四谷　税務署長殿

法人登記により指定される法人番号を記載する

下記のとおり、納税義務の免除の規定の適用を受けないことについて、消費税法第９条第４項の規定により届出します。

基準期間については下記参照

| | | | |
|---|---|---|---|
| 適用開始課税期間 | 自 ○平成 ☑令和 × 年 4 月 1 日 | 至 ○平成 ☑令和 × 年 3 月 31 日 | |
| 上記期間の基準期間 | 自 ○平成 ○令和　年　月　日<br>至 ○平成 ○令和　年　月　日 | 左記期間の総売上高 | 円 |
| | | 左記期間の課税売上高 | 円 |
| 事業内容等：生年月日（個人）又は設立年月日（法人） | 1明治・2大正・3昭和・4平成・5令和 ☑（5令和）<br>××年　4月　1日 | 法人のみ記載：事業年度 | 自 4月1日 至 3月31日 |
| | | 法人のみ記載：資本金 | 1,500,000 円 |
| 事業内容等：事業内容 | コンピュータ及び周辺機器の販売 | 届出区分 | 事業開始・設立・相続・合併・分割・特別会計・その他 |
| 参考事項 | | 税理士署名 | （電話番号　－　－　） |

自分で作成した場合には空欄

| ※税務署処理欄 | | | | | |
|---|---|---|---|---|---|
| 整理番号 | | 部門番号 | | | |
| 届出年月日 | 年　月　日 | 入力処理 | 年　月　日 | 台帳整理 | 年　月　日 |
| 通信日付印　年　月　日 | 確認 | 番号確認 | | 身元確認 □ 済 □ 未済 | 確認書類 個人番号カード／通知カード・運転免許証 その他（　） |

注意　１．裏面の記載要領等に留意の上、記載してください。
　　　２．税務署処理欄は、記載しないでください。

※基準期間とは、普通、その事業年度の前々事業年度のこと。

※基準期間の課税売上高が1,000万円を超えたときに提出する「消費税課税事業者届出書」などと名前が似ているので、まちがえないように注意。

※基準期間の課税売上高が1,000万円以下などの免税事業者が、あえて課税事業者を選択する場合に提出する届出書（→226ページ）。

# 消費税簡易課税制度選択届出書

第９号様式

消費税簡易課税制度選択届出書

収受印

令和　年　月　日

四谷 税務署長殿

届出者

（フリガナ） トウキョウトシンジュククシンオガワマチ

納税地 （〒 162 － 8445 ）
東京都新宿区新小川町×番×号
（電話番号 03－XXXX－XXXX）

（フリガナ） ナリモト カズミ

氏名又は名称及び代表者氏名 成本 一美

法人番号 ※個人の方は個人番号の記載は不要です。 1 2 3 4 5 6 7 8 9 0 1 2 3

下記のとおり、消費税法第37条第１項に規定する簡易課税制度の適用を受けたいので、届出します。

（□ 消費税法施行令等の一部を改正する政令（平成30年政令第135号）附則第18条の規定により消費税法第37条第１項に規定する簡易課税制度の適用を受けたいので、届出します。）

| | | |
|---|---|---|
| ① | 適用開始課税期間 | 自 令和 X 年 4 月 1 日　至 令和 X 年 3 月 31 日 |
| ② | ①の基準期間 | 自 令和　年　月　日　至 令和　年　月　日 |
| ③ | ②の課税売上高 | 円 |
| 事業内容等 | | （事業の内容） コンピュータ及び周辺機器の販売　（事業区分） 第 2 種事業 |

提出要件の確認

次のイ、ロ又はハの場合に該当する（「はい」の場合のみ、イ、ロ又はハの項目を記載してください。）　はい □　いいえ ☑

課税事業者となった日　令和　年　月　日

（事業）を開始した日から２年を経過する日までの間に開始した各課税期間中に調整対象固定資産の課税仕入れ等を行っていない　はい □

令和 XX年 7 月 10 日

ロ　消費税法第12条の３第１項に規定する「特定新規設立法人」に該当する（該当していた）場合　基準期間（…）中に調整対象固定資産の課税仕入れ等（…）　はい □

ハ　消費税法第12条の４第１項に規定する「高額特定資産の仕入れ等」を行っている場合（同条第２項の規定の適用を受ける場合）

（仕入れ等を行った資産が高額特定資産に該当する場合はAの欄を、自己建設高額特定資産に該当する場合は、Bの欄をそれぞれ記載してください。）

A　令和　年　月　日
この届出による①の「適用開始課税期間」は、高額特定資産の仕入れ等を行った課税期間の初日から、同日以後３年を経過する日の属する課税期間までの各課税期間に該当しない　はい □

B　仕入れ等を行った課税期間の初日　平成／令和　年　月　日
建設等が完了した課税期間の初日　令和　年　月　日
この届出による①の「適用開始課税期間」は、自己建設高額特定資産の建設等に要した仕入れ等に係る支払対価の額の累計額が１千万円以上となった課税期間の初日から、自己建設高額特定資産の建設等が完了した課税期間の初日以後３年を経過する日の属する課税期間までの各課税期間に該当しない　はい □

※　消費税法第12条の４第２項の規定による場合は、ハの項目を次のとおり記載してください。
1「自己建設高額特定資産」を「調整対象自己建設高額資産」と読み替える。
2「仕入れ等を行った」は、「消費税法第36条第１項又は第３項の規定の適用を受けた」と、「自己建設高額特定資産の建設等に要した仕入れ等に係る支払対価の額の累計額が１千万円以上となった」は、「調整対象自己建設高額資産について消費税法第36条第１項又は第３項の規定の適用を受けた」と読み替える。

※　この届出書を提出した課税期間が、上記イ、ロ又はハに記載の各課税期間である場合、この届出書提出後、届出を行った課税期間中に調整対象固定資産の課税仕入れ等又は高額特定資産の仕入れ等を行うと、原則としてこの届出書の提出はなかったものとみなされます。詳しくは、裏面をご確認ください。

| | |
|---|---|
| 参考事項 | |
| 税理士署名 | （電話番号　－　－　） |

| ※税務署処理欄 | | | | | |
|---|---|---|---|---|---|
| 整理番号 | | 部門番号 | | | |
| 届出年月日 | 年　月　日 | 入力処理 | 年　月　日 | 台帳整理 | 年　月　日 |
| 通信日付印 年　月　日 | 確認 | 番号確認 | | | |

注意　1．裏面の記載要領等に留意の上、記載してください。
　　　2．税務署処理欄は、記載しないでください。

法人登記により指定される法人番号を記載する

基準期間については前ページ参照

事業の内容を簡単に記入する

消費税の簡易課税適用の事業区分を入れる

通常は「いいえ」にチェックが入る。新設法人や基準期間の課税売上高が1,000万円以下の免税事業者が、あえて課税事業を選択した後にこの届出書を提出する場合には、「はい」にチェックを入れて「イ～ハ」の提出要件の確認欄に必要事項を記載して提出する

自分で作成した場合には空欄

■簡易課税制度の事業区分

| 事業区分 | みなし仕入率 | 該当する事業 |
|---|---|---|
| 第1種事業（卸売業） | 90% | 購入した商品の性質や形状を変更しないで他の事業者に販売する事業 |
| 第2種事業（小売業） | 80% | 購入した商品の性質、形状を変更しないで消費者に販売する事業 |
| 第3種事業（製造業等） | 70% | 農業、林業、漁業、鉱業、建設業、製造業、電気業、ガス業、熱供給業、水道業等 |
| 第4種事業（その他事業） | 60% | 飲食店業、その他の事業 |
| 第5種事業（サービス業等） | 50% | 金融保険業、運輸通信業、サービス業（飲食店業を除く） |
| 第6種事業（不動産業） | 40% | 不動産業 |

取引先から求められる消費税インボイス

# 適格請求書（インボイス）発行事業者の登録を検討する

## 消費税のしくみ

消費税は、売上の際に預かった消費税から、仕入等の際に支払った消費税を差し引き（これを「仕入税額控除」という）した金額を国に納付するという制度設計（しくみ）になっています（→224ページ）。

しかし、**制度の現実**は、右ページの図の製造業者が免税事業者の場合、消費税300は納付されませんが、A社は300を控除できます。この点、**インボイス導入後**はA社は300を**控除できなくなります**。

## 仕入税額控除ができる条件

現在、「仕入税額控除」を受けるためには、帳簿や請求書等の保存が要件とされています。

**令和５年10月１日から**はさらに、一定の要件を満たすインボイス（適格請求書）がなければ「仕入税額控除」を受けることができなくなりました。

つまり、自社の取引先（売上の相手）からみれば、適格請求書を発行できる仕入先でないと**仕入税額控除ができなくなる**ということです。そのため、適格請求書を発行しなければ、取引が躊躇される可能性もあります。

## 課税事業者としての手間が増える

課税期間の売上高が1,000万円未満の**免税事業者**であっても適格請求書の発行事業者として登録すると、**課税事業者になります**。

つまり、消費税の申告が必要になるということです。さらに、原則課税で申告する場合には、経理処理を厳密に行い、帳簿や請求書等の保存といった事務が増えることになります。

これらの点に関しては、簡易課税の選択をあわせて検討しましょう。

**Point 1** 取引先が免税事業者や個人顧客の場合は、必ずしも適格請求書を発行する必要はない。

**Point 2** 登録申請の期限（令和5年3月31日）を過ぎても申請はできる。

**Point 3** 適格請求書発行事業者として登録された日以降の取引について消費税申告が必要となる。

プラス α Information

### 簡易インボイス

不特定多数の者に対して販売を行う小売業、飲食店業、タクシー業等は、適格請求書に代えて、一定の記載事項が省略された適格簡易請求書（簡易インボイス）が認められます。

### 経過措置がある

インボイス制度実施後６年間は免税事業者からの仕入に係る消費税額の一定割合を控除することができるという経過措置が設けられています。

## 消費税の構造

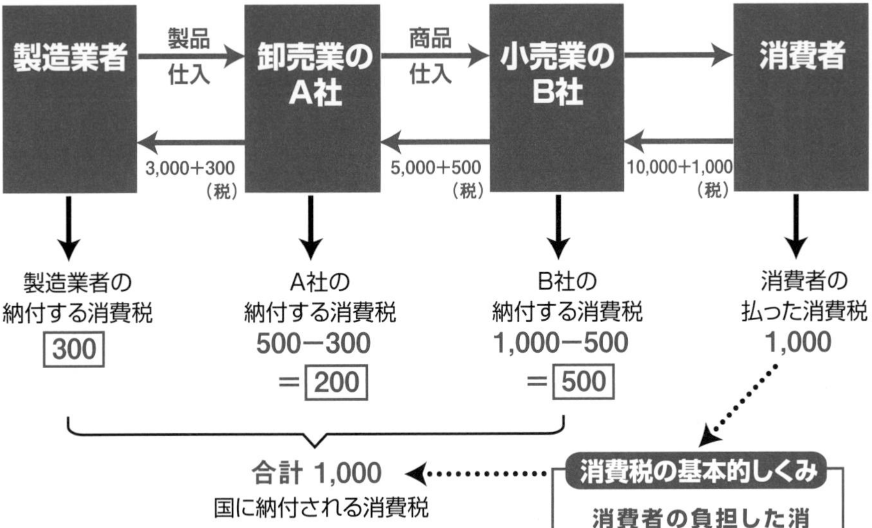


※製造業者が免税事業者の場合、300は納付されず製造業者の利益になる。さらに、仮にA社が免税事業者の場合、200も納付されずA社の利益になる。

**消費税の基本的しくみ**

消費者の負担した消費税1,000と企業が納付する消費税の合計1,000は等しい

### 《適格請求書発行事業者》

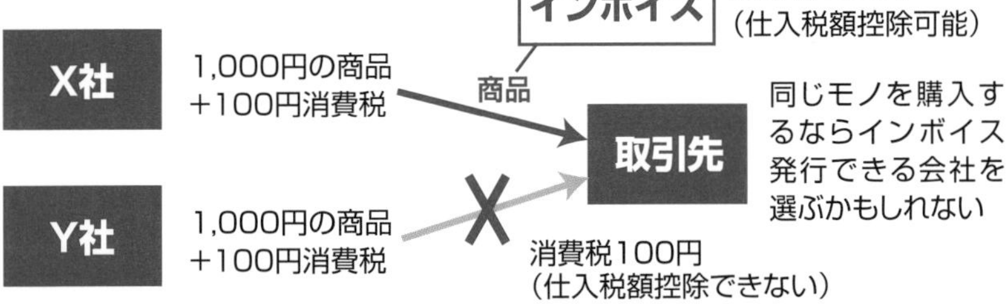


※令和11年9月30日まで、1万円未満の課税仕入れについて、インボイスの保存がなくても、帳簿の保存のみで仕入税額控除ができる。

**国税庁の特設サイトを確認する** COLUMN

国税庁では、インボイス制度に関する特設サイトを設けており、制度概要を解説するYouTube動画、オンライン説明会、電話相談窓口などの情報が掲載されています。
なお、適格請求書発行事業者については、ホームページで検索することができます。
https://www.invoice-kohyo.nta.go.jp/index.html

# 適格請求書発行事業者の登録申請書

## 適格請求書発行事業者の登録申請書

> 登記情報を記載する。これらは公表される

収受印

| | | | |
|---|---|---|---|
| 令和　年　月　日 | 申請者 | （フリガナ） | トウキョウトシンジュククシンオガワマチ |
| | | （個人事業者の場合）住所又は居所<br>（法人の場合）本店又は主たる事務所の所在地 | （〒 162 － 8445 ）<br>◎（法人の場合のみ公表されます）<br>東京都新宿区新小川町×番×号<br>（電話番号　03　XXXX　XXXX　） |
| | | （フリガナ） | |
| | | 納税地<br>注：税務署所在地ではありません | （〒　－　）<br>同上<br>（電話番号　－　－　） |
| | | （フリガナ） | |
| | | （個人事業者の場合）氏名<br>（法人の場合）名称 | ◎　注：屋号ではありません<br>株式会社《カブシキガイシャ》アキバ・インフォメーション |
| | | （フリガナ） | ナリモト　カズミ |
| | | （法人の場合）代表者氏名 | 成本　一美 |
| ＿＿＿＿税務署長殿 | | 法人番号 | 1 2 3 4 5 6 7 8 9 0 1 2 3 |

> 法人番号が指定されている場合は必ず記載する

この申請書に記載した次の事項（◎印欄）は、適格請求書発行事業者登録簿に登載されるとともに、国税庁ホームページで公表されます。
（個人事業者の場合）氏名
（法人の場合）名称、本店又は主たる事務所の所在地（人格のない社
なお、上記事項のほか、登録番号及び登録年月日が公表されます。
また、常用漢字等を使用して公表しますので、申請書に記載した文字と公表さ　　　　あります。

下記のとおり、適格請求書発行事業者としての登録を受け　　　　57条の２第２項の規定により申請します。

今年(期)**新規開業**等しましたか　**この申請書を提出する時点において、該当する事業者の区分に応じ、□にレ印を付してください。**

事業者区分

- いいえ
  - □ 課税事業者　⇒ 次葉のBへ
  - □ 免税事業者　⇒ 次葉のAへ
- はい
  - ☑ 新規開業等した事業者
    - ☑ 事業を開始した課税期間の**初日から登録を受けようとする事業者**　⇒ 右の□枠内を記載し次葉のBへ
      ※ 課税期間の初日が令和５年９月30日以前の場合の登録年月日は、同年10月１日となります。
    - □ 事業を開始した課税期間の**初日から登録を受けない**課税事業者　⇒ 次葉のBへ
    - □ 事業を開始した課税期間の**初日から登録を受けない**免税事業者　⇒ 次葉のAへ

| 課税期間の初日 |
|---|
| （個人事業者は本年　1日、法人は設立日） |
| 令和　年　月　日 |

> 法人設立日を記載する

> 事業を開始した課税期間の初日から登録を受けたい場合はここにチェック

2年前又は2事業年前の課税

| 税理士署名 | （電話番号　－　－　） |
|---|---|

| | | | | | | | | | | |
|---|---|---|---|---|---|---|---|---|---|---|
| ※税務署処理欄 | 整理番号 | | 部門番号 | | 申請年月日 | 年　月　日 | 通信日付印<br>年　月　日 | | 確認 | |
| | 入力処理 | 年　月　日 | 番号確認 | | 身元確認 | □ 済<br>□ 未済 | 確認書類 | 個人番号カード／通知カード・運転免許証<br>その他（　） | | |
| | 登録番号 | T | | | | | | | | |

注意　1　記載要領等に留意の上、記載してください。
2　税務署処理欄は、記載しないでください。
3　この申請書を提出するときは、「適格請求書発行事業者の登録申請書（次葉）」を併せて提出してください。

この申請書は、令和五年十月一日から令和十二年九月二十九日までの間に提出する場合に使用します。

# 適格請求書発行事業者の登録申請書（次葉）

新規設立の場合は通常はここにチェック

次葉も忘れずに提出する

記載不要

設立年月日

通常は「はい」にチェック

式次葉

国内事業者用

## 適格請求書発行事業者の登録申請書（次葉）

【２／２】

記載の順序 ○免税事業者：Ａ欄→Ｂ欄→Ｃ欄の順に記載
○課税事業者：Ｂ欄・Ｃ欄のみ記載（Ａ欄は記載不要）

| 氏名又は名称 | 株式会社アキバ・インフォメーション |
|---|---|

この申請書は、令和五年十月一日から令和十二年九月二十九日までの間に提出する場合に使用します。

**Ａ 免税事業者の確認**

該当する事業者の区分に応じ、□にレ印を付し記載してください。

□ a **次のｂ・ｃ以外**で例えば免税事業者である課税期間中の最短日での登録を希望するなど**免税事業者である課税期間中に登録**を受けようとする事業者（登録開始日から納税義務の免…の適用を受けないこととなります。）
※ 以下の□枠内を記載し（**登録希望日欄の記載をお忘れなく**）

| | | | | | |
|---|---|---|---|---|---|
| 個人番号 | | | | | |
| 事業内容等 | （個人事業者の場合）生年月日<br>（法人の場合）設立年月日 | １明治・２大正・３昭和・４平成・(５令和)<br>×年×月×日 | 法人のみ記載 | 事業年度 | 自×月×日<br>至×月×日 |
| | | | | 資本金 | 1,500,000円 |
| | 事業内容 | コンピュータ及び周辺機器の販売 | 登録希望日 | 令和　年　月　日 | |

○免税事業者の方が免税事業者である課税期間中に登録を受けようとする場合、登録希望日（申請日から15日以降の日）の記載をお忘れなく。
○**最短日**（申請書の提出日から15日後）**での登録を希望する場合**は**以下欄に☑を付してください。**
（この場合、登録希望日欄への改めての記載は不要です。）

最短日での登録を希望 □

□ b 翌課税期間が課税事業者で、その**翌課税期間の初日から登録**を受けようとする事業者（**申請日が**翌課税期間の初日から起算して**15日前の日まで**の場合）
※ 次はＢ欄①の質問へ

| 翌課税期間の初日 |
|---|
| 令和　年　月　日 |

□ c 翌課税期間が課税事業者で、**申請日が**翌課税期間の初日から起算して**15日前の日を過ぎている**事業者
（この場合、**翌課税期間の途中から登録**を受けることとなります。） ※ 次はＢ欄①の質問へ

**Ｂ 登録要件の確認**

| | |
|---|---|
| ① **課税事業者です（登録を受けると、消費税の申告が必要になります）。**<br>※ この申請書を提出する時点において、免税事業者であっても、登録を受けると課税事業者となるため、「はい」を選択してください。 | ☑ はい □ いいえ<br>②の質問へ |
| ② **納税管理人を定める必要のない事業者です。**<br>（国内に住所や本店等を有し、かつ、今後も有する場合は「はい」にレ印を付して、次の質問③へ。「いいえ」の場合は、次の質問②’にも答えてください。）<br>納税管理人を定めなければならない場合（国税通則法第117条第１項）<br>【個人事業者】 国内に住所及び居所（事務所及び事業所を除く…せず、又は有しないこととなる場合<br>【法人】 国内に本店又は主たる事務所を有しない法人で、国内…又は有しないこととなる場合 | ☑ はい □ いいえ<br>③の質問へ |
| ②’ 納税管理人の届出をしています。 | □ はい □ いいえ |
| ③ **消費税法に違反して罰金以上の刑に処せられたことはありません。**<br>（加算税や延滞税は「罰金」ではありません。「いいえ」の場合は、次の質問にも答えてください。） | ☑ はい □ いいえ<br>Ｃ欄の質問へ |
| ③’ その執行を終わり、又は執行を受けることがなくなった日から２年を経過しています。 | □ はい □ いいえ |

**Ｃ 相続による事業承継の確認**

| | |
|---|---|
| **相続により適格請求書発行事業者の事業を承継しました。**<br>（「はい」の場合は、以下の事項を記載してください。） | □ はい □ いいえ<br>質問はこれで終わり |

| | | |
|---|---|---|
| 適格請求書発行事業者の死亡届出書の提出先税務署 | | 税務署 |
| 被相続人 | 死亡年月日 | 令和　年　月　日 |
| | （フリガナ）<br>納税地 | （〒　－　） |
| | （フリガナ）<br>氏名 | |
| | 登録番号 | Ｔ |

| | |
|---|---|
| 参考事項 | |

※マイナンバーカード等の一定の準備がある場合は、「e-Taxソフト（WEB版）」等を利用して、画面に表示された質問に回答する方法で申請データを作成することもできる。

### 都道府県税事務所と市町村役場に提出する書類

# 税務署に提出する書類と一緒に準備する

## 会社には地方税もかかる

個人事業者と同様、法人にも地方税（都道府県民税や市町村民税など）がかかるので、税務署だけでなく、**会社がある都道府県と市町村にもそれぞれ会社を設立したことの届出書を提出**します。

たとえば、会社が大阪市にある場合は、市税事務所等と大阪府税事務所に提出します。東京都で東京23区にある場合は、都税事務所のみへの提出となります。所管の提出先は事前に確認をしてください。

提出期限は地域によって異なります。提出期限に遅れたとしても罰則規定はありませんが、なるべく早く提出するようにしましょう。

## 地域によって様式が異なることに注意

**法人設立届出書は、地域によって様式が多少異なります**。多くの自治体は、その自治体のホームページから届出書等の様式をダウンロードできるようにしています。

また、eLTAX（地方税ポータルシステム）で電子的に提出することもできます。これは税務署のe-Taxとは別のシステムです。

さらに、マイナンバーカード保有など一定の条件が整っていれば「法人設立ワンストップサービス」を利用して税務署等への届出を一度に行うことができます。

## 都道府県税事務所の管轄を確認する

都道府県に関する届出書は、各都道府県税事務所に提出します。

各都道府県には複数の事務所があり、会社の所在地によって担当する事務所が異なるので、**必ず管轄を確認する**ようにしましょう。

電話で問い合わせるか、ホームページで検索します。「○○県税事務所」とキーワードを入れれば、その県税事務所のホームページが見つかります。

**Point 1** 法人住民税の関係から、都道府県や市町村にも届出が必要。

**Point 2** 自治体によって様式が異なるが、記載事項は基本的には税務署の法人設立届出書と同じ。

**Point 3** 都道府県税事務所は複数あり、所在地によって所轄事務所が異なる。

**プラスα Information**

**東京都の場合**

税務署に提出する法人設立届出書とセットになったものが用意されています（→次ページ）。

**市町村の提出先**

市町村への届出窓口は、一般的には市役所等に置かれていますが、管轄する市税事務所が提出先となるケースもあります。

# 法人設立届出書の記載例（東京都の場合）

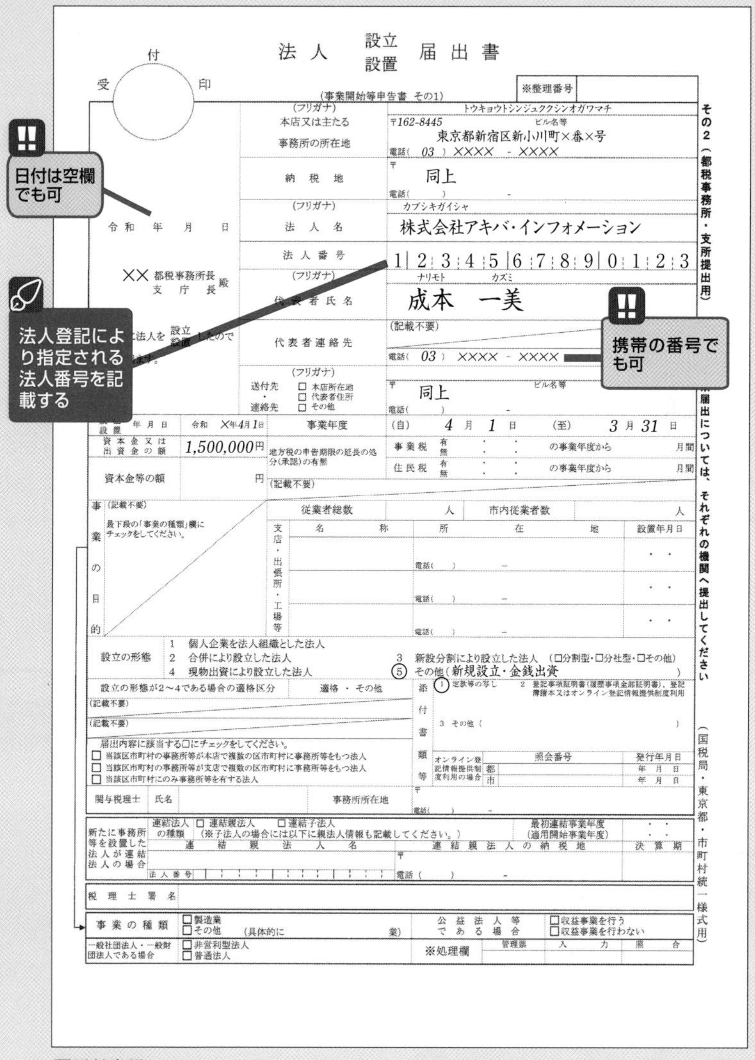


法人 設立 設置 届出書

受付印

（事業開始等申告書 その1）

※整理番号

| | |
|---|---|
| （フリガナ） | トウキョウトシンジュククシンオガワマチ |
| 本店又は主たる事務所の所在地 | 〒162-8445 ビル名等<br>東京都新宿区新小川町×番×号<br>電話（ 03 ）XXXX - XXXX |
| 納税地 | 〒<br>同上<br>電話（ ） - |
| （フリガナ） | カブシキガイシャ |
| 法人名 | 株式会社アキバ・インフォメーション |
| 法人番号 | 1 2 3 4 5 6 7 8 9 0 1 2 3 |
| （フリガナ） | ナリモト カズミ |
| 代表者氏名 | 成本 一美 |
| 代表者連絡先 | （記載不要）<br>電話（ 03 ） XXXX - XXXX |
| （フリガナ） | |
| 送付先・連絡先 □本店所在地 □代表者住所 □その他 | 〒 ビル名等<br>同上<br>電話（ ） - |

令和 年 月 日

XX 都税事務所長 支庁長 殿

法人を設立・設置したので届け出ます。

| | | | | | |
|---|---|---|---|---|---|
| 設立・設置 年月日 | 令和 X年4月1日 | 事業年度 | （自） 4月 1日 | （至） 3月 31日 | |
| 資本金又は出資金の額 | 1,500,000円 | 地方税の申告期限の延長の処分（承認）の有無 | 事業税 有・無 | の事業年度から | 月間 |
| 資本金等の額 | 円 | | 住民税 有・無 | の事業年度から | 月間 |

（記載不要）

事業の目的 （記載不要） 最下段の「事業の種類」欄にチェックをしてください。

| 従業者総数 | 人 | 市内従業者数 | 人 |
|---|---|---|---|

| 支店・出張所・工場等 | 名称 | 所在地 | 設置年月日 |
|---|---|---|---|
| | | 電話（ ） - | ・ ・ |
| | | 電話（ ） - | ・ ・ |
| | | 電話（ ） - | ・ ・ |

設立の形態
1 個人企業を法人組織とした法人
2 合併により設立した法人
3 新設分割により設立した法人 （□分割型・□分社型・□その他）
4 現物出資により設立した法人
⑤ その他（新規設立・金銭出資 ）

設立の形態が２～４である場合の適格区分 適格・その他
（記載不要）
（記載不要）

添付書類等
① 定款等の写し
2 登記事項証明書（履歴事項全部証明書）、登記簿謄本又はオンライン登記情報提供制度利用
3 その他（ ）

| オンライン登記情報提供制度利用の場合 | 照会番号 | 発行年月日 |
|---|---|---|
| 都 | | 年 月 日 |
| 市 | | 年 月 日 |

届出内容に該当する□にチェックをしてください。
□ 当該区市町村の事務所等が本店で複数の区市町村に事務所等をもつ法人
□ 当該区市町村の事務所等が支店で複数の区市町村に事務所等をもつ法人
□ 当該区市町村にのみ事務所等を有する法人

関与税理士 氏名 事務所所在地 〒 電話（ ） -

新たに事務所等を設置した法人が連結法人の場合
連結法人の種類 □連結親法人 □連結子法人 （※子法人の場合には以下に親法人情報も記載してください。）
最初連結事業年度（適用開始事業年度） ・ ・
連結親法人名 連結親法人の納税地 〒 電話（ ） - 決算期
法人番号

税理士署名

事業の種類 □製造業 □その他 （具体的に 業）
公益法人等である場合 □収益事業を行う □収益事業を行わない
一般社団法人・一般財団法人である場合 □非営利型法人 □普通法人
※処理欄 管理票 入力 照合

その２（都税事務所・支所提出用）
※届出については、それぞれの機関へ提出してください
（国税局・東京都・市町村統一様式用）

■添付書類
●定款の写し（コピー）
●登記事項証明書（登記簿謄本またはオンライン登記情報提供制度利用）
※一般的にコピーしたもので可。
■提出期限：自治体によって異なる（多くは設立から2か月以内。東京23区内は15日以内）
※不明な点があれば窓口に相談する。
■国税（法人税）の設立届出書への「登記事項証明書」の添付は不要だが、地方税の設立届出書には添付（または登記情報の照会番号の記入）が必要。

## マイナンバー制度（社会保障・税番号制度）

# 法人番号と従業員などの個人番号の把握が必要になる

### マイナンバーには個人番号と法人番号がある

マイナンバー制度（社会保障・税番号制度）の施行に伴い、2016年1月から順次、個人番号や法人番号の利用が開始されています。

**マイナンバーには個人番号（12桁）と法人番号（13桁）があります。**

### 本人確認が必要になる

従業員などから個人番号の提供を受ける場合には、本人確認として個人番号とその人物が実際に存在するかどうかの身元確認を行わなければなりません。

本人確認をする際には、個人番号カードの提示を受けた場合であれば、番号確認と身元確認が同時にできますが、通知カードの場合には、運転免許証、健康保険の被保険者証などで身元確認をする必要があります。

**Point 1** 会社には法人番号が指定される。

**Point 2** 従業員などから個人番号の提供を受ける場合には、本人確認が必要。

**Point 3** 特定個人情報が記載された書類は施錠可能な棚に保管する。

### マイナンバーの記載が必要になる書類がある

マイナンバー制度で指定される法人番号は、会社が国や地方公共団体などに提出する、申告書、申請書、届出書などの各様式に自社の法人番号を記載することが必要になります。

従業員などの個人番号は、本人の源泉徴収票や扶養控除等申告書などに記載します。なお、扶養控除等申告書で記載する扶養者がいる場合には、その扶養者1人ひとりについて指定されている各個人番号を記載することになるので注意が必要です。

### 安全管理措置を講じる

個人番号を含む個人情報は特定個人情報となります。会社はこれらの情報を扱う担当者を明確にして、担当者以外の者が個人番号を扱わないようにしたり、特定個人情報が記載された書類は施錠可能な棚に保管するなど、**適切な安全管理措置を講じなければなりません。**

**プラスα Information**

**設立登記法人**

株式会社、有限会社、協同組合、医療法人、一般社団（財団）法人、公益社団（財団）法人、宗教法人などの団体をいいます。

## 法人番号指定通知書

（送付先）
162-8445
東京都新宿区新小川町×番×号

株式会社アキバ・インフォメーション　御中

令和×年×月×日

複写

\# 60033426

L0016458

国税庁長官
（官印省略）

### 法人番号指定通知書

行政手続における特定の個人を識別するための番号の利用等に関する法律の規定により、下記のとおり法人番号を指定したことを通知します。

記

| | | |
|---|---|---|
| 法人番号（13桁） | | 1 2 3 4 5 6 7 8 9 0 1 2 3 |
| 法人番号の指定を受けた者 ※1 | 商号又は名称 | 株式会社アキバ・インフォメーション |
| | 本店又は主たる事務所の所在地 | 東京都新宿区新小川町×番×号 |
| | 国内における主たる事務所等の所在地 ※2 | |
| 法人番号指定年月日 | | 令和×年×月×日 |
| 国税庁法人番号公表サイトの表記 ※3 | 商号又は名称 | 株式会社アキバ・インフォメーション |
| | 本店又は主たる事務所の所在地 | 東京都新宿区新小川町×番×号 |
| | 国内における主たる事務所等の所在地 ※2 | |

※1　通知書作成日現在の情報に基づく表記です。
※2　法人番号の指定を受けた者が外国法人等の場合に記載しています。
※3　国税庁法人番号公表サイトでは、JIS第１水準及び第２水準以外の文字をJIS第１水準及び第２水準の文字に置換えしています。
また、人格のない社団等については、あらかじめその代表者又は管理人の同意を得た場合に公表する表記です。

(G151012-2922890)

コピーをすると「複写」の文字が出る

13桁の法人番号が通知される

- 本通知書は、設立登記完了後、約1週間程度で国税庁から郵便で送られてくる。
- 法人番号は13桁。1法人に1つ指定される。

※法人番号は「法人番号公表サイト」https://www.houjin-bangou.nta.go.jp/で調べることができる。

## マイナンバーカードと通知カード（イメージ）

### マイナンバーカード（表）

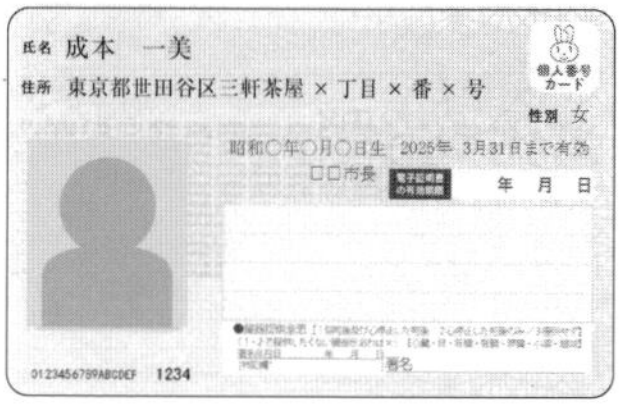


- 本人が市区町村に交付を申請し、通知カードと引き換えに交付を受けるカード。本人の写真とあわせ、氏名、住所、生年月日、性別、個人番号等が記載される。

※内閣府ホームページを参考に作成。

### 通知カード（表）

通知カード

個人番号　1234　1234　1234
氏名 成本　一美

住所 東京都世田谷区三軒茶屋 × 丁目 × 番 × 号

昭和 56 年 3 月 1 日生　性別 女　　世田谷区長
発行 令和 × 年 10 月 × 日

- 市区町村から通知されるカード。本人の氏名、住所、生年月日、性別、個人番号（12 桁）が記載される。
- この通知カードの新規発行等の手続きは廃止された。

※国税庁ホームページを参考に作成。

e-Taxによる申告

# インターネットを使って申告をする

## インターネットで申告できる

国税庁が推奨するインターネット環境（→次ページ）のあるパソコンがあれば、**税務署に提出する申告書や届出書などを電子申告によって提出することができます。**このシステムをe-Taxといいます。

また、地方税の申告ではeLTAXというシステムもあります。

## 電子証明書と電子署名が必要

e-Taxを利用するためには、**電子証明書と電子署名**が必要です。

**●電子証明書**

そのデータの作成者が誰なのか、また、送信されたデータが改ざんされていないかを確認するために、本人確認の役割を果たす。

**●電子署名**

データの真正性を保証するために必要。

これらは**電子申告のために必要不可欠**なものです。

## ソフトはダウンロードして利用できる

e-Taxによる申告は、一般に市販されているソフトも多数あります。

国税庁のホームページから必要なソフトをダウンロードして利用することもできます。

## 事前に開始届を提出する

e-Taxを利用しようとする場合には、「電子申告・納税等開始届出書」を事前に納税地の税務署に提出し、利用者識別番号を取得する必要があります。

開始届出書は、国税庁の「e-Taxの開始届出書作成・提出コーナー」を利用すれば、オンラインでも提出することができます。

**Point 1** 申告書や届出書はパソコンで電子申告できる。

**Point 2** 電子証明書と電子署名は必須。

**Point 3** パソコン環境が整っているか確認する。

**Point 4** 必要なソフトやICカードリーダライタ等を準備する。

**●電子証明書の有効期間と取得費用**

電子証明書の有効期間や取得費用は、それぞれの認証機関や認証局によって異なるので、各認証機関等に確認する。

**●ICカードリーダライタ等**

電子証明書は、ICカードに格納されているので、別途ICカードリーダライタおよびそれを使用するためのデバイスドライバが必要になる。詳しくは、電子証明書の発行機関へ確認する。

## e-Tax開始までの流れ

**Step1** パソコンの動作環境を確認する

↓

**Step2** 電子証明書を取得する

↓

**Step3** 電子申告に対応したソフトや
ICカードリーダライタなどを準備する
（国税庁で用意したソフトをダウンロードすることもできる）

↓

**Step4** 「電子申告・納税等開始届出書」を提出する
（国税庁のホームページからオンラインで提出することもできる）

↓

**Step5** 開始届の受付が完了したら、電子申告に必要な
「利用者識別番号」「暗証番号」などが送られてくるので、
その書類や通知をもとに電子申告を開始する

## e-Tax利用のためのパソコン環境

e-Taxソフトについては、ハードウェア、オペレーティングシステム（OS）およびWWWブラウザに関して、国税庁では次のような環境を推奨している。

| | |
|---|---|
| オペレーティングシステム（OS） | ●Microsoft Windows 10<br>●Microsoft Windows 11 |
| WWWブラウザ（32bit版） | ●Microsoft Edge（chromium）<br>●Google Chrome |
| PDF閲覧 | ●Adobe Acrobat Reader DC |

## e-Taxで利用できる電子証明書

| | |
|---|---|
| 公的個人認証サービス | ●申請者の住民票のある市区町村で発行されるもの。 |
| 商業登記認証局 | ●法務省が運営する「商業登記認証局」が発行するもの。<br>●電子証明書の申請受付、発行等は、法人等の登記を管轄する全国の登記所のうち指定を受けた登記所で行われている。 |

※発行機関は、他にも多数ある。抜粋して掲載した。

正社員の採用

# 採用したい人を明確にする

## 採用基準を決めておく

「優秀な人材」の定義は、会社によってさまざまです。他社にとっての優秀な人材が自社にも優秀な人材になるとは限りません。**自社にとって必要な人材とはどのような人なのかを明確にする**必要があります。

採用にあたっては、下記のような採用基準をあらかじめ決めておきましょう。

①どのような性格の人が必要なのか。
②どのような能力の人が必要なのか。
③どのような雇用条件（給与等）で働いてくれる人が必要なのか。

誰もがわかる、具体的な行動（言葉）に変換して整理したうえで、採用基準を作成します。

## 企業理念を明確にする

上記①～③とあわせ、**会社が掲げる理念に沿った行動のできる人を採用する**ようにしましょう。

Point 1 **他社で優秀な人材が自社で優秀な人材になるとは限らないことを理解する。**

Point 2 **会社の企業理念を作り上げ、理念に沿った人材を採用する。**

Point 3 **印象評価とならないよう、具体的な能力を書き出す。**

例えば、「お客さま第一」という理念があるのなら、お客さまに気持ち良くサービスを利用してもらうと解釈します。具体的には「笑顔で挨拶ができる」と定義付けし、それらの基準を採用面接時のチェックリストとして活用します。

## 能力を具体的に整理する

どのような能力の人が必要なのか、事前に整理しておかないと第一印象に頼ってしまい、本当に評価したい部分を見落としてしまいます。

例えば、「パソコンができる」より「エクセルでグラフが作成できる」というように、**具体的な行動部分まで整理する**ようにしましょう。

## 採用時に労働条件を明示する

従業員を採用するときに、**賃金や労働時間などの労働条件を明示する**ことが労働基準法で義務づけられています。

労働条件通知書は労働局が様式をインターネット上で公開しています。無用なトラブルを防ぐためにも書面交付を行うようにしてください。

プラスα Information

**パートタイマー（短時間労働者）への通知**

パートタイマーについては、パートタイム・有期雇用労働法により、昇給・退職手当・賞与の有無、相談窓口などについて、文書の交付等による労働条件の明示が必要です。

# 労働条件通知書の記載ポイント

どちらかにチェックを入れる

## 労働条件通知書

「雇用期間」について「期間の定めの有無」を「有」とした場合に記入する

| 労働者 | | |
|---|---|---|
| ふりが | | 生年月日 |
| 氏名 | | 電話番号 |
| 住所 | | |

| | 次の労働条件で契約します |
|---|---|
| 雇用期間 | 期間の定めの有無<br>□有　　　年　　月　　日～　　年　　月　　日<br>□無 |
| 契約更新 | 更新の有無：(例) 自動的に更新する、更新する場合がありえる、更新はしない<br>判断基準：(例) 能力、業務成績、勤務態度、契約満了時の業務量、経営状況等 |
| 更新上限の有無 | □ 無<br>□ 有（更新　回まで／通算契約期間　年まで）<br>《労働契約法に定める同一の企業との間での通算契約期間が5年を超える有期労働契約の締結の場合》<br>本契約期間中に会社に対して期間の定めのない労働契約（無期労働契約）の締結の申込みをすることにより、本契約期間の末日の翌日（　　年　　月　　日）から、無期労働契約での雇用に転換することができる。<br>この場合の本契約からの労働条件の変更の有無（無 ・ 有（別紙のとおり）） |
| 雇用形態 | 正社員 |
| 勤務場所 | （雇入れ直後）　株式会社アキバ・インフォメーション<br>本社（東京都新宿区新小川町×－×）<br>（変更の範囲）　会社の定めるすべての場所 |
| 仕事の内容 | （雇入れ直後）　一般事務<br>（変更の範囲）　会社の定めるすべての業務 |
| 就業時間 | 午前9時00分から午後5時00分まで |
| 休憩の時間 | 午前12時00分から午後1時00分まで |
| 休日 | 毎週土曜、日曜、祝祭日<br>ただし、業務の都合により上記休日を変更させ就業する場合がある。 |
| 賃金 | 基本給　○○○円<br>○○手当　○○円<br>通勤手当　実費支給（上限3万円）<br>毎月末日締め翌月25日支払<br>給与改定（昇給・降給）　有<br>賞与　有<br>退職金　無 |
| 退職に関する事項 | 定年は●●歳とし、定年に達したときをもって自然退職とする。<br>自己の都合により退職しようとするときは、少なくとも30日前までに届け出ること。 |
| その他 | |

法律上の定年は60歳を下回ることは不可で60歳の設定も可能。ただし、本人希望の場合、原則65歳まで再雇用。労働条件は個別で合意

- パートタイム労働者および有期雇用労働者を雇い入れたときは、相談窓口（相談担当者、役職、担当部署）を明示する
- 試用期間を定める場合は、その給与の条件などを記載してもよい
- 会社の状況などにより、休日のことなどを記載してもよい
  例：正月・お盆休み、会社の創立記念日など
- 状況に応じて、守秘義務のことを記載してもよい

上記以外の労働条件については、当社就業規則によります。

年　　月　　日

使用者　株式会社アキバ・インフォメーション　　印
代表取締役　成本　一美

労働者　　印

### ●東京労働局（労働基準法関係：様式集）

東京労働局のホームページトップ から『各種法令・制度・手続き』⇒『法令・様式集』⇒『様式集』から必要な様式をダウンロードして使用することができる（上の書式とは異なる）。
労働基準法関係以外にも、さまざまな書式がある。
https://jsite.mhlw.go.jp/tokyo-roudoukyoku/home.html

## 求人票の作成

# 魅力的な求人票を作成する

### 求職者が最も知りたいことを考える

求職者は、「応募する会社は長期に安心して働けるような職場なのか？」また、「これまでの経験を活かし、自分のやりたい仕事ができるのか？」を重視して就職活動を行っています。

したがって、採用する側としては、「選んでいる」という意識ではなく、**「選ばれている」という意識をもち、求職者が必要としている情報を積極的に開示していく**ことが重要です。

### アピールできる求人票を作成する

求人票は、誰にでもわかる言葉で、**できるだけ具体的に記載する**ことがポイントです。

ハローワークでの求人は、掲載料が無料で若年者から高齢者まで、さまざまなスキルの人が利用していますが、民間の求人広告と比較するとインパクトが弱いという欠点があります。

いい人材を取るためには、それなりの努力が必要です。自社をアピールできる求人票が作成できれば、働きたいという意志をもった人材が応募し、ほしい人材を採用することができます。

**求人票の作成には、手間を惜しんではなりません。**

また、2020年からハローワークで「マイページ」を開設すると、**会社のパソコンから求人申込みや内容変更などが利用**できるようになりました。

詳細は、ハローワーク窓口へ問い合わせてください。

### 仕事内容は具体的に記入する

求職者が求人票で最も重要視する欄の1つが「仕事の内容」です。

どんなお客さま（WHOM）を対象に、何の（WHAT）仕事を、どのように（HOW）行うのか、**具体的に記入する**ことで、求職者とのミスマッチを事前に防止することにもつながります。

### 有料媒体も検討する

費用をかけることができるなら、Web、人材紹介、タウン誌など複数の有料求人媒体も検討します。

**Point 1** 採用活動は「選んでいる」ではなく、「選ばれている」という意識をもつ。

**Point 2** 自社のアピールポイントをしっかり把握しておく。

**Point 3** 読んでもらえる求人票を作成するには、手間を惜しまない。

# ハローワークの求人票の記載例

13010-42149001
事業所番号

1301-541780-7

## 求人票（フルタイム）

| | |
|---|---|
| 公開範囲 | 事業所名等を含む求人情報を公開する |

| 識別欄 | Z26 | J73 | Z91 | | |
|---|---|---|---|---|---|
| | A17 | | | | |

地方自治体、民間人材ビジネス共に可

東京都千代田区

251-01
183-01

産業分類
725　社会保険労務士事務所

### 1　求人事業所

| | |
|---|---|
| 事業所名 | カブシキガイシャ　アキバ・インフォメーション<br>株式会社アキバ・インフォメーション |
| 所在地 | 162-8445<br>東京都新宿区新小川町×−×<br>ホームページ |

| | |
|---|---|
| 就業場所 | 事務所所在地に同じ<br>JR東京メトロ飯田橋駅から徒歩5分<br>屋内の受動喫煙対策 |
| マイカー通勤 | なし |
| 転勤の可能性 | なし |

### 2　仕事内容

| | |
|---|---|
| ① 職種 | 営業（コンピュータおよび周辺機器、事務用品） |
| ② 仕事内容 | 定められた企業（主にルート、若干新規あり）への<br>携帯電話・スマートフォン及び周辺機器の訪問販売等の<br>仕事です。<br>1日平均3社（既存取引先）に対して訪問して頂きます。 |
| 雇用形態 | 正社員　雇用期間の定めなし<br>正社員以外の名称<br>正社員登用<br>正社員登用の実績（過去３年間） |
| 派遣・請負等 | 就業形態<br>労働者派遣事業の許可番号 |
| 雇用期間 | 雇用期間の定めなし<br>契約更新の条件 |

| | |
|---|---|
| 年齢 | 年齢制限　40歳以下<br>年齢制限該当事由<br>年齢制限の理由　（経験不問・新規学卒者と同等処遇）<br>（省令3号のイ） |
| 学歴 | 必須<br>専門学校卒業以上・短大卒業以上 |
| 必要な経験等 | 必要な経験・知識・技能等 |
| 必要なPCスキル | 簡単なワード・エクセル・Emailができること |
| ③ 必要な免許・資格 | 普通免許（AT認定可） |
| 試用期間 | |

### 3　賃金・手当　（1／2）

| | |
|---|---|
| 月額（a＋b） | 230,000 円 ～ 340,000 円<br>※（固定残業代がある場合はa＋b＋c） |
| 基本給（a） | 基本給（月額平均）又は時間額　月平均労働日数（20.4 日）<br>200,000 円 ～ 310,000円 |
| 定額的に支払われる手当（b） | 手当 30,000 円 ～30,000円<br>手当　円 ～　円<br>手当　円 ～　円<br>手当　円 ～　円 |
| 固定残業代（c） | あり　（　円 ～　円）<br>固定残業代に関する特記事項<br>＊固定時間外手当は　時間分<br>（定額支給・定額超えた分別途支給） |
| その他手当付記事項（d） | 社会保険労務士試験合格者は<br>基本給　：　円<br>固定時間外手当：　円 |
| 賃金形態等 | 月給　円 ～　円<br>その他内容 |
| 通勤手当 | 実費支給（上限あり）　月額　30,000円まで |
| 賃金締切日 | 固定（月末） |
| 賃金支払日 | 固定（月末以外）　翌月 25日 |
| 昇給 | あり　（ベースアップコミの前年度実績　月あたり）<br>1,000円～10,000円 |
| 賞与 | あり　年２回（前年度実績）<br>計3.00月分 |

### 4　労働時間

| | |
|---|---|
| 就業時間 | (1)　09:00 ～18:00<br>(2)　～<br>(3)　～<br>又は　～　の間の　時間<br>就業時間に関する特記事項 |
| 時間外労働時間 | 時間外労働あり　月平均 15時間<br>36協定における特別条項<br>特別な事情・期間等 |
| 休憩時間 | 60分 |
| 年間休日数 | |
| 休日等 | 土 日 祝 他<br>夏期休暇　年末年始　書類選考<br>6ヶ月経過後の年次有給休暇日数　10日 |

### 5　その他の労働条件等

| | | | |
|---|---|---|---|
| 加入保険 | 雇用　労災　~~公災~~　健康　厚生<br>~~財形~~　~~その他（　）~~ | 退職金共済<br>未加入 | 退職金制度<br>なし |
| 企業年金 | ~~厚生年金基金~~　~~確定拠出年金~~　~~確定給付年金~~ | | |
| | 定年制　あり（一律　60歳）　再雇用制度　あり（上限　65歳まで）　勤務延長　なし | | |
| 入居可能住宅 | ~~単身用　あり~~<br>~~世帯用　あり~~ | | |
| | 利用可能託児施設　なし<br>託児施設に関する特記事項 | | |

### 6　会社の情報

| | |
|---|---|
| 企業情報 | 従業員数　13人<br>就業場所　13人<br>（うち女性　4 人）<br>（うちパート　4 人）<br>設立年　×年<br>資本金　2,000万円<br>労働組合　なし |
| ④ 事業内容 | PC及びその周辺機器、事務用品（複合機、ビジネスホン）の販売等 |
| ⑤ 会社の特長 | 自分に壁を作らず、変化を前向きにとらえ、お客様の成長をサポートしています。様々な事にチャレンジし、常に向上心を持って行動できる環境です。 |
| 役職／代表者名 | |
| 法人番号 | |
| 就業規則 | フルタイム　あり　パートタイム　あり |
| | 職務給制度　なし　復職制度　なし |
| | 育児休業取得実績　なし　介護休業取得実績　なし　看護休暇取得実績　なし |
| 外国人雇用実績 | |

⑥ 求人に関する特記事項

＊履歴書・職務経歴書（職歴ある方のみ）・紹介状を送付してください。
質問なければ事前連絡なくても応募可能。
書類到着後10日以内に通知します。
＊不採用の場合、応募書類は責任廃棄します。

### 7　選考等

1301-541780-7　（２／２）

| | |
|---|---|
| 採用人数 | 人　募集理由　欠員補充 |
| 選考方法 | 書類選考　面接（予定　1回）　~~筆記試験~~　~~その他~~ |
| 結果通知 | ~~即決~~　書類選考結果通知　書類到着後　7日以内　面接選考結果通知　面接後　14日以内　~~その他~~ |
| 通知方法 | ~~求職者マイページに連絡~~　郵送　電話　~~Eメール~~　~~その他~~ |
| 日時 | 随時 |
| 選考場所 | |
| 応募書類等 | ﾊﾛｰﾜｰｸ紹介状　履歴書（写真貼付）<br>~~職務経歴書~~　~~ジョブカード~~　その他　あれば職務経歴書<br>送付方法<br>~~Eメール~~　郵送<br>郵送の送付場所<br>応募書類の返戻　選考後は返却 |
| | 選考に関する特記事項 |
| 担当者 | 採用担当<br>酒井《サカイ》　健介<br>電話番号　03-3230-4600　内線（　）<br>FAX　03-3230-4609<br>Eメール |

ハローワークより：求人票は雇用契約書ではありません。採用時には必ず、書面により労働条件の明示を受けてください。

**特に下記の①～⑥はわかりやすく記入する必要がある。**

**①職種**
一般的な名称での職種名を記入する。

**②仕事内容**
求職者が最も重要視する欄の1つ。できる限り詳しく記入する。

**③必要な免許・資格**
必須の経験や資格がある場合には記入する。

**④事業内容**
具体的な事業内容、取引商品、事業展開なども記入する。

**⑤会社の特長**
企業理念、社風、経営方針など、会社のアピールポイントをわかりやすく記入する。

**⑥求人に関する特記事項**
各欄に記入しきれなかった内容や応募上の注意事項等を記入する。「契約社員採用だが評価に応じて契約期間の定めのない正社員へ切り替える」等のPR情報を積極的に記入する。

●全国のハローワークの所在地
https://www.mhlw.go.jp/kyujin/hwmap.html

面接のポイント

# 求職者が入社したくなる面接方法を考える

## 面接官は聞き役であると知る

事前に模範的な回答を用意してくる求職者の本音を引き出すためには、**面接官は「聞き役」でなければなりません。**面接は、自社をアピールする（自社の話をする）場ではなく、相手の話を聞く場であると理解しましょう。

面接官だけが一方的に話をすることがないよう、注意してください。

当然のことですが、面接を行う前に、求職者の履歴書・職務経歴書等は読み込んでおかなければなりません。これにより、相手を尊重しているという姿勢を示すことができます。

面接の成否によって、会社の負担（赤字）となる従業員を採用するか、会社の利益（黒字）につながる従業員を採用するか大きく分かれます。

**面接がいかに重要かを肝に銘じて**、面接に臨みましょう。

**Point 1** 面接は、自社をアピールする場ではなく、相手の話を聞く場であると理解する。

**Point 2** 事前に履歴書・職務経歴書等は読み込んでおく（面接は事前準備が重要）。

## 面接の目的を理解する

採用面接の目的を明確にしたうえで面接するように心がけましょう。

例えば、

- 自社にあっている人材か
- 応募者の能力が自社で発揮できるか

等を確認します。

## 応募者が入社したくなる面接のポイント

面接を行う際には、以下の点に注意をしましょう。「採用してやるのだ」といった態度を見せてはなりません。

①**面接官だけが一方的に話さない：**応募者の発言を十分に聞く姿勢で臨む。

②**質問を事前に用意しておく：**採用したい人材要件を明確化した際の、具体的な行動項目に活用できる。

③**当社の現状（ありのままの姿）を率直に伝える。**

④**面接時の服装や態度などに気を配る。**

また、印象評価、面接順番等による評価のブレを防ぐためにも、右ページのような面接評価シートを作成するようにしましょう。

あわせて、面接の事前練習も行います。これにより面接がスムーズになり、応募者の観察に集中できるので、より良い人材を採用することができます。

## 面接評価シート（サンプル）

### 面 接 評 価 シ ー ト

面接日　　年　　月　　日（　）　：　担当

面接者氏名　：

| 評価項目 | | ○・×評価 |
|---|---|---|
| Ⅰ．態度・礼儀 | 目を見て話しているか | |
| | 最初の挨拶はキチンとできたか | |
| | 敬語はキチンと使えるか | |
| | 言葉使いは明るく明快か | |
| | スーツ、シャツにシワ・シミはないか | |
| | ネクタイは緩んでいないか／襟元はだらしなくないか | |
| | ヒゲは剃っているか／ケバケバしくないか | |
| | 寝癖はないか／長髪や茶髪でないか | |
| Ⅱ．人柄・誠実さ | 表情は明るいか（笑顔はあるか） | |
| | 素直さはあるか（横柄さはないか） | |
| | 発言に嘘はなさそうか（同じ質問を角度を変えてする） | |
| Ⅲ．意欲・就職意識 | 積極的に発言しているか | |
| | 物事に前向きに取り組む姿勢があるか | |
| | 仕事に対する甘さはないか | |
| | 働く目的・目標・志は高いか | |
| Ⅳ．協調性 | 見方・考え方は独断的ではないか | |
| | 自分の意見・主張にこだわりすぎていないか | |
| | 人に合わせることができそうか | |
| | 人の話を最後まで聞くことができるか | |
| | 自分ばかり話そうとしていないか | |

／20

Ⅴ．志望動機、当社を選んだ理由

Ⅵ．条件確認（給与、勤務日数、勤務時間、通勤時間、残業の可否）

Ⅶ．備考（必要な経験・免許等の確認（運転免許（運転状況）、各種資格・免許の有無等））

Ⅷ．応募者にとっての仕事とは何か

【評価コメント】

合格　／　不合格

!! 勤務時間の相違が一番トラブルに発展しやすい。見込残業時間は必ず確認する

!! 車を使用する営業にもかかわらずペーパードライバーだったといったことがないよう、仕事に必要な免許等もチェックする

!! 仕事に対する意識を確認し、従業員との認識のズレを防ぐ

**!! 選考基準となる人材要件（＝資質）を明確にするために、適性検査も導入する。**

労働基準監督署・ハローワークに提出する書類

# 従業員を雇ったら労働保険に加入する

## 労働保険への加入義務

正社員、パート、アルバイトなど、名称や雇用形態にかかわらず、1人でも労働者を雇用した場合は**労働保険（「労災保険」と「雇用保険」の2つを総称したもの）**に加入する義務があります。

**労災保険料は全額会社負担、雇用保険料は従業員と会社の双方が負担**します。

会社役員は原則対象外ですが、特別に加入できるケースもあります。

なお、労災保険の対象者でも雇用保険の対象にならない労働者（週20時間未満の労働者等）もいるので注意が必要です。

## はじめは労働基準監督署で手続きをする

労災保険は、会社の所在地を管轄する**労働基準監督署で手続き**を行います。次に**ハローワーク（公共職業安定所）で雇用保険の手続き**を行います。

労働基準監督署で手続きした書類の控えが必要となるため、**逆の順番では手続きできない**ことに注意をしてください。

## 保険料を労働者の給与から天引きする

雇用保険の保険料は事業の種類によって区分され、会社と労働者が定められた割合に応じて負担するため、**労働者の負担分を給与から天引き**します。

なお、毎年、年度ごと（4月1日から翌年の3月31日）に雇用保険料率が決定されるため、年度初めには天引額の変更に注意が必要です。

## 労働保険料の申告・納付

労働保険の保険料は、業種や従業員への給与の総額に応じて計算し、毎年6月1日から7月10日に申告・納付します（会社設立時は設立当初にする）。

**Point 1** 労働者を1人でも雇用したら労働保険の手続きが必要。

**Point 2** 雇用保険には加入基準（週20時間以上の労働等）がある。

**Point 3** 労災保険と雇用保険の保険料は年に1度、申告・納付する。

### プラスα Information

#### 業務災害と通勤災害

労災保険の給付は業務災害と通勤災害に分けられ、通勤による事故も労災保険制度から給付されます。

#### 労働保険事務組合

事業主が行うべき労働保険の事務処理を委託される中小事業主団体（厚生労働大臣より認可）で、事業協同組合、商工会議所、商工会などがあります。

#### 労災保険の手続きを怠り事故が起きたら⁉

会社側は遡って労働保険料を徴収（あわせて追徴金も）され、労災保険給付に要した費用の全額または一部も徴収されます。

# 労働保険（労災保険と雇用保険）の加入手続き

## Step1　労働基準監督署へ以下の書類を提出する

労災保険(労働基準監督署での手続き)

■提出書類

・労働保険関係成立届　　・労働保険概算保険料申告書

■添付書類

・登記簿謄本や賃貸借契約書等(住所等の確認ができるもの)

■その他準備するもの

・雇入れ日から最初に到達する3月31日までの賃金総額(通勤交通費代も含む)がわかるもの

## Step2　労働基準監督署の手続き終了後にハローワークで手続きをする

雇用保険(ハローワークでの手続き)

■提出書類

・雇用保険適用事業所設置届

・雇用保険被保険者資格取得届(対象者全員分)

・雇用保険被保険者証 (本人紛失の場合は履歴書 (写し) を添付)

■添付書類(原本確認される書類)

①労働保険関係成立届事業主控(労働基準監督署で受理ずみのもの)

②登記簿謄本(3か月以内で全部記載のある原本1通)

③貸事務所の賃貸借契約書(最新の状態のもの)

④会社の実在を確認できる書類(直近の日付のもので事業所所在地と名称が必ず確認できるもの)

・税務関係書類:給与支払事務所の開設届、源泉所得税の納付書、決算書など

・公共料金の請求書:電話、電気、水道など

※上記の書類がない場合は納品書・請求書・郵便物 (消印のあるもの) などを数点準備する。

⑤労働者名簿(パート・アルバイトの場合は雇用契約書・雇入れ通知書等を添付する)

⑥賃金台帳(すでに給与が支払われている場合)

⑦出勤簿・タイムカード(出勤開始日から書類提出日までの分)

※添付書類はケースや管轄地域ごとに異なる場合があるので、事前に提出窓口へ問い合わせる必要がある。

労働者名簿

労働者名簿

| | | | |
|---|---|---|---|
| フリガナ | | | |
| 氏　名 | | | |
| 生年月日 | M・T S・H　年　月　日生まれ | 性別 | 男　女 |
| 住　所 | 〒　－ | | |
| 雇入れ年月日 | 年　月　日 | | |
| 従事する業務の種類 | | | |
| 解雇・退職・または死亡 | 解雇　退職　死亡　年　月　日 | | |
| | 上記理由 | | |
| 雇入れの経緯 | 定期採用 | | |
| | 中途採用 | | |

学 歴

職 歴

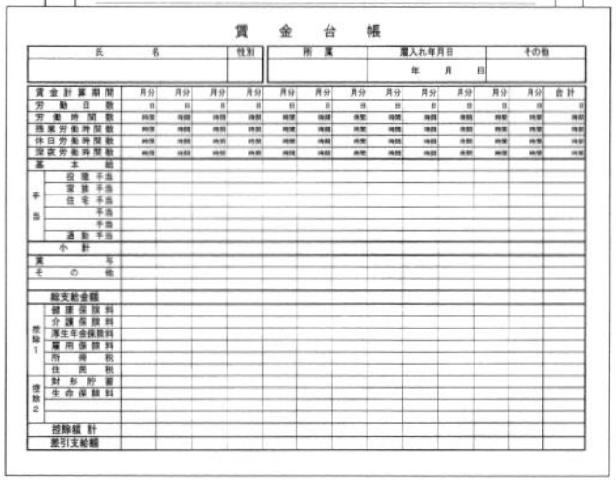

賃　金　台　帳

| 氏　名 | 性別 | 所　属 | 雇入れ年月日 | その他 |
|---|---|---|---|---|
| | | | 年　月　日 | |

| 賃金計算期間 | 月分 | 月分 | 月分 | 月分 | 月分 | 月分 | 月分 | 月分 | 月分 | 月分 | 月分 | 月分 | 合計 |
|---|---|---|---|---|---|---|---|---|---|---|---|---|---|
| 労働日数 | 日 | 日 | 日 | 日 | 日 | 日 | 日 | 日 | 日 | 日 | 日 | 日 | 日 |
| 労働時間数 | 時間 | 時間 | 時間 | 時間 | 時間 | 時間 | 時間 | 時間 | 時間 | 時間 | 時間 | 時間 | 時間 |
| 残業労働時間数 | 時間 | 時間 | 時間 | 時間 | 時間 | 時間 | 時間 | 時間 | 時間 | 時間 | 時間 | 時間 | 時間 |
| 休日労働時間数 | 時間 | 時間 | 時間 | 時間 | 時間 | 時間 | 時間 | 時間 | 時間 | 時間 | 時間 | 時間 | 時間 |
| 深夜労働時間数 | 時間 | 時間 | 時間 | 時間 | 時間 | 時間 | 時間 | 時間 | 時間 | 時間 | 時間 | 時間 | 時間 |
| 基本給 | | | | | | | | | | | | | |
| 手当　役職手当 | | | | | | | | | | | | | |
| 家族手当 | | | | | | | | | | | | | |
| 住宅手当 | | | | | | | | | | | | | |
| 手当 | | | | | | | | | | | | | |
| 手当 | | | | | | | | | | | | | |
| 通勤手当 | | | | | | | | | | | | | |
| 小計 | | | | | | | | | | | | | |
| 賞与 | | | | | | | | | | | | | |
| その他 | | | | | | | | | | | | | |
| | | | | | | | | | | | | | |
| 総支給金額 | | | | | | | | | | | | | |
| 控除1　健康保険料 | | | | | | | | | | | | | |
| 介護保険料 | | | | | | | | | | | | | |
| 厚生年金保険料 | | | | | | | | | | | | | |
| 雇用保険料 | | | | | | | | | | | | | |
| 所得税 | | | | | | | | | | | | | |
| 住民税 | | | | | | | | | | | | | |
| 控除2　財形貯蓄 | | | | | | | | | | | | | |
| 生命保険料 | | | | | | | | | | | | | |
| | | | | | | | | | | | | | |
| | | | | | | | | | | | | | |
| 控除額計 | | | | | | | | | | | | | |
| 差引支給額 | | | | | | | | | | | | | |

賃金台帳

●東京労働局(労働基準法関係:様式集)に賃金台帳・労働者名簿等の参考資料が公開されている。

東京労働局のホームページトップ から『各種法令・制度・手続き』⇒『法令・様式集』⇒『様式集』

**WORD**

### 労働者名簿《ろうどうしゃめいぼ》

労働基準法で作成が義務づけられています。「氏名」「生年月日」「履歴」「性別」「住所」等の記載事項が決められていて、変更があった場合には、すぐに訂正します。

### 賃金台帳《ちんぎんだいちょう》

労働基準法で作成が義務づけられています。「賃金計算の基礎となる事項」「氏名」「性別」「賃金計算の期間」その他、定められた事項を記載したものです。

# 労働保険保険関係成立届(様式第1号)の記載例

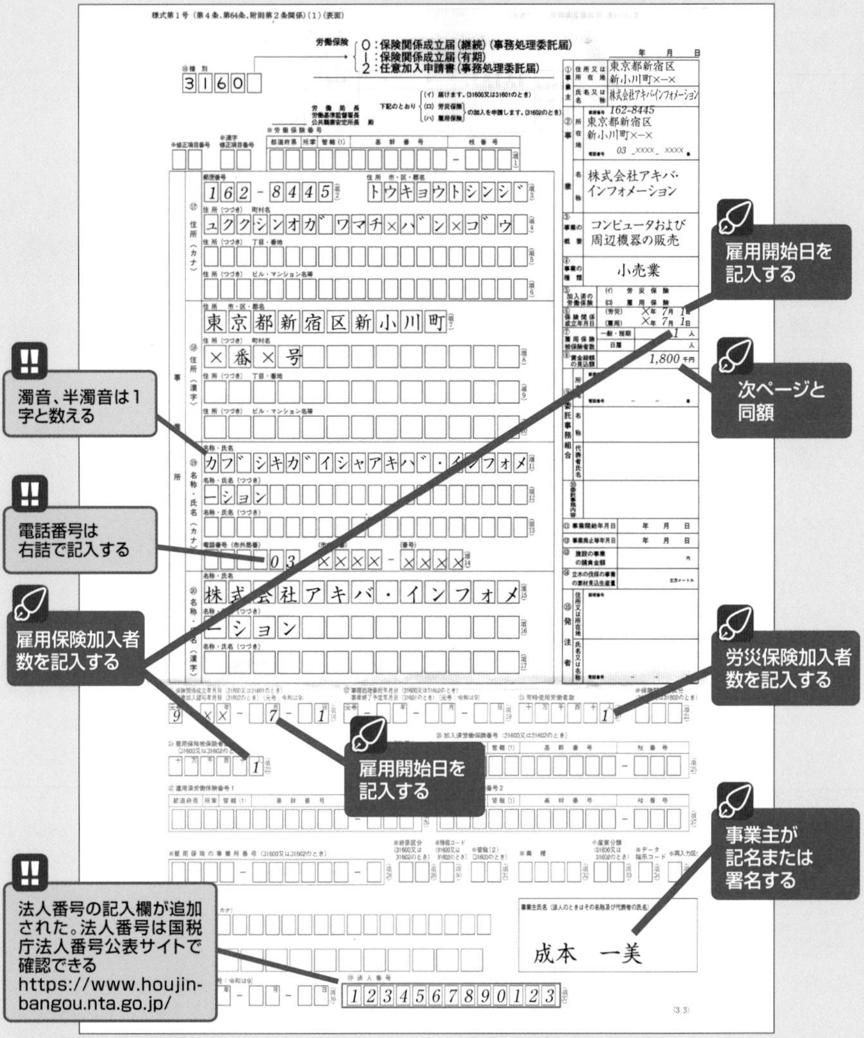


■提出期限:保険関係成立日(従業員を雇用した日)から原則10日以内。
■提出先:所轄の労働基準監督署
■提示を求められる書類(主なもの)
●登記簿謄本(登記事項証明書)
●賃貸借契約書

※通常、提示書類は原本を持っていくと、コピーをとって返してくれる。
※ケースや監督署ごとに異なる場合がある。
注意:登記上の所在地と実際に業務をしている所在地が異なる場合は、別途書類が必要な場合がある。

本様式は一部加工して掲載しています。

# 労働保険概算保険料申告書（様式第6号）の記載例

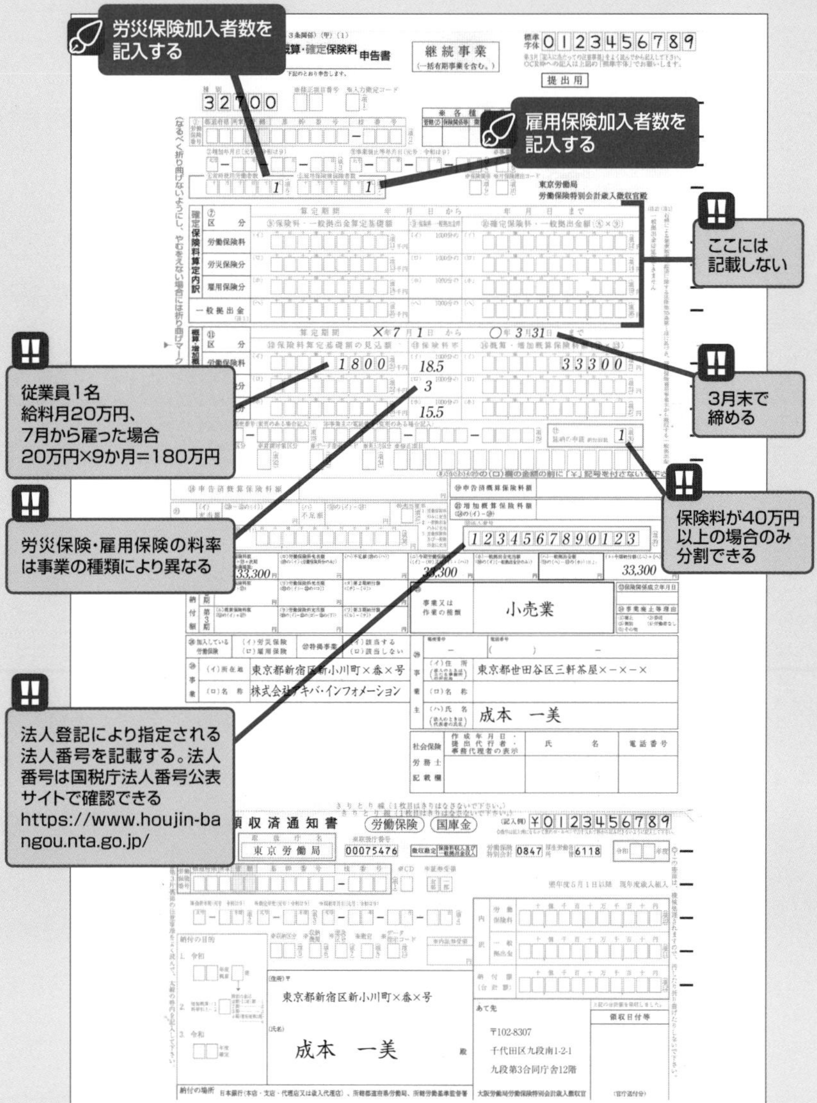


■申告期限:保険関係成立日から50日以内に届け出て保険料を納付する。
■提出先:所轄の労働基準監督署
注意:従業員が10名以上の場合は、就業規則に労働者代表の意見書を添付して提出する。

本様式は一部加工して掲載しています。

# 雇用保険適用事業所設置届（表面）の記載例

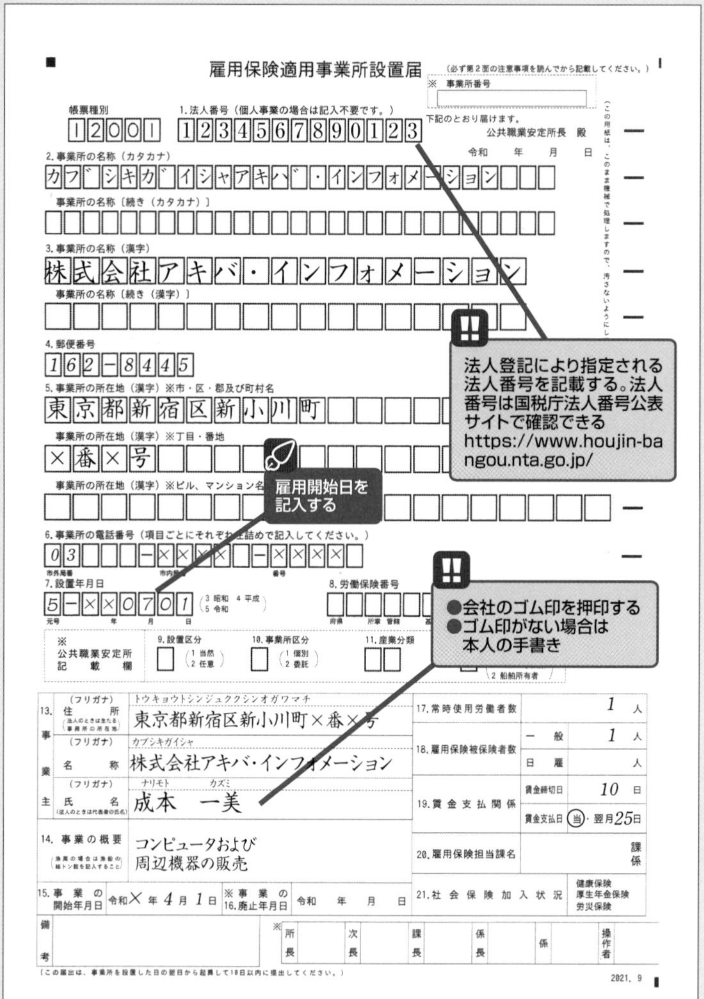

雇用保険適用事業所設置届　（必ず第２面の注意事項を読んでから記載してください。）

※　事業所番号

帳票種別　12001

1. 法人番号（個人事業の場合は記入不要です。）　1234567890123

下記のとおり届けます。
公共職業安定所長　殿
令和　　年　　月　　日

2. 事業所の名称（カタカナ）　カフ゛シキカ゛イシャアキハ゛・インフォメーション

事業所の名称〔続き（カタカナ）〕

3. 事業所の名称（漢字）　株式会社アキバ・インフォメーション

事業所の名称〔続き（漢字）〕

4. 郵便番号　162－8445

5. 事業所の所在地（漢字）※市・区・郡及び町村名　東京都新宿区新小川町

事業所の所在地（漢字）※丁目・番地　×番×号

事業所の所在地（漢字）※ビル、マンション名

6. 事業所の電話番号（項目ごとにそれぞれ左詰めで記入してください。）　03－××××－××××
市外局番　市内局番　番号

7. 設置年月日　5－××0701（3 昭和　4 平成　5 令和）
元号　年　月　日

8. 労働保険番号
府県　所掌　管轄

※ 公共職業安定所記載欄　9. 設置区分（1 当然　2 任意）　10. 事業所区分（1 個別　2 委託）　11. 産業分類　2 船舶所有者

| | | |
|---|---|---|
| 13. 事業主 | （フリガナ） | トウキョウトシンジュククシンオガワマチ |
| | 住所（法人のときは主たる事務所の所在地） | 東京都新宿区新小川町×番×号 |
| | （フリガナ） | カブシキガイシャ |
| | 名称 | 株式会社アキバ・インフォメーション |
| | （フリガナ） | ナリモト　カズミ |
| | 氏名（法人のときは代表者の氏名） | 成本　一美 |
| 14. 事業の概要（漁業の場合は漁船の総トン数を記入すること） | | コンピュータおよび周辺機器の販売 |
| 15. 事業の開始年月日 | | 令和×年4月1日 |
| ※16. 事業の廃止年月日 | | 令和　年　月　日 |

| | | |
|---|---|---|
| 17. 常時使用労働者数 | | 1人 |
| 18. 雇用保険被保険者数 | 一般 | 1人 |
| | 日雇 | 人 |
| 19. 賃金支払関係 | 賃金締切日 | 10日 |
| | 賃金支払日 | ㊟当・翌月25日 |
| 20. 雇用保険担当課名 | | 課　係 |
| 21. 社会保険加入状況 | | 健康保険　厚生年金保険　労災保険 |

備考

※　所長　次長　課長　係長　係　操作者

（この届出は、事業所を設置した日の翌日から起算して10日以内に提出してください。）

2021. 9

（この用紙は、このまま機械で処理しますので、汚さないようにし



■提出期限：保険関係成立日（従業員を雇用した日）から原則10日以内（この期限を過ぎた場合でも2年間までは遡って加入でき、雇用保険料が給与から天引きされていたことが明らかである場合は2年を超えて遡ることができる場合もある）。

**雇用保険の目的**

雇用保険は、失業給付などをしているので失業保険とも呼ばれている。雇用保険の目的は、労働者が職を失ったときに再就職までの生活を安定させて、就職活動をスムーズにできるように支援すること。

# 雇用保険適用事業所設置届（裏面）の記載例

**注　意**

1　□□□□で表示された枠（以下「記入枠」という。）に記入する文字は、光学式文字読取装置（ＯＣＲ）で直接読取を行いますので、この用紙を汚したり、必要以上に折り曲げたりしないでください。
2　記載すべき事項のない欄又は記入枠は空欄のままとし、※印のついた欄又は記入枠には記載しないでください。
3　記入枠の部分は、枠からはみ出さないように大きめの文字によって明瞭に記載してください。
4　1欄には、平成27年10月以降、国税庁長官から本社等へ通知された法人番号を記載してください。
5　2欄には、数字は使用せず、カタカナ及び「-」のみで記載してください。
　カタカナの濁点及び半濁点は、１文字として取り扱い（例：ガ→カ゛、パ→ハ゜）、また、「ヰ」及び「ヱ」は使用せず、それぞれ「イ」及び「エ」を使用してください。
6　3欄及び5欄には、漢字、カタカナ、平仮名及び英数字（英字については大文字体とする。）により明瞭に記載してください。
7　5欄１行目には、都道府県名は記載せず、特別区名、市名又は郡名とそれに続く町村名を左詰めで記載してください。
　5欄２行目には、丁目及び番地のみを左詰めで記載してください。
　また、所在地にビル名又はマンション名等が入る場合は5欄３行目に左詰めで記載してください。
8　6欄には、事業所の電話番号を記載してください。この場合、項目ごとにそれぞれ左詰めで、市内局番及び番号は「-」に続く５つの枠内にそれぞれ左詰めで記載してください。（例：03-3456-XXXX→ 03□□□-3456□-XXXX□ ）
9　7欄には、雇用保険…事業所となるに至った年月日を記載してください。この場合、元号をコード番号で記載した上で、年、月又は日が１桁…、それぞれ10の位の部分に「０」を付加して２桁で記載してください。
（例：平成14年４月…
10　14欄には、製品名…的に記載してください。
11　18欄の「一般」には…保険者数及び短期雇用特例被保険者数の合計数を記載し、「日雇」…
12　21欄は、該当事項…
13　22欄は、事業所印…
14　23欄は、最寄りの…

> **!!**
> ●「社名」と「代表取締役」の役職印を押印する
> ●欄外に紹介した印鑑を組み合わせて使用してもよい

お願い
1　事業所を設置した日の翌日から起算して10日以内に提出してください。
2　営業許可証、登記事項証明書その他記載内容を確認することができる書類を持参してください。

| 22. | 事業所印影 | 事業主（代理人）印影 | 改印欄（事業所・事業主） | 改印欄（事業所・事業主） | 改印欄（事業所・事業主） |
|---|---|---|---|---|---|
| 登録印 | |  | 改印年月日 令和　年　月　日 | 改印年月日 令和　年　月　日 | 改印年月日 令和　年　月　日 |



23. 最寄りの駅又はバス停から事業所への道順

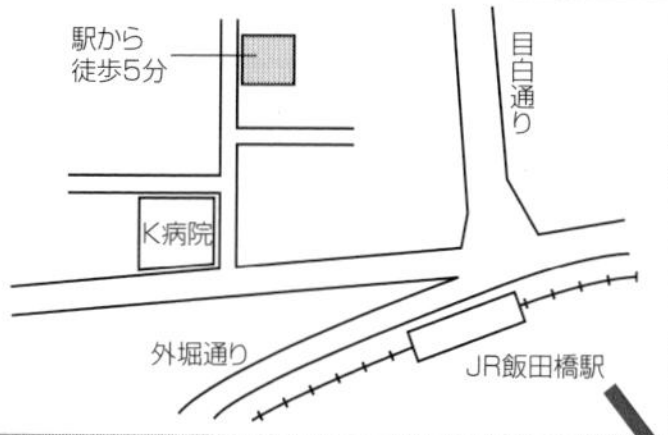


> フリーハンドの略図でOK。インターネットの地図をプリントアウトして貼り付けてもOK

労働保険事務組合記載欄

所在地

名　称

代表者氏名

委託開始　令和　年　月　日

委託解除　令和　年　月　日

> **!!**
> 労働保険事務組合に申請を依頼した場合に記載される

| 社会保険労務士記載欄 | 作成年月日・提出代行者・事務代理者の表示 | 氏名 | 電話番号 |
|---|---|---|---|
| | | | |

※　本手続は電子申請による届出も可能です。詳しくは管轄の公共職業安定所…なお、本手続について、社会保険労務士が電子申請により本届書の提出に…労務士が当該事業主の提出代行者であることを証明することができるものを…電子署名に代えることができます。

> 社会保険労務士に申請を依頼した場合に記入する

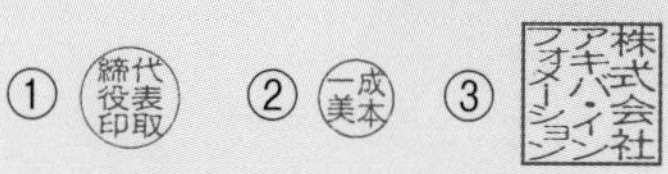


上の印鑑単独での使用は認められない。
①と③、②と③の組み合わせならOK。

年金事務所(日本年金機構)に提出する書類

# 社会保険の手続きをする

## 社会保険は強制適用

一般的に社会保険とは、医療機関で提示する保険証を発行する健康保険と将来の年金制度である厚生年金保険をいいます。

社会保険の加入手続きは年金事務所で行います。**法人であれば従業員の人数にかかわらず強制適用**です。たとえ社長1人の法人であっても、加入要件に合致すれば手続きが必要です。

## 保険料は会社と従業員で折半する

社会保険の保険料は給与の総額（基本給、各種手当、通勤手当や現物支給の給与等）に基づき計算されます。

**保険料は会社と従業員で折半**して負担します。

なお、40歳以上は65歳になるまで介護保険料が徴収されます。

保険料は、入社時の給与の総額から決定し、その後、毎年1回、4・5・6月の3か月間の給与等の平均を基準に決定されます。

また、昇（降）給等で固定給（基本給等）が大幅に変動し、一定の基準（従前の標準報酬月額と2等級以上の差等）に該当した場合も改定されます。

## 家族を扶養に追加するときの基準

年間収入130万円未満で一定の基準（3親等内の親族であることや同一世帯の条件等）を満たした場合に家族を扶養に追加することができます。

この「年間収入」とは過去ではなく、将来の年間の見込額（月額108,333円以下）であり、見込額には雇用保険、公的年金、健康保険の各種給付金等も含まれます。

なお、国民健康保険とは異なり、家族を扶養に追加することで、毎月の保険料が高くなることはありません。

**Point 1** 社会保険は強制加入。社長1人でも社会保険の手続きをしなければならない。

**Point 2** 保険料は会社と従業員で折半負担する。

**Point 3** 扶養追加時の収入基準は将来の見込額で確認する。

プラスα Information

### 未加入はこわい

「社会保険料は高い」という理由で、社会保険に加入していない会社があります。
しかし将来、従業員から「本来受けられたはずの社会保険の給付が受けられなかった。会社が代わって給付してほしい」と損害賠償を請求されるリスクがあることを知っておきましょう。
パートやアルバイトでも正社員と同様に働いている人は、社会保険の加入が必要です。

## パートタイマー等の扱い

パートタイマー等が**社会保険加入の対象者か否か**は、

●同一の事業所　かつ、

●同様の業務に従事する一般労働者の労働日数･労働時間等

を基準に判断する。

※日本年金機構のホームページ（https://www.nenkin.go.jp/）を参考に作成。

### ■判断の基準

①**勤務時間**：1週間の勤務時間が一般労働者の4分の3以上。

②**勤務日数**：1か月の勤務日数が一般労働者の所定労働日数の4分の3以上。

被保険者数が101人以上の企業、また、常時100人以下の企業であって労使合意に基づく申出をした場合、次の基準が適用される。なお、2024年10月より被保険者数が51人以上の企業、また、常時50人以下の企業であって労使合意に基づく申出をした場合には被保険者の適用が拡大される。

※基準:4つの要件をすべて満たす

1. 1週間の所定労働時間が20時間以上ある
2. 雇用期間が2か月を超えて見込まれる
3. 賃金の月額が88,000円以上である
4. 学生ではない

# 健康保険・厚生年金保険　新規適用届の記載例

様式コード 2101

健康保険
厚生年金保険
新規適用届

受付印

令和　年　月　日提出

事業主記入欄

| | |
|---|---|
| 事業所所在地 | 〒162－6814<br>(フリガナ) シンジュククシンオガワマチ<br>新宿区新小川町×番×号 |
| 事業所名称 | (フリガナ) カブシキガイシャ<br>株式会社アキバ・インフォメーション |
| 電話番号 | 03（××××）×××× |

社会保険労務士記載欄
氏名等

事業所情報記入欄

| | | | |
|---|---|---|---|
| ① 事業主（または代表者）氏名 | (フリガナ) ナリモト　カズミ<br>(氏) 成本　(名) 一美 | ② 問合せ先担当者名（内線） | 問合せ先担当者名　内線番号 |
| ③ 事業主（または代表者）住所 | 〒154－0024<br>世田谷区三軒茶屋×丁目×番×号 | | |
| ④ 事業主代理人氏名（事業主の代理人有る場合） | (フリガナ)<br>(氏)　(名) | | |
| ⑤ 事業主代理人住所 | 〒　－ | | |
| ⑥ 業態区分（事業の種類） | 事業の種類<br>コンピュータ及び周辺機器の販売 | ⑦ 適用年月日（※記入不要） | 9. 令和　年 |
| ⑧ 個人・法人等区分 | (1. 法人事業所)<br>2. 個人事業所<br>3. 国・地方公共団体 | ⑨ 法人番号等 | (1. 法人番号)<br>2. 会社法人等番号<br>1234567890123 |
| ⑩ 本店・支店区分 | (1. 本店)<br>2. 支店 | ⑪ 内・外国区分 | (1. 内国法人)<br>2. 外国法人 |
| ⑫ 社会保険労務士名 | | | 社会保険労務士コード |
| ⑬ 健康保険組合名称 | (フリガナ)<br>健康保険組合 | ⑭ 厚生年金基金番号 | 厚生年金基金 |
| ⑮ 給与計算の締切日 | 15日 | ⑯ 昇給月 | 04月　月　月　月 |
| ⑰ 算定基礎届媒体作成 | (0. 必要（紙媒体）)<br>1. 不要（自社作成）<br>2. 必要（電子媒体） | | |
| ⑱ 給与支払日 | 当月<br>翌月　日 | ⑲ 賞与支払予定月 | 06 12 |
| ⑳ 賞与支払届媒体作成 | (0. 必要（紙媒体）)<br>1. 不要（自社作成）<br>2. 必要（電子媒体） | | |
| ㉑ 給与形態 | 1. 月給　5. 時間給<br>2. 日給　6. 年俸制<br>(3. 日給月給)　7. その他<br>4. 歩合給（　） | ㉒ 諸手当の種類 | (1. 家族手当)　5. 精勤手当<br>2. 住宅手当　(6. 残業手当)<br>3. 役付手当　7. その他<br>(4. 通勤手当)（　） |
| ㉓ 現物給与の種類 | 1. 食事　5. その他<br>2. 住宅（　）<br>3. 被服<br>4. 定期券 | | |
| ㉔ 従業員情報 | 1. 従業員数（役員含む）　2人<br>2. 社会保険に加入する従業員数　1人<br>3. 社会保険に加入しない従業員について<br>※ ④～⑤については平均的な勤務日数および勤務時間を記入してください。 | | ㋐ 役員　1人　報酬（(0. 無)／1. 有）・常勤（1人）・非常勤（0人）<br>㋑ 嘱託職員等　0人［1月　日・1週　時間］<br>㋒ パート　0人［1月　日・1週　時間］<br>㋓ アルバイト　0人［1月　日・1週　時間］ |
| ㉕ 所定労働日数 所定労働時間 | 1月　20日・1週　40時間　00分 | | |
| ㉖ 備考 | | | |

法人登記により指定される法人番号を記載する。法人番号は国税庁法人番号公表サイトで確認できる
https://www.houjin-bangou.nta.go.jp/

該当するものすべてに○をつける

■提出期限:資格取得日から原則5日以内に届け出る。
■提出先:所轄の年金事務所。
※商業登記簿謄本、事業所付近の略図を添付する(会社の実体があるかを調査して、その後の適用となる)。
※出勤簿、労働者名簿、賃金台帳、所得税源泉徴収簿、所得税徴収高計算書(領収証)、現金出納簿等を持参する。
※これらの様式は地域や年金事務所によって異なる。書類の名称も異なる。

## 健康保険・厚生年金保険　被保険者資格取得届の記載例

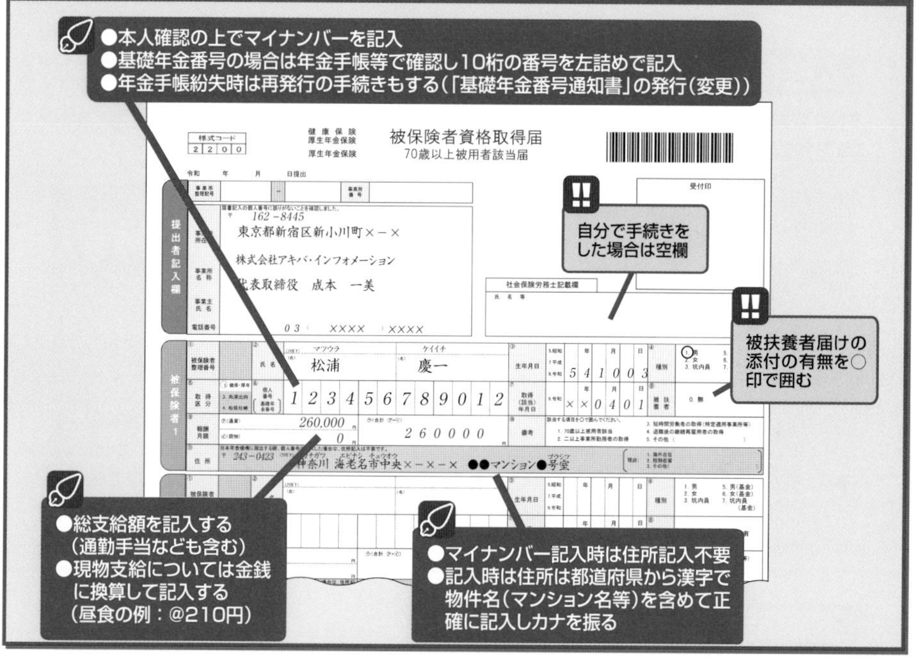


## 健康保険被扶養者（異動）届・第3号被保険者関係届の記載例

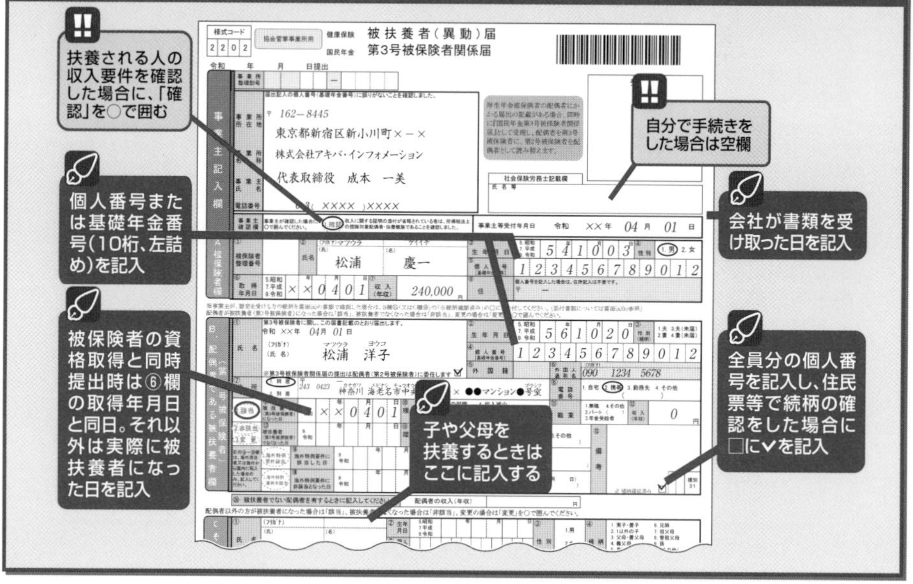

## 社会保険料の比較

### 入社時期による比較

**社会保険料は「資格取得月」から支払い義務が発生する。1日違いで1か月分の保険料を負担しなければならない。**

| 入社日 | 保険証の使用開始日 | 保険料 | 給与天引き | 保険料の納付 |
|---|---|---|---|---|
| 4月1日 | 4月1日 | 4月分より発生 | 5月分給与より | 5月末 |
| 4月30日 | 4月30日 | | | |
| 5月1日 | 5月1日 | 5月分より発生 | 6月分給与より | 6月末 |

●4月30日からの雇用を考えた場合、1日遅らせて5月1日から雇用を開始すれば、1日の違いで1か月分の保険料を支払わなくてもよい。

※試用期間中であっても入社日が資格取得日となるので注意が必要。

### 退職時期による比較

**従業員が資格喪失するのは「退職日の翌日」で、資格を喪失した月の「前月分」まで支払い義務が発生する。1日違いで1か月分の保険料を負担しなければならない。**

| 退職日 | 保険証使用ができなくなる日 | 保険料 | 給与天引き | 保険料の納付 |
|---|---|---|---|---|
| 6月29日 | 6月30日 | 5月分まで発生 | 6月分給与まで | 6月末 |
| 6月30日 | 7月1日 | 6月分まで発生 | 7月分給与まで | 7月末 |

●6月29日の退職は5月分まで、6月30日の退職は資格喪失日が7月1日となり、その前日が6月になるので、6月分までの社会保険料支払い義務が発生する。

●給与の締切期間や支給日の関係により2か月分(前月分と当月分)の保険料の合算額を控除する場合もある。

!! **社会保険料削減のため、入社日が月末の場合は入社日を「翌月」に、退職日が月末の場合は退職日を「その前日」にできないかを検討する。**

# 標準報酬月額（等級）および保険料額表の見方

### 健康保険・厚生年金保険の保険料額表

| 標準報酬 | | 報酬月額 | | 全国健康保険協会管掌健康保険料 | | | | 厚生年金保険料（厚生年金基金加入員を除く） | |
|---|---|---|---|---|---|---|---|---|---|
| | | | | 介護保険第2号被保険者に該当しない場合 | | 介護保険第2号被保険者に該当する場合 | | 一般、坑内員・船員 | |
| | | | | 9.98% | | 11.58% | | 18.300%※ | |
| 等級 | 月額 | 円以上 | 円未満 | 全額 | 折半額 | 全額 | 折半額 | 全額 | 折半額 |
| 1 | 58,000 | ～ | 63,000 | 5,788.4 | 2,894.2 | 6,716.4 | 3,358.2 | | |
| 2 | 68,000 | 63,000 ～ | 73,000 | 6,786.4 | 3,393.2 | 7,874.4 | 3,937.2 | | |
| 3 | 78,000 | 73,000 ～ | 83,000 | 7,784.4 | 3,892.2 | 9,032.4 | 4,516.2 | | |
| 4(1) | 88,000 | 83,000 ～ | 93,000 | 8,782.4 | 4,391.2 | 10,190.4 | 5,095.2 | 16,104.00 | 8,052.00 |
| 5(2) | 98,000 | 93,000 ～ | 101,000 | 9,780.4 | 4,890.2 | 11,348.4 | 5,674.2 | 17,934.00 | 8,967.00 |
| 6(3) | 104,000 | 101,000 ～ | 107,000 | 10,379.2 | 5,189.6 | 12,043.2 | 6,021.6 | 19,032.00 | 9,516.00 |
| 7(4) | 110,000 | 107,000 ～ | 114,000 | 10,978.0 | 5,489.0 | 12,738.0 | 6,369.0 | 20,130.00 | 10,065.00 |
| 8(5) | 118,000 | 114,000 ～ | 122,000 | 11,776.4 | 5,888.2 | 13,664.4 | 6,832.2 | 21,594.00 | 10,797.00 |
| 9(6) | 126,000 | 122,000 ～ | 130,000 | 12,574.8 | 6,287.4 | 14,590.8 | 7,295.4 | 23,058.00 | 11,529.00 |
| 10(7) | 134,000 | 130,000 ～ | 138,000 | 13,373.2 | 6,686.6 | 15,517.2 | 7,758.6 | 24,522.00 | 12,261.00 |
| 11(8) | 142,000 | 138,000 ～ | 146,000 | 14,171.6 | 7,085.8 | 16,443.6 | 8,221.8 | 25,986.00 | 12,993.00 |
| 12(9) | 150,000 | 146,000 ～ | 155,000 | 14,970.0 | 7,485.0 | 17,370.0 | 8,685.0 | 27,450.00 | 13,725.00 |
| 13(10) | 160,000 | 155,000 ～ | 165,000 | 15,968.0 | 7,984.0 | 18,528.0 | 9,264.0 | 29,280.00 | 14,640.00 |
| 14(11) | 170,000 | 165,000 ～ | 175,000 | 16,966.0 | 8,483.0 | 19,686.0 | 9,843.0 | 31,110.00 | 15,555.00 |
| 15(12) | 180,000 | 175,000 ～ | 185,000 | 17,964.0 | 8,982.0 | 20,844.0 | 10,422.0 | 32,940.00 | 16,470.00 |
| 16(13) | 190,000 | 185,000 ～ | 195,000 | 18,962.0 | 9,481.0 | 22,002.0 | 11,001.0 | 34,770.00 | 17,385.00 |
| 17(14) | 200,000 | 195,000 ～ | 210,000 | 19,960.0 | 9,980.0 | 23,160.0 | 11,580.0 | 36,600.00 | 18,300.00 |
| 18(15) | 220,000 | 210,000 ～ | 230,000 | 21,956.0 | 10,978.0 | 25,476.0 | 12,738.0 | 40,260.00 | 20,130.00 |
| 19(16) | 240,000 | 230,000 ～ | 250,000 | 23,952.0 | 11,976.0 | 27,792.0 | 13,896.0 | 43,920.00 | 21,960.00 |
| 20(17) | 260,000 | 250,000 ～ | 270,000 | 25,948.0 | 12,974.0 | 30,108.0 | 15,054.0 | 47,580.00 | 23,790.00 |
| 21(18) | 280,000 | 270,000 ～ | 290,000 | 27,944.0 | 13,972.0 | 32,424.0 | 16,212.0 | 51,240.00 | 25,620.00 |
| 22(19) | 300,000 | 290,000 ～ | 310,000 | 29,940.0 | 14,970.0 | 34,740.0 | 17,370.0 | 54,900.00 | 27,450.00 |
| 23(20) | 320,000 | 310,000 ～ | 330,000 | 31,936.0 | 15,968.0 | 37,056.0 | 18,528.0 | 58,560.00 | 29,280.00 |
| 24(21) | 340,000 | 330,000 ～ | 350,000 | 33,932.0 | 16,966.0 | 39,372.0 | 19,686.0 | 62,220.00 | 31,110.00 |
| 25(22) | 360,000 | 350,000 ～ | 370,000 | 35,928.0 | 17,964.0 | 41,688.0 | 20,844.0 | 65,880.00 | 32,940.00 |

※健康保険料率は各都道府県で異なる。上記は東京都の例。

**標準報酬月額（等級）の見方**

**CASE**

基本給　290,000円
主任手当　8,000円
通勤手当　10,000円
**合計　308,000円**

↓

この金額を表にあてはめる

↓

健康保険22等級と
厚生年金保険19等級であることがわかる

→

それぞれの等級を横に見ていくと…

**■健康保険料**

●介護保険不要の場合（40歳未満）
会社、社員それぞれ14,970円／月の負担

●40歳以上の場合
会社、社員それぞれ17,370円／月の負担

**■厚生年金保険料**

●会社、社員それぞれ27,450円／月の負担

**健康保険料も厚生年金保険料も**
**会社と社員で折半する**

※従業員が病気などで長期に療養休暇をとることに会社が同意した場合でも、社会保険料は毎月支払わなければならない。その間は、従業員の負担分も会社が立て替えて払うことになるので、従業員が長期休暇をとる場合は、事前に、従業員からどうやって保険料を徴収するのか、支払方法等の条件を決めておく。

## 社会保険関係の手続き全般について

COLUMN

**労働基準監督署・ハローワーク・年金事務所・協会けんぽの手続きは、従業員の入社・退社時に必要です。そのときに必要な書類一式と記載の見本などをもらって保管しておけば、いざというときにすぐに手続きができるので便利です。**

| 総称 | 保険の種類 | 手続き | 保険料負担者 | 納付時期 |
|---|---|---|---|---|
| 労働保険 | 労災保険 | 労働基準監督署 | 全額会社負担 | 一緒に年1～3回納付（7/10、10/31、翌年1/末） |
| | 雇用保険 | ハローワーク | 会社、従業員負担（会社のほうがやや負担が多い） | |
| 社会保険 | 健康保険・介護保険 | 年金事務所 | 会社、従業員半分負担 | 一緒に毎月納付（翌月末） |
| | 厚生年金保険 | | | |
| | 子ども・子育て拠出金（※） | | 全額会社負担 | |

※従業員に児童手当を受給している人がいるか否かにかかわらず、全被保険者（社員等）の厚生年金保険の標準報酬月額×3.6/1,000を納付する（標準報酬月額が20万円なら720円となる）。

# 公的融資制度を検討する

## 自治体融資が最優先

創業者向け公的融資制度《こうてきゆうしせいど》として、日本《にほん》政策金融公庫《せいさくきんゆうこうこ》など政府系金融機関による融資と地方自治体による融資があります。

まずは、**地方自治体による融資を優先**して検討すべきです。なぜなら、地方自治体による融資は、貸付限度額や貸付期間、金利などの面で日本政策金融公庫などによる融資に比べて有利な扱いとなっているからです。

ただし、地方自治体による融資を受けるためには、自治体によって若干の差はありますが、下に掲げるような条件があり、それを満たす必要があります。

## 自治体により内容が異なる

公的融資である**自治体融資（制度融資）の内容や条件は、自治体によって異なります**。問合せ窓口は各都道府県や市町村にありますが、最寄りの商工会議所に相談することをおすすめします。創業計画書（事業計画書）策定の支援も受けられます。

申し込み時には、融資の条件、限度額、利率や返済期間といった基本的な条件を確認します。さらに、申し込みから融資が実行されるまでにどれくらい待たねばならないのか、必ず確認しましょう。申し込み後は、事業計画書などの書類の審査や面談があります。

## 地方自治体による制度融資の条件（例）

- 自治体に住所があるか、または事業所を営んでいること。
- 常時使用する従業員数が20人以下である。
- 事業税や住民税を滞納していないこと。
- 信用保証協会の保証対象業種であること。

→

定款の事業目的に、信用保証協会の保証対象業種以外の業種は入れないようにする。
例:金融業、遊興娯楽業など

## 日本政策金融公庫の新企業育成貸付制度（例）

### 《新規開業資金（中小企業経営力強化関連）》（国民生活事業）

| 融資額 | 返済期間（うち据置期間 ※） |
| --- | --- |
| 7,200万円まで<br>（うち運転資金4,800万円まで） | 設備資金20年以内（5年以内） |
| | 運転資金10年以内（5年以内） |

■新たに事業を始めるため、または事業開始後に必要とする設備資金および運転資金に利用できる。

### 《新規開業資金（再挑戦支援関連）》（国民生活事業）

| 融資額 | 返済期間（うち据置期間 ※） |
| --- | --- |
| 7,200万円まで<br>（うち運転資金4,800万円まで） | 設備資金20年以内（5年以内） |
| | 運転資金15年以内（5年以内） |

■新たな開業か、開業後おおむね7年以内で、次のすべてにあてはまる場合に利用できる。
①廃業歴等があること
②廃業時の負債が新たな事業に影響を与えない程度に整理される見込み等であること
③廃業の理由･事情がやむを得ないもの等であること

### 《女性、若者／シニア起業家支援資金》（中小企業事業･直接貸付）

| 融資額 | 返済期間（うち据置期間 ※） |
| --- | --- |
| 7億2,000万円まで | 設備資金20年以内（2年以内） |
| | 運転資金7年以内（2年以内） |

■女性または35歳未満か55歳以上の人であって、新たに事業を始める人、または事業開始後おおむね7年以内の人が利用できる。

※据置期間とは、借入実行時から約定返済開始までの期間のこと。すなわち据置期間中は借入金の返済が開始しない。

さまざまなベンチャー支援

# 助成金制度を活用する

## 助成金で資金を増やす

雇用促進や創業支援など、国や地方公共団体では、さまざまな助成金制度を準備しています。

創業段階では余裕資金もそれほど多くない状態なので、**助成金は何かと経営安定化に役立ちます。**

創業まもない会社であれば、さまざまな助成金を受け取れる可能性があります。ただし、助成金を受け取るには、受給要件をクリアし、定められた手順に沿って、期限厳守で手続きをしなければいけません。1日でも期限が過ぎてしまうと受け取れなくなってしまうので注意が必要です。

**助成金を受け取る場合には、前もって十分な準備**をするようにしましょう。

助成金は、毎年要件が変更されるもの、終了してしまうもの、あるいは新規に創設されるものなど、さまざまな改正があります。

現在施行されている助成金やその要件などは、ホームページなどで**常に最新のものをチェックする**ようにしてください。

## 創業支援センターに相談する

自治体によっては、**創業支援センターなど、起業や創業にあたって役立つ情報やサービスを提供**しているところがたくさんあります。

会社を運営していくためには、法律、会計の知識だけでなく、マーケティングなどの手法や経営論など、さまざまな知識や情報が必要になります。そういった相談をどこにすればいいかわからないときには、創業支援センターなどを通して、適切な専門家を紹介してもらうこともできます。また、資金調達や計画についても親身に相談に乗ってくれるので、創業時の頼もしい味方となります。

創業支援センターが身近にない場合は、**商工会議所や納税協会などでも相談会などを実施**しているので、ぜひ活用してください。

**Point 1** 要件にあてはまれば助成金が受け取れる。

**Point 2** 助成金は改正が多い。常に最新のものをチェックする。

**Point 3** どこに相談したらいいかわからないときには創業支援センターを活用する。

プラスα Information

**オフィスシェアリング（オフィス・シェア）**

オフィスシェアリングは、小さく区切られた個別ブースを各入居者が借りて、会議室などを共用するもので、立地条件など快適なオフィス環境を安価に手に入れることができます。
コピーやファックスだけでなく、コーヒーやお茶の提供、さらにゴミ捨てなどのサービスの提供を受けられる場合もあります。最近は公的機関が運営するオフィス・シェアもあるので、情報はこまめにチェックしましょう。

## 地方自治体にある創業支援センターなどの例

### 東京商工会議所/東商ビジネスサポートデスク

https://www.tokyo-cci.or.jp/soudan/bsd/

特　徴

●各種総合セミナーや創業者交流会の開催。
●創業に際しての各種届出や公的融資や助成金の申請手続きの個別指導。

### 大阪産業創造館経営相談室（通称:あきない・えーど）

https://www.sansokan.jp/akinai/

特　徴

●登録している専門家のプロフィールを見て、必要とする専門家に無料で相談。
●有料サービスとして、専門家の派遣を受けることもできる（費用の一部を大阪市が負担）。
●経営に役立つ各種情報の提供、ビデオのレンタルサービス。

### 名古屋市新事業支援センター

https://www.nipc.or.jp/new-biz/

特　徴

●専門家による無料相談（中小企業診断士、技術士、社会保険労務士、IT コーディネータ、デザイナーなど）。

## 助成金の一例

| | 主な要件（他にも要件あり） | 助成内容 | 窓口 |
|---|---|---|---|
| **人材育成の助成金** | | | |
| キャリアアップ助成金<br>人材開発支援助成金 | ●非正規労働者のキャリアアップ（正規雇用等転換・人材育成等）を実施すること。 | ●正社員転換助成:1人あたり80万円<br>※1期（6か月）あたり40万円×2期分<br>※正社員化コースの助成<br>●賃金助成:1人1時間あたり760円～960円<br>●経費助成:訓練時間数に応じた額（限度額あり）<br>※人材育成支援コースの助成<br>●その他コースあり | ハローワーク<br>都道府県労働局 |
| **人材確保の助成金** | | | |
| トライアル雇用助成金<br>（一般トライアルコース） | ●安定的な就職が困難な求職者について、試用期間を設定して雇用する。 | ●対象者1人につき、月額4万円（最長3か月間） | ハローワーク<br>都道府県労働局 |
| 特定求職者雇用開発助成金（特定就職困難者コース） | ●高年齢者、障害者、母子家庭の母等、就職が特に困難な人など、一定の人を雇用する。 | ●採用後１年～３年間で、40万円～240万円 | ハローワーク<br>都道府県労働局 |

助成金一覧は、厚生労働省HP「事業主の方のための雇用関係助成金」で調べられる。
https://www.mhlw.go.jp/stf/seisakunitsuite/bunya/koyou_roudou/koyou/kyufukin/index.html

## 融資決定がおりるまでの流れ

# 金融機関は会社の将来性と成長性を見る

### 審査は従業員の面接と同じ

会社が融資を受ける借入金は、金融機関にとっては貸付金となります。人にお金を貸すのですから、その**会社の将来性や成長性、そして社長の人格などを総合判断**して融資は決定されます。

従業員を雇い入れる際に行う面接試験と同じような思いで金融機関は会社にお金を貸すのですから、しっかりした心構えで臨まなければなりません。

### 書類審査と経営者面談がある

計画どおりに回収できると判断されなければ融資はおりません。

融資の**審査には書類審査と経営者面談があります。**飲食店などの場合には、お店まで出向いて行って、店構えやお客さんの入店状況などを視察することもあります。

書類審査では事業計画書や税務申告書、直近の試算表などが必要になります。

### 会社の将来性と成長性がカギ

金融機関は、会社の将来性と成長性を見越して、出資ではなく貸付という手段で資金を提供します。言い換えれば、将来性も成長性も見込めない会社に貸付をすることはありません。金融機関にとってメリットがないからです。

貸付を判断する際に審査されるのが、5年から10年先の予想値を数値にした事業計画書です。金融機関は、「事業計画書の予想値が常識とかけ離れていないか」「適正な根拠に基づいて綿密に検討されているか」などを参考にします。

したがって、会社の将来性と成長性を踏まえて、**無理なく計画されているかどうかがポイント**となります。

それらの数値に客観性をもたせるためにも、中小企業庁や日本政策金融公庫の調査等を参考にしたり、現在の業績を軸にして、顧問税理士に事業計画書を作成してもらうのもよいでしょう。

**Point 1** 融資審査にはしっかりした心構えで臨む。

**Point 2** 事業計画書は根拠と客観性のある予想値で無理なく作る。

**Point 3** 経営者面談では社長の人格や信頼性を見ている。

**プラスα Information**

**はじめ厳しければ後はラク**

たいていの都市銀行や地域金融機関は、日本政策金融公庫や地方自治体の代理店となっているので、事業主の希望に沿った有利な方法を紹介してもらえます。一般的には、審査の厳しい金融機関ほど、借入条件は有利となります。
連帯保証人が必要な融資については、あらかじめ保証人をお願いする方の内諾をもらっておく必要があります。

## 融資申込から返済までの流れ

### 相　談

■金融機関の融資窓口で相談する
■各金融機関所定の書式（借入申込書など）をもらう

↓

### 融資申込

■金融機関所定の書式に必要事項を記入して提出する
■添付書類には次のようなものがある
●開業計画書、事業計画書
●登記簿謄本、履歴事項証明書（→131ページ）
●担保物が必要な場合には不動産登記簿謄本または登記事項証明書など
●その他融資担保を満たす旨を証明する書類など
■後日の経営者面談の日取りなどを決める

↓

### 経営者面談

■金融機関の担当者が経営者と直接面談する
■融資申込の際に提出した書類のほかに参考資料があれば持参して、経営状況や従業員の雇用状況など、質問に答えられるように準備をしておく
■後日、店舗や工場などを視察することもある

↓

### 融　資

■融資が決まると指定した預金口座に振り込まれる
■返済予定表などが郵送される

↓

### 返　済

■返済予定表に従った期日に返済額と利息が指定口座から引き落とされる
■返済が遅れると次の融資が受けられなくなるので注意

**注意**　以下のようなケースに該当する場合、融資を断られる場合がある。
●資産よりも負債が多く債務超過となっている
●赤字続きの業績で改善の見通しがない
●現金預金が異常に少ない、またはマイナスになっている
●売掛金や棚卸資産が多く、粉飾決算の疑いがある
●役員報酬が異常に少ない
●他人に対して多額の貸付がある
●税金や社会保険料などを滞納している

### 従業員を雇うかどうかの意思決定

# 会社の支出は社員の手取額の1.3倍

## たいせつな時間を有効活用

社長には、しなければならないことが山ほどあります。

従業員を雇えば、会社運営に欠かせないさまざまな仕事を、振り分けることができるので、より重要なことに時間がかけられるようになります。当然のことですが、1人よりも2人、3人のほうが時間を短縮できます。

だからといって、**安易に人を雇うのは考えもの**です。後で思いもよらなかった誤算が生じることに注意しなければなりません。

## 意外と多い事務手続き

従業員を雇うと、その人に対する給与の計算と支払、源泉徴収する税金の計算、経理処理などの事務手続きの負担が増えることも考慮に入れておかなければなりません。

したがって、採用にあたっては、

- **今何人雇うべきなのか**
- **何をしてもらう人を雇うのか**
- **どれくらいのコストを割り当てるのか**

などを十分に検討しておく必要があります。

何も考えずに雇ってしまうと、後で思いもよらなかった誤算が生じてしまいます。

## 給料に対する会社の負担は大きい

サラリーマン時代に給与をもらっていた人は、給与の明細書を思い出してみてください。税金や社会保険料など、いろいろ差し引かれていたはずです。

これらは、会社が従業員から預かったお金を各官庁に支払うためにあらかじめ差し引いていたものです。さらにいえば、差し引いた金額だけではなく、会社負担額までを上乗せして支払っていたのです。

たとえば、**手取りで26万円の給与を支払おうと思えば、会社は35万円くらいを負担する**ことになるのです。

**Point 1** **従業員を雇えば、多くの手続きが発生する。**

**Point 2** **会社から出ていく費用は、実際の給与支給額だけではない。この額が思いのほか大きくなることに注意しなければならない。**

プラスα Information

**助成金を検討する**

従業員を雇う場合は助成金をもらえる場合があります。前もって調べておきましょう（→185ページ）。

**従業員を雇う場合の届出関係**

従業員を雇うときには、各種の届出が必要です。主な届け出先としては、税務署、労働基準監督署、ハローワーク、年金事務所、協会けんぽがあります（142ページ～181ページ）。

## 給与支払額と会社負担額の比較

**CASE**
社員A（30歳）
給与：308,000円（通勤手当10,000円を含む）
扶養家族：妻のみ

**本人負担保険料**

●厚生年金保険料　27,450円
●健康保険料　14,970円
●雇用保険料　1,848円
●源泉徴収税額　5,020円
●住民税額　Aさんが自分で納付しているとする

→ **これらが給料から天引きされる**

差引支給額
308,000円－(27,450円＋14,970円＋1,848円＋5,020円)
＝258,712円　←これが本人の手取額

**会社負担保険料**

●厚生年金保険料　27,450円
●健康保険料　14,970円
●雇用保険料　2,926円
●労災保険料　924円
●子ども･子育て拠出金　1,080円

→ **合計47,350円**

**会社は、手取り258,712円の給与に対し、355,350円（308,000円＋47,350円）を支払っている**

## 給与や報酬の取扱い

個人に対して支払う金額は種類に応じて次のように取り扱う。

| | | | |
|---|---|---|---|
| 内　容 | 自社の従業員として、雇用契約を締結し、時間を拘束して労働してもらう | 独立した事業主に対して、相手方の責任において仕事をしてもらう | |
| 源泉徴収義務 | あり | なし | あり |
| 相手方の課税 | **給与所得**<br>年末調整により、1年分の所得税を計算する | **事業所得**<br>確定申告により1年分の所得税を計算する | **事業所得･雑所得**<br>確定申告により1年分の所得税を計算する |
| 消費税 | 対象外取引 | 課税取引 | |

# 従業員の能力を最大限に活用する

## 能力を的確に判断する

従業員を雇ったあと、その人に何をしてもらうかを考えることは経営者にとっては、とても重要な課題です。

従業員を雇い入れれば、その分人件費も多くなります。しかし、給与を支払ったからといって、すぐに売上が上がるわけではありません。まずは雇い入れた従業員の能力を的確に判断して、どのように会社で役立ってもらえるのかを考えることが重要です。

## 会社は他人の時間を買っている

経営者にとって、従業員への給料の支払の基本姿勢は、「他人の時間をお金で買っている」であることを決して忘れてはいけません。

社員が全員で会社の掃除をしたり、社長の車を洗ったりするのは、どうでしょう？　従業員の日当や時給計算をしてみると、専門の業者に任せたほうがコストも安くすむことがほとんどです。また、専門の業者であればきっちりとしたプロの仕上がりとなります。

そういった雑用をしてもらうより、それ以上に**重要な仕事をしてもらうために従業員を雇い入れた**のです。

会社にとって、その人の**能力を最大限に発揮してもらえるような仕事をしてもらうことを優先して考える**ことこそが、経営者にとって重要な仕事となります。

## 時間外手当は割増賃金になる

従業員に時間外労働をしてもらったときには、**所定の割増賃金を支払わなければなりません。**

通常の賃金に所定の割合以上の賃金を上乗せしたものとなるので、雇い入れた従業員に、営業時間内で、いかに効率よく仕事をしてもらうかを考えるのはとても重要な課題であるといえます。

Point 1 **雇用後従業員に何をしてもらうかを考える。**

Point 2 **従業員の給料は、お金で時間を買っているのと同じ。**

Point 3 **時間外労働には所定の割増賃金を支払わなければならない。**

プラスα Information

**割増賃金（労働基準法規定の中小企業）**

通常の時間あたりの賃金に次の割増率を掛けた金額を上乗せして支払われる賃金を割増賃金といいます（代表的なものを紹介）。

●時間外労働　25%以上
●休日労働　35%以上
●深夜労働　25%以上

深夜労働の場合、重複して計算します。たとえば、時間外労働が深夜にまで及んだ場合には、50%（25%+25%）以上となり、休日労働が深夜にまで及んだ場合には60%（35%+25%）以上となります。

## 給与計算の流れ

**STEP1 支給額を計算する**

■基本給・時間外賃金を計算する
- ○出勤日数を把握する（慶弔による休暇かどうか）
- ○時間外労働等の割増賃金の対象となる時間を把握する
- ○遅刻や早退の回数、時間数を把握する

■各種手当・通勤交通費を加算する

↓

**STEP2 各控除額を計算する**

■社会保険料を計算する
- ○健康保険料・介護保険料（40歳以上）・厚生年金保険料・雇用保険料

■源泉徴収税額を算出する

■住民税（給料から預からずに、従業員が自分で納付する場合もある）

→

**STEP3 支給額（STEP1－STEP2）を計算する**

給与支給明細書

| 氏名 | 社員番号 | 所属 |
|---|---|---|
| A | 123 | 営業 |

○年5月分

| | | | | | |
|---|---|---|---|---|---|
| 支給額 | 基本給 | 主任手当 | 家族手当 | 住宅手当 | |
| | 290,000 | 8,000 | | | |
| | 時間外手当 | 休日手当 | 深夜手当 | | |
| | | | | | |
| | 非課税通勤 | 課税通勤 | 遅早控除 | 欠勤控除 | |
| | 10,000 | | | | |
| 控除額 | 健康保険料 | 介護保険料 | 厚生年金保険料 | 雇用保険料 | 所得税 |
| | 14,970 | 0 | 27,450 | 1,848 | 5,020 |
| | 住民税 | 財形貯蓄 | 生命保険料 | | |
| | | | | | |
| | 総支給金額 | 控除合計額 | 差引支給額 | 銀行振込額 | 現金支給額 |
| | 308,000 | 49,288 | 258,712 | | 258,712 |

## 賃金計算の端数処理

**CASE1 1時間あたりの賃金・割増賃金や1か月間の割増賃金合計額に1円未満の端数が生じたとき**

→ 50銭未満の端数は切り捨て、50銭以上は切り上げて処理することができる

例：1,531.5円→1,532円　　1,531.4円→1,531円

**CASE2 1か月間の賃金の支払額の端数**（就業規則で定めることが必要）

❶100円未満の端数が生じたとき

→ 50円未満切り捨て、50円以上を100円に切り上げることができる

例：135,421円 → 135,400円　　135,451円 → 135,500円

❷1,000円未満の端数が生じたとき

→ 1,000円未満の端数を翌月の賃金に繰り越して支払うことができる

例：159,700円 → 159,000円（700円は翌月支払う）

※1か月の労働時間数の集計において、1か月分の合計から30分未満は切り捨て、30分以上は切り上げであれば違法とならない。ただし、日々30分未満切り捨ては認められない。

**給与計算の誤りは命取り**　COLUMN

**賃金の計算事務には、前記の割増賃金の計算以外に社会保険料や源泉所得税の算定など、かなり複雑な計算が必要になります。これらの計算について万が一ミスがあると従業員に致命的な不信感を与えてしまいます。**

**従業員を雇ったら、社会保険労務士や税理士などのプロに計算事務を委託したり、計算に誤りがないかをチェックしてもらうようにしましょう。**

顧客の声の活用と広告

# お客さまの声を経営に役立てる

## お客さまのさまざまな声の活用

**うれしい声**

ありがとうございます

とてもよかった

商品の広告に添えて掲載する → 販売商品に安心感が生まれる

**活用法に関する声**

こんなふうに活用しています

こんなところが便利です

商品を購入して使っているお客様に対してDMを送る際の情報提供に活用する → アフターフォローがしっかりしているという好印象につながる

**今後の期待感に関する声**

ここに期待します

こうすればもっと便利です

社内の必要な部署で活用する → 商品のアピールポイントや今後の改良の参考にする

**感謝やねぎらいの声**

○○さんのおかげでとても気持ちよく購入できました

社内情報として共有できるようにしておく → これを見ることによって、社員はいっそう楽しく働けるようになり、やる気も出る

**お叱りの声**

ここに不満がある

従業員の対応がよくなかった

不備に対する指摘 → すぐに対処とフォローをする

商品に対する不満や改良点の指摘 → 次世代商品の開発の参考にする

従業員に対する不満 → 社員教育の参考に取り入れる

## お客さまの声は神の声

お客さまの声を無視して経営は成り立ちません。お客さまの声を上手に取り入れ、**経営に役立てていく**ことがポイントとなります。

中でも「お叱りの声」は特に重要です。すみやかに苦情や不満に対応するだけでなく、次世代商品の開発や従業員の教育に活かす工夫が必要です。

お客さまからの声を、経営のさまざまな場面で活用していきましょう。

## 広告の種類と手段

| 手　法 | 内　容 | メリット | デメリット |
|---|---|---|---|
| ダイレクトメール（DM） | 郵便で送付 | 自社への親近感を深める効果がある | 興味がなければ封を開けずにゴミ箱へ直行 |
| FAX | FAXで送信 | 必ず内容を確認するので内容によっては効果がある | 紙やインク代を負担させるので、迷惑感が強い |
| 新聞 | 折り込み | 毎日チェックする読者が多いので地域性のある広告は特に効果が高い | 大量広告となるためコストがかかる |
| 雑誌 | 関連雑誌への掲載 | 自社商品を購入するターゲットの購読誌であれば効果が高い | コストがかかる |
| ホームページ | 自社ページで宣伝 | 自社で作成する場合は気軽にできる | 作成を依頼する場合にはコストがかかる |
| 自社のSNS | 自社のSNSで宣伝 | 広告やお知らせを自由に配信することができアプローチの方法も多彩 | 登録者数を増やすことが容易ではない<br>企業向けのSNSはコストがかかるものがある |
| 他人のSNS | 登録者数の多い他人のSNSなどで宣伝 | ホームページへの誘導や商品の購入につなげる | ターゲットが登録するSNSなど選択が難しい<br>コストがかかる |
| アフィリエイト | 商品を宣伝してもらい販売に応じてマージンを支払う | 販売に応じた歩合で広告料が増えるので損が出ない | 不特定の人が広告するので広告の仕方が悪いと会社のイメージダウンにつながる |

※SNS：X（旧Twitter）、Line、Facebook、YouTube、TikTokなどがある。

WORD

**SNS**

ソーシャルネットワーキングサービスの略称。インターネットやスマートフォンなどのWebやアプリ上で社会的ネットワークを構築可能にするサービスをいいます。

**アフィリエイト**

インターネット上の特約店契約のことをいいます。一般のホームページ管理人とパートナー契約を結び、販売数に応じて成果報酬を支払います。

インターネットの活用

# インターネット活用の幅は広がっている

## インターネットをマーケティングツールとして活用する

パソコンは、今や一家に1台という時代ではなく、家庭や職場においても個人で専用のものを所有する時代となっています。

それに伴い会社のインターネットの活用幅も、ホームページを作成するだけでなく、**マーケティング(集客)ツール**としてさまざまな広がりを見せています。

●ホームページ

会社がホームページ（HP）をもつことは一般的になってきました。HPは単に看板としてだけではなく、うまく活用すればネット販売などの業績UPにもつながります。ただし、HPの制作と、インターネットビジネスは切り離して考えるべきです。

HP制作会社に依頼する場合は、制作コストにHPの活用ノウハウの提供が含まれているかどうか、また、費用に見合ったサービスが受けられるかどうかをチェックする必要があります。

●ブログなど

単なる「日記」の領域を出て、1つのマーケティングツールとなっています。つまり、インターネットを通じて、友人・知人に対していっせいに発言をしたり、他の人の発言を共有したり、連絡を取り合ったりするためのコミュニケーションツールなのです。

新商品の紹介を書き込んだり、説明会の案内を告知したりすることによって、そこに読者がコメントをつけたり、トラックバックしたりする形での口コミ効果が期待できる点が優れています。

●メールマガジン

一般に「メルマガ」と呼ばれています。電子メールで雑誌のように情報を発信するもので、読者はメルマガの発行元に自分のメールアドレスを登録することで定期的に情報を受け取ることができます。

会社にとっては低コストで潜在的な顧客に定期的に情報発信できるというメリットがあります。

**Point 1** ホームページをうまく活用すれば業績UPにもつながる。

**Point 2** SNSは顧客とのコミュニケーションツール。

**Point 3** メルマガは最も低コストなDM（ダイレクトメール）となる。

プラスα Information

**メールにもビジネスマナー**

従来は電話やFAXでやりとりしていたことでも、ごく当たり前のようにメールでやりとりをするようになりました。
手紙、電話やFAXでのビジネスマナーと同様に、メールに関するビジネスマナーも知っておかなければなりません。

## インターネットを利用した3つのツール

### ホームページ

●会社概要
●商品陳列
●商品販売　など

●HPは自分の会社の支店を出すのと同じこと。お客さまはパソコンやスマートフォンを通じて会社を見に来てくれる。
●興味があれば知らない人も訪れる。興味をひくコンテンツを充実させることがポイント。

興味あるものを探しに訪問

### メールマガジン・ブログ

●意思伝達手段

●メールマガジンの発行は、DM発送と同じこと。
●当社のお知らせを配信して、それに興味があればお客さまはHPを訪れるようになる。
●ブログは読者がコメントをつけたり関連記事についてトラックバックすることでコミュニケーションツールとなる。

無料広告

お客さま

お客さまとのコミュニティー

### ライン・フェイスブックページ・X（旧ツイッター）などのSNS

●YouTubeやInstagramは、動画や写真による情報提供でお客さまにアプローチできる。
●新商品の説明、掲示板の設置　など

●X（旧ツイッター）は更新が簡単なので、最新情報を掲載するのに便利。

## メールマガジンの発行方法

●自分でプログラムを購入して管理する以外に、無料で登録できるメールマガジン配信サービスを利用する方法がある。
●読者を集めてくれるシステムのある配信サービスを利用するのが一般的で、下記の配信スタンドが有名。

まぐまぐ！（https://www.mag2.com/）

WORD

**トラックバック**
ブログの機能の1つ。別のブログへのリンクを貼ったとき、リンク先の相手に対してリンクを貼ったことが、自動で通知されるしくみです。

**掲示板《けいじばん》**
Webサイトで参加者が自由に書き込んで意見を交換できるサービスです。

お客さまの気持ち

# お客さま目線で商品やサービスを考える

## お客さまが商品を買ってくれる

事業をしていく上で決して忘れてはならないのは「お客さまがいるから商売が成り立っている」という心構えです。

会社は売上がなければたちまち潰《つぶ》れてしまいます。その売上はお客さまが当社の商品を買ってくれたり、サービスを利用してくれるからこそなのです。

言い換えれば、**お客さまが心から喜ぶ商品・サービスが提供できれば事業はうまくいく**ということです。

## お客さまとしての経験を活かす

お客さまが喜ぶサービスを提供するためには、経営者自身がいろいろな**サービスの提供を自分で経験しておく**必要があります。

経営者としてではなく、お客さまとしてさまざまなサービスを体験することによって、それらのサービスで良かった点、悪かった点が見えるようになります。

## セルフサービスもサービス

セルフサービスは一見、お店側に都合のよいシステムのように思えますが、実はお客さまの目線に立ったサービスを提供するためのシステムであるともいえます。

セルフサービスであれば、従業員の数が最小限ですむために、安価でサービスを提供することができます。水がほしければ店員に声をかけなくても自分で取りに行けばいいし、空いた席があれば自由に好きな席で食事をすることができます。

通常のレストランであれば、窓側の広い席が空いているのに狭い席に案内されたり、店員に声をかけても「少々お待ちください」と待たされたりして、嫌な気持ちになったりすることもあります。

自分自身の**お客さまとしての経験を通じて、サービスの良し悪しに気づく**ようになります。

**Point 1** お客さまが喜ぶ商品・サービスを提供する。

**Point 2** 自分自身がさまざまなサービスを体験することがたいせつ。

**Point 3** セルフサービスもお客さまの目線に立った良質なサービス。

COLUMN

**泡立ったお水**

レストランや喫茶店で、コップにつがれたお水に泡が残っていることがよくあります。その理由のほとんどは、ポットやコップに洗剤が残っているケースです。こういったことに気づかずに、平気で水を出しているお店が意外と多いのです。「水は泡立たない」ということを知っているお客さまは、そのような店には二度と来なくなってしまいます。

## こんなところに目を配る

☑ テーブルが汚れている

☑ メニューの写真と実際の料理が違う

☑ 小さなゴミが落ちている
☑ 天井にホコリがたくさん付いている

☑ なかなかお水をもってきてくれない

☑ 食器が曇っている
☑ 広い席がたくさんあるのに、狭い席に座らされる

☑ 従業員の服装や髪型が不潔
☑ 注文した料理がなかなか来ない
☑ シェフがタバコを吸っている

**注意** 自分自身が経験したことを自分の事業に活かすことを心がけると、良いサービスの提供者になれる。

## 候補地選びと実地調査

# 創業地の選択は重要課題

### 人通りが多ければチャンスも大きい

特に一般の人が利用するサービス業や小売業はお店の**立地条件によって成功するか失敗するかが決まってしまいます。**

人がたくさん通行する駅前などの商業地域では、家賃もそれなりに高額となりますが、それだけ見込み客もたくさん通るので、商売が繁盛するチャンスも大きくなります。

### ターゲット層が多く通るかが重要

人がたくさん通るからといって、自分の事業の見込み客がたくさん来るとは限りません。自社の商品やサービスを利用してもらいたい顧客層とそのニーズをしっかりと認識して、それに合致した**ターゲット層がたくさん通る場所かどうかをチェックする**必要があります。

また、近所に競合店があったりする場合には、自分のお店を出すことによって相乗効果が生まれるか、単に客の取り合いになるかどうかも冷静に判断する必要があります。

### 法的に許可がおりないこともある

たとえ候補地を決めても、学校の通学路や病院付近では営業許可がおりない業種もあります。**営業許可がおりるかどうか、市町村役場や保健所、警察署などで用途地域を調べて確認する**必要があります。

また、ターゲット層が自動車で来ることが前提となるビジネスであれば、駐車場のスペースがあるかどうかも重要な判断基準になります。

### 花火大会があったりするとラッキー

創業地の候補が決まったら、必ず**何度も訪れて自分の足と目でチェック**します。朝と昼と夜などの時間帯により交通量は変わりますし、雨の日や晴れの日によっても変わります。平日や祝日によっても行き交う人の層はまったく違ったりします。

さらに、季節によって花火大会やマラソン大会など、地域で行われる大きな行事があったりもするので、短期間で見て確認するだけでなく、**近くのお店や行き交う人に聞いたりすることも重要**です。

**Point 1** 立地条件は、成功か失敗かを決める大きな要因となる。

**Point 2** 法的に営業可能かどうか事前に確認する。

**Point 3** 何度も候補地に足を運び、近所の人に聞いたりして情報を収集する。

## 立地調査のポイント

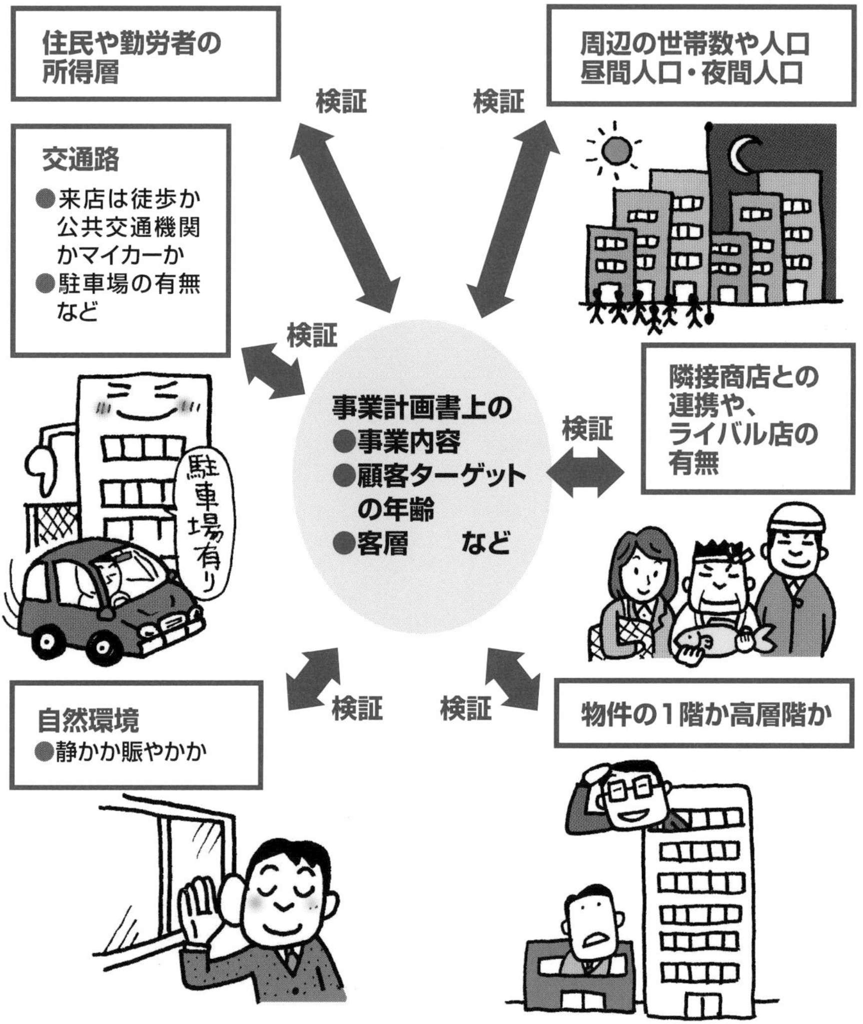


**事業計画上の事業内容・顧客ターゲット・サービス内容などに適した立地であるかどうかをチェックする。**

WORD

**用《よう》途《と》地《ち》域《いき》**

都市計画法において、土地の上に建てる建物の用途を規制することで、環境を保全したり、利便の増進を図ったりするために区分された地域をいいます。

**商《しょう》業《ぎょう》地《ち》域《いき》**

都市計画法で定める13の用途地域の1つ。店舗、事務所などの利便の増進を図る地域として規定されています。

Column

# 取締役の任期が満了したら

取締役の任期は原則として2年、条件が揃えば最長で10年まで延ばすことができますが、その任期が満了したら役員は退任することになります。そして次の役員を決めて役員の変更登記をするわけですが、このとき同じ人物が再度役員に就任する「重任（じゅうにん）」であっても役員就任登記はしなければなりません。

外見的に同じ人物が役員を続けていても、登記をせずに放っておくと、代表者に対し過料が科せられる場合があります。過料の金額は法的には100万円以下となっていますが、普通は登記費用に相当する金額が過料とされることが多く、登記しないことを何回も繰り返す会社には高額の過料が科されることがあります。つまり、同じ役員が続けるのだからと登記を1回パスして費用を節約することはできません。また、過料は法人税の計算上、損金として処理することはできません。

一方、会社の営業を途中でやめてしまって、役員変更登記もせずに何年も放置した場合は、いわゆる「休眠会社」となります。そして、おおむね12年経過すればみなし解散の登記がされます。

登記を怠ったら罰金を払わなければならないけれども、それを放置し続けたら勝手に解散登記がされるというのは理不尽ですが、多くの休眠会社の登記をそのままにしておくといろいろな弊害が生じることから、法務局は休眠会社の整理を行っています。

第 5 章

# 会社に関する税金・法律

経理の基本

# 必要な帳簿を準備する

## 利益と財産状態を把握するために帳簿を作成する

会社は営業活動によって利益が出た場合、その利益に基づいて算出した税金を国に納付します。

「どれだけの利益が出たのか」「会社の財産状態はどうなっているのか」などを把握するために損益計算書《そんえきけいさんしょ》や貸借対照表《たいしゃくたいしょうひょう》を作成します。そして、これらを作成するために帳簿を作成するのです。

## 現金出納帳に記録する

銀行口座を通して出し入れしたお金は通帳に記録が残りますが、銀行口座を通さないお金の記録は残りません。そこで、現金の出し入れについては「**現金出納帳《げんきんすいとうちょう》**」を使って記録します。

現金出納帳は、おこづかい帳や家計簿をつけるのと同じ要領で、出たお金と入ったお金を毎日記入していくだけです。

## 総勘定元帳を用意する

科目ごとの収支状況をまとめた**総勘定《そうかんじょう》元帳《もとちょう》**も必要です。損益計算書や貸借対照表を作成する際に必要となります。

ほかには、固定資産がたくさんあれば固定資産台帳《こていしさんだいちょう》、手形《てがた》を受け取れば受取手《うけとりて》形帳《がたちょう》、手形を振り出せば支払手形帳《しはらいてがたちょう》など、会社の経理規模にあわせて必要になる帳簿があります。

帳簿の作成については、**コンピュータソフトの使用**を検討しておきましょう。自動的に作成してくれるので簡単に帳簿がつくれます。

試用版を利用して、会社にあったソフトを選ぶようにします。

**Point 1** 帳簿書類の作成は必須。

**Point 2** 現金出納帳は現金の出し入れがあるたびに、きちんとつける。

**Point 3** 総勘定元帳は会計ソフトで簡単につくれる。

プラスα Information

### 会社設立前の支出

会社の設立準備段階から旅費交通費や通信費は発生しています。これらの領収書は必ず残しておきます。会社設立時の登記費用や各種手数料についても同じです。事業年度が開始されるまでに発生した費用は創業費として計上します。

### 主な会計ソフト

「弥生会計オンライン（年30,580円～）」
弥生株式会社 https://www.yayoi-kk.co.jp/
「勘定奉行i11（275,000円～）」
株式会社オービックビジネスコンサルタント
https://www.obc.co.jp/
「会計王（44,000円～）」ソリマチ株式会社
https://www.sorimachi.co.jp/
※付加機能により100万円を超えるものもあるが、安いものでも十分。
※定価、税込金額。

# 現金出納帳の見本

## 《見本1》市販されている現金出納帳

●現金出納帳は、文房具店で「現金出納帳」として販売されている。

入出金の明細を書く

預金から出金したらここへ書く

支出ごとに書く

毎日金庫の残金と照合する

| 月 | 日 | 摘要 | 収入金額 | 支払金額 | 差引残高 |
|---|---|---|---|---|---|
| 4 | 1 | 繰越高 | 30000 | | 30000 |
| 4 | 1 | ○△B/K | 200000 | | 230000 |
| | 3 | 小口現金 | | 50000 | 180000 |
| | 4 | 町会費支払い | | 3000 | 177000 |

## 《見本2》多桁式の現金出納帳

●表計算ソフトを利用したりノートに定規で線を引いたりして、自分でつくってもよい。

●ページ1行目には前ページからの繰越額を記載する
●ページの最後（Aの箇所）には、このページの合計額を記載する

●自社にあった勘定科目を洗い出して、その科目を記載する
●「その他」欄は必ずつくっておく

●出金状況の「計」の欄は、出金されたもののみの合計額を記載する

| | 摘　要 | 入金 | 入金科目 | 出金状況 | | | | | |
|---|---|---|---|---|---|---|---|---|---|
| | | | | 交通費 | 通信費 | 消耗品 | 雑費 | その他 | 計 |
| | 繰越高 | 32,325 | | | | | | | |
| 4/8 | ○△銀行より | 200,000 | ○△銀行／普通 | | | | | | |
| 4/9 | 電池／○○電気店 | | | | | 280 | | | 280 |
| 4/9 | 84円切手／100枚 | | | | 8,400 | | | | 8,400 |
| | | | | | | | | | |
| | | | | | | | | | |
| | | | | | | | | | |
| | | | | | | | | | |
| | | A | | b | b | b | b | b | B |

※Aは入金の合計額。bは各勘定科目の合計額。

●現金支出する勘定科目をあらかじめ設定しておいて、出金ごとに書き込む

●現金の残額は、A－B（bの合計額）で簡単に把握できる。
●集計しやすいように、各ページの最後と右端の欄を合計欄として使用すると使いやすい。

WORD

### P／LとB／S

会社の利益を算出する会計上の書式を損益計算書（P／L：profit and loss statement）といいます。会社の財産状態を示す会計上の書式を貸借対照表(B／S：balance sheet)といいます。

### 総勘定元帳《そうかんじょうもとちょう》

勘定科目別の取引（日付、相手科目、金額など）の一覧とその残高を確認することができる帳簿書類です。

### 領収書の保管

# 領収書はきちんと保管する

## 領収書はたいせつな証拠書類

**領収書《りょうしゅうしょ》**は「会社に必要な経費を支出しました」という証拠書類になります。この領収書がなければ、それに代わるものが必要になります。現金で支払った際には相手方から必ずもらってください。

現金出納帳に記載する際に、もとになるのがこの領収書です。領収書は、10年間、たいせつに保管しておかなければなりません。

## 個人的費用は経費にならない

たとえ領収書があったとしても、その領収書が家族旅行のものであったり、マイカーのガソリン代であったり、会社の業務と関係のない個人的な費用の負担額であれば、会社の経費としての証明書にはなりません。

この場合にはその個人的に負担すべき人の給与（社長であれば役員給与）として取り扱うので、混同しないようにしなければいけません。

## 領収書がない場合は精算書をつくる

電車代やバス代など、一般に領収書が出ない経費については、出金伝票《しゅっきんでんぴょう》か交通費の**精算書《せいさんしょ》**を別につくって記載します。使い終わった電車やバスのカード式回数券は領収書の代わりに残しておくとよいでしょう。

ただし、個人的な利用と業務での利用とが混在しているときは、業務で使用した分だけ抜き出して記録します。

**Point 1** 領収書は10年間たいせつに保管する。

**Point 2** 領収書がない経費については記録を残す。

**Point 3** 領収書があっても、会社の業務に関係のない経費、個人的な支出は会社の費用としては認められない。

**COLUMN**

**同じストッキングでも……**

税務調査で「交際費その他」という不明な支出を見つけた調査官が領収書をチェックしたところ、女性用のストッキング数十点であることが判明しました。社長が女性だったため、役員給与（個人的費用）として否認されてしまいました。
社長は「そんなもの会社の経費で買ったかしら？」と疑問に思い、調査官が帰った後で調べてみると、ゴルフコンペの景品で20個購入したことがわかりました。
「ゴルフコンペ景品」としっかり記帳さえしていれば、調査官に個人的な費用と疑われることもなかったのです。

## 領収書の管理

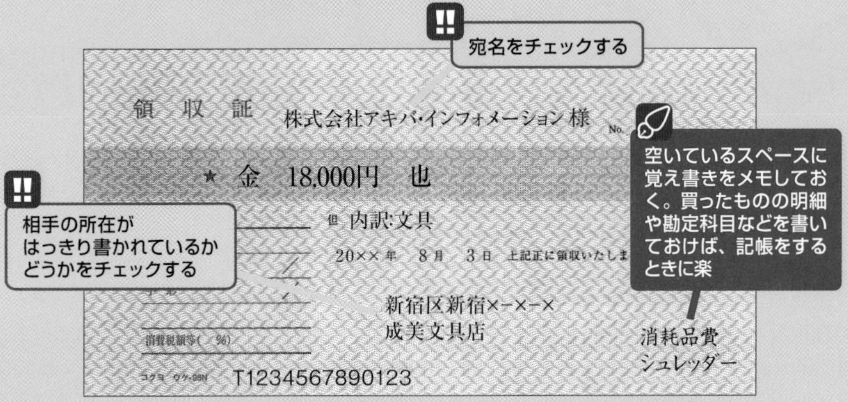


- 勘定科目の記載ミスがよくあるので、書き換えられるように上記のメモ書きは鉛筆で。
- レシートでも、摘要や宛名が書いてあれば経費として認められる。
- インボイス登録事業者が発行する領収書には、Tで始まる適格請求書発行事業者番号が記載されている。

## 精算書の例

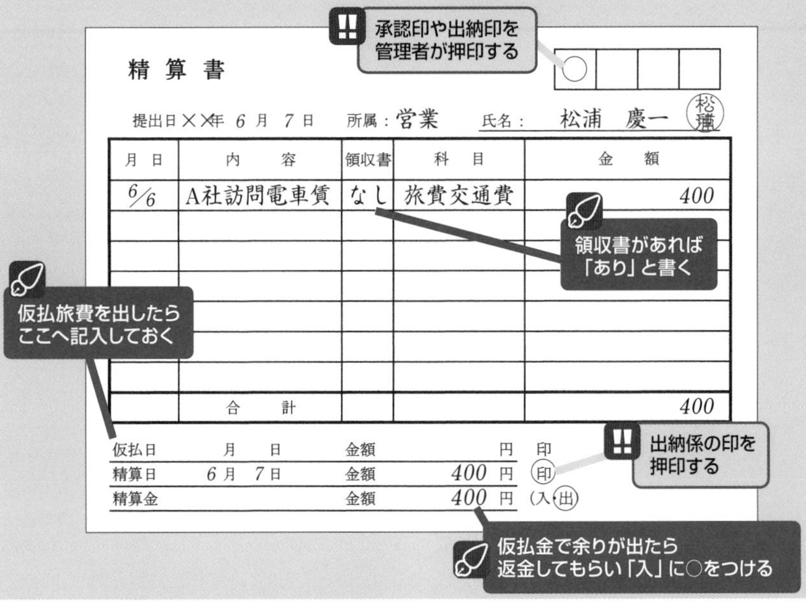


精　算　書

提出日××年 6 月 7 日　所属：営業　氏名：松浦　慶一 （松浦）

| 月 日 | 内　容 | 領収書 | 科　目 | 金　額 |
|---|---|---|---|---|
| 6/6 | A社訪問電車賃 | なし | 旅費交通費 | 400 |
| | | | | |
| | | | | |
| | | | | |
| | | | | |
| | | | | |
| | | | | |
| | 合　計 | | | 400 |

| | | | | |
|---|---|---|---|---|
| 仮払日 | 月　日 | 金額 | 円 | 印 |
| 精算日 | 6 月 7 日 | 金額 | 400 円 | 印 |
| 精算金 | | 金額 | 400 円 | (入・出) |

### お金の出入りの記録

# 売上と支払で銀行預金口座を分ける

## 売上を正しく把握する

　現金商売の場合、毎日レジに入ったお金をすぐに銀行口座に入金すれば、日々の売上を管理しやすくなります。レジに入っているお金から直接仕入代金を支払ったり、消耗品を購入するようなことはしてはいけません。

　うっかり、支払った記録をつけ忘れたり、領収書をもらい忘れたりすることもあります。

　そうなるとレジのお金と売上の記録があわなくなってしまいます。

## 小口現金を用意する

　消耗品や備品など、随時必要なものの購入のために「小《こ》口《ぐち》現《げん》金《きん》」として一定額を別に用意しておきます。小さな金庫か専用の財布に、お金を入れておき、モノを買ったときに領収書をもらったら、お金と一緒に入れておきます。

　毎日あるいは一定期間ごとに、現金出納帳に出金の記録をつけますが、そのときに領収書の合計額と残っているお金を足せば、必ず最初に用意した金額と同じになるはずです。もし足りなければ、お釣りのもらい忘れか、どこかで落としたなどが考えられます。

　その場合は「現金過不足」という科目で現金出納帳に記載します。現金が過剰な場合も同様に記録します。

## 売上・支払専用の通帳をつくる

　仕入代金など、1か月分を翌月にまとめて支払うような場合は、小口現金から支払うのではなく、通帳からその金額を出すようにします。そのほうが管理が簡単です。

　できれば、**売上専用の通帳と支払専用の通帳の2冊をつくる**とよいでしょう。銀行預金の通帳は、銀行の機械が自動で間違いなく記録してくれますから、お金が動くときに、必ず銀行口座を通すようにすれば、それをそのまま**会計帳簿の補助簿に利用する**ことができます。

**Point 1** お金の流れを把握することは社長の重要な仕事。

**Point 2** 会計帳簿をつけ、会社にあるお金の残高を常に確認する。

**Point 3** 売上・支払専用の通帳をつくり、お金の管理を確実にする。

プラスα Information

**旅費の精算**

公共交通機関を多く利用する場合、その費用を毎日小口現金から支払うのは管理がとても面倒です。一定額の仮払いか、社員の立替分を一定期間ごとに精算する方法が便利です。

## 銀行預金口座の分別化

### 支払に関する振込

**支払専用の通帳**

4 普通預金

| | 年 月 日 | 摘 要 | お支払金額 | お預り金額 | 差引残高 |
|---|---|---|---|---|---|
| 1 | ○-01-03 | 繰越 | | | *300,112 |
| 2 | ○-01-10 | Cデンキ | 200,000 | | *100,112 |
| 3 | ○-01-12 | 入金 | | 1,000,000 | 1,100,112 |
| 4 | ○-01-15 | Dデンキテン | 300,000 | | *800,112 |
| 5 | | | | | |
| 6 | | | | | |
| 7 | | | | | |

入金

写すだけ

**仕入帳（または買掛帳）**

| | | |
|---|---|---|
| 1/10 | C電気 | 200,000 |
| 1/15 | D電器店 | 300,000 |

### 売上に関する振込

**売上専用の通帳**

4 普通預金

| | 年 月 日 | 摘 要 | お支払金額 | お預り金額 | 差引残高 |
|---|---|---|---|---|---|
| 1 | ○-01-05 | 繰越 | | | *915,277 |
| 2 | ○-01-05 | Aソウゴウ | | 600,000 | *1,515,277 |
| 3 | ○-01-05 | Bショウジ | | 400,000 | *1,915,277 |
| 4 | ○-01-12 | ｶｰﾄﾞ1 | 1,000,000 | | *915,277 |
| 5 | ○-01-20 | ｶｰﾄﾞ1 | 500,000 | | *415,277 |
| 6 | | | | | |
| 7 | | | | | |

出金

写すだけ

**売上帳（または売掛帳）**

| | | |
|---|---|---|
| 1/5 | A総合 | 600,000 |
| 1/5 | B商事 | 400,000 |

**現金出納帳**

| | | |
|---|---|---|
| 1/20 | A普通預金より入金 | 500,000 |

●会計帳簿の補助簿が簡単につくれてしまう。

●現金出納帳だけは、毎日しっかりと記帳する。これを怠ると、「いつ何のために支払ったのか」「入金されたのかどうか」が思い出せなくなってしまう。

取引先の倒産に備えて

# 倒産防止共済を活用する

## 取引先の倒産で資金繰りは悪化する

事業が順調に行き、自社の業績は好調であっても、取引先が倒産してしまうと、突然売掛金の回収ができなくなってしまうことがあります。

こんなときにも余力資金が十分にあれば問題はありません。しかし、通常は売掛金の回収をあてにして買掛金や給与の支払に充てながら資金を回しています。そのため、売掛金の回収が滞ると、たちまち資金繰りが悪化してしまうことがあります。

こういった事態に備えて**倒産防止共済制度（経営セーフティ共済）**があります。

## 10倍まで無利息で借りられる

この制度は、取引先が倒産したときに**売掛債権等の範囲で掛金総額の10倍に相当する金額まで無利息、無担保、無保証で融資を受けられる**というものです。

ただし、融資が受けられるのは、取引先が法的整理等をした場合のみで、夜逃げにあったときなどは受けられません。

## 月々の支払は5,000円から

次ページに該当する中小企業者で1年以上引き続き事業を行っている場合には「中小企業倒産防止共済」に加入することができます。

毎月支払う**掛金は一口5,000円で最高20万円まで**設定することができるので、無理のない支払額で備えることができます。なお、掛金は年払いで支払うこともできます。

## 掛金は費用になる

倒産防止共済の**掛金は法人税では損金**として認められるので、儲かっているときには節税対策としても有効です。

また、40か月以上掛金を支払い続けると、解約しても支払った掛金の全額が戻ってくるので、費用に計上できる積立預金的な役割を果たしてくれます。

**解約金は法人税では益金**となるので、「赤字が出て資金が必要になったら解約する」といった使い方をすることもできます。

**Point 1** 取引先が倒産したら資金繰りが悪化する。

**Point 2** 倒産防止共済は掛金総額の10倍まで融資が受けられる。

**Point 3** 掛け金は損金、解約金は益金となる。

プラスα Information

### 法的整理とは

取引先が倒産したときには、通常、破産手続、民事再生手続、会社更生手続等の法的な手続きが始まります。これらの手続きが行われることを一般に法的整理といいます。

## 倒産防止共済の加入対象法人

次の「従業員数」または「資本金の額」のいずれかに該当することが条件。

| | 従業員数 | 資本金の額 |
|---|---|---|
| 卸売業 | 100人以下 | 1億円以下 |
| 小売業 | 50人以下 | 5,000万円以下 |
| サービス業 | 100人以下 | 5,000万円以下 |
| ゴム製品製造業<br>(自動車または航空機用タイヤおよびチューブ製造業ならびに工業用ベルト製造業を除く) | 900人以下 | 3億円以下 |
| ソフトウェア業・情報処理サービス業 | 300人以下 | 3億円以下 |
| 旅館業 | 200人以下 | 5,000万円以下 |
| 製造業・建設業・運輸業・その他 | 300人以下 | 3億円以下 |

### ■解約手当金（任意解約の場合）

解約をしたときは、掛金の払込み月数に応じて、
掛金総額に次の表の率を掛けた額が解約手当金となって戻ってくる。
解約手当金は、解約の理由によって次の３種類に分類され支給率が変わる。

| | 1か月<br>～11か月 | 12か月<br>～23か月 | 24か月<br>～29か月 | 30か月<br>～35か月 | 36か月<br>～39か月 | 40か月<br>以上 |
|---|---|---|---|---|---|---|
| 任意解約 | 0% | 80% | 85% | 90% | 95% | 100% |
| みなし解約 | 0% | 85% | 90% | 95% | 100% | 100% |
| 機構解約 | 0% | 75% | 80% | 85% | 90% | 95% |

※任意解約：契約者が任意でいつでもできる解約。
※みなし解約：個人事業主の死亡や法人の解散・分割により解約とみなす場合の解約。
※機構解約：掛金の滞納（12か月分以上）や共済金の貸付などに不正行為があった場合に中小機構が行う解約。

### ■掛金の増額・減額

掛金は、5,000円から200,000円の範囲内（5,000円単位）で
増額・減額できる。ただし、掛金の減額は次に該当する場合のみ。

- 契約者の事業規模が縮小されたとき。
- 事業経営の著しい悪化、病気またはけが、急な費用の支出などにより掛金を支払い続けるのが著しく困難なとき。
- 共済金の貸付残高と掛金総額の10倍に相当する額との合計額が8,000万円に達しているとき。

**注意**
●貸付が受けられるのは、加入後6か月以上経過してから。
●掛金総額が800万円になるまで積み立てられる。

# 会社の経費を分析する

## 固定費・変動費を理解する

会社の経営に必要な経費の中で、家賃のように、売上高の増減にかかわらず発生額が一定の費用を「**固定費**《こていひ》」といいます。毎月の売上高が、最低限この固定費をクリアしていなければ、会社は大赤字になってしまいます。

一方、商品原価や広告費などのように、売上高の増減に応じて発生額が変わる費用を「**変動費**《へんどうひ》」といいます。

これは売上がなくても必ず支出する費用（固定費）ではないので、会社の業績にあわせた経費の使い方ができ、変動費をうまく管理すれば、効率のよい経営が可能となります。

## 資金繰りにも役立つ

固定費と変動費を理解することによって、会社の経営で今何が必要でどんな経費が無駄になっているかを分析することができるようになります。これにより、会社の規模にあった経費の使い方を意識できるようになります。

固定費・変動費がいくらなのかをしっかりと把握しておけば、資金繰りにも役立てられます。

また、商品の販売価格の決定にも大きく反映できます。これらの区分けとその把握はとても重要な経費の管理となるのです。

固定費と変動費は、厳密には売上高の増減に応じた費用の発生を分析しますが、実務的には勘定科目ごとに固定費か変動費かに区分して管理します。

**Point 1** 固定費と変動費を知っておくだけでも、会社の資金繰りの状況がつかめる。

**Point 2** 固定費と変動費の把握は、販売価格を決定するために重要。

**Point 3** 固定費と変動費は勘定科目ごとに把握する。

**COLUMN**

**調べてみたら……**

最近、通信費がやたら多くなっている。地方や海外の取引先が増えたわけでもない。
「どうしてだろう？」と調べてみたら、半年前に入社したA君が残業といっては会社に残り遠距離恋愛中の彼女へ毎日ラブコールをしていた……なんてこともあります。
このように、数値を分析することによって、思わぬ無駄や不正を見つけることができるのです。

## 固定費と変動費

| 固定費 | 変動費 |
| --- | --- |
| 売上の増減にかかわらず発生額が変動しない費用 | 売上高の増減に応じて発生額が変動する費用 |
| ●家賃、ガレージ代<br>●通信費（基本料金部分）<br>●水道光熱費（基本料金部分）<br>●固定資産税などの租税公課<br>●人件費（正社員）　など | ●通信費（使用料部分）<br>●水道光熱費（使用料部分）<br>●人件費（アルバイト）<br>●広告宣伝費<br>●接待交際費<br>●旅費交通費<br>●原材料費　　など |

## 固定費（通勤交通費）の例

**CASE**
Aさん：通勤交通費1か月30,000円
Bさん：通勤交通費1か月10,000円

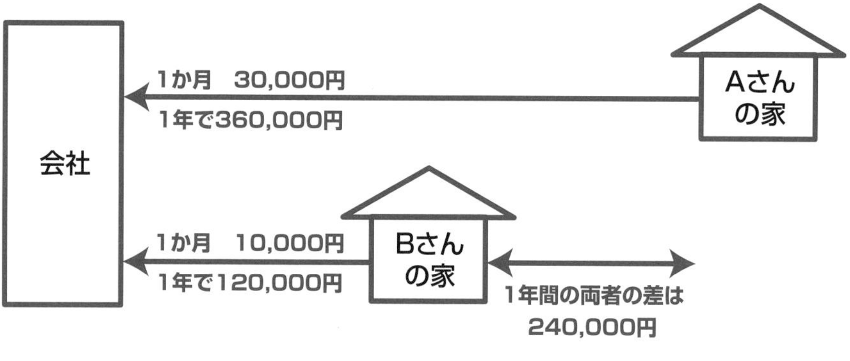


**従業員を雇うときには、自宅が会社に近い人のほうが固定費（通勤交通費）の節約になる。**

※交通費の勘定科目を通勤交通費と旅費交通費に分けることで、人件費（給与＋法定福利費＋福利厚生費＋通勤交通費）をさらに深く分析できる。
●通勤交通費……従業員の通勤費を集計する科目（固定費として扱う）
●旅費交通費……その他の旅費等（出張費など）を集計する科目（変動費として扱う）

### 法人税の計算

# 会社の費用でも法人税が課税される

## 法人税課税のしくみ

法人税は、会社の儲けに一定の税率を掛けて算出します。会社の儲けの計算は、法人税で収益として認識された金額（益金）から費用として認められた金額（損金）を控除して算出します。

つまり、会社が支出した金額で、経理上は費用となるものでも、法人税の規定で損金とならないものについては、結果的に税金が課税されるしくみになっているのです。

## 所得金額(儲け)に税率を掛けて加減算する

法人税は、**所得金額に15%や23.2%の税率を掛けて算出**します。

法人税が算出されたら、次に特別税額や控除税額などを加減算して納付すべき法人税を計算します。

## 税額計算の基本的な流れ

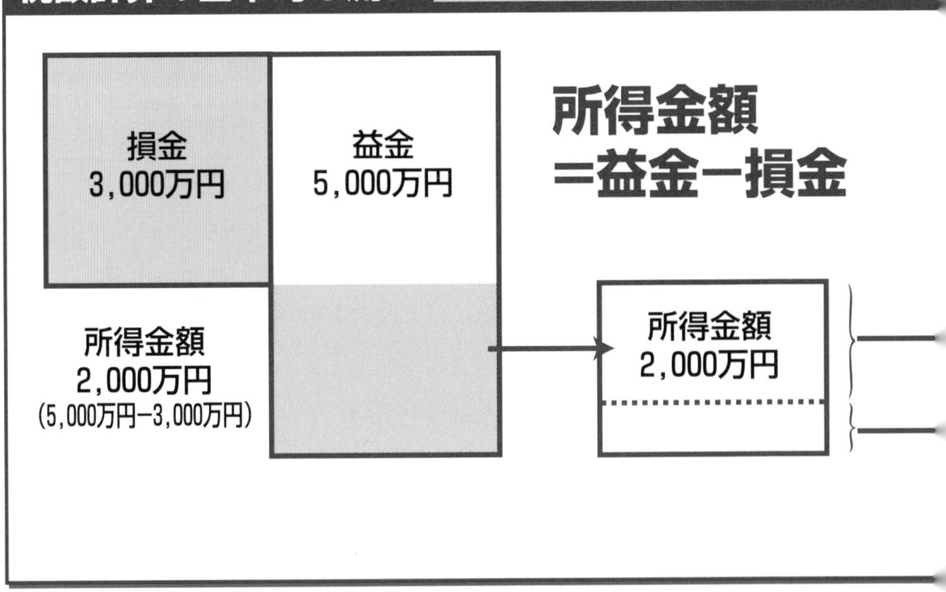

## 会社の税金が増える支出

| | |
|---|---|
| **交際費**<br>**（→214ページ）** | 会社の規模によって、全額費用と認められなかったり、一部だけ認められたりする。税務上の限度額を超える部分については費用と認められず、法人税の課税対象になる。 |
| **寄附金** | 会社の規模や所得により計算した限度額を超える寄附金は費用として認められず、法人税の課税対象になる。 |
| **罰金**<br>**（交通反則金）** | 従業員が業務中に犯した交通違反の反則金を会社が負担すれば、課税対象になる（反則金以外のレッカー移動代などは損金）。 |
| **租税公課** | 会社が支払う租税公課のうち、次のものは費用として認められない。<br>●法人税<br>●住民税<br>●附帯税（期限内に申告書を提出しない、税金を納めないなどに対しペナルティーとして課される税金）<br>●過怠税など<br>過怠税:課税文書に印紙を貼らなかった場合に課せられる税金。 |

※売上のアップだけが法人税に影響するわけではない。
※費用と思われる支出であっても、法人税では課税されるものもある。

※益金とは税務計算で認識される収益のこと。損金とは税務計算上認められる費用のこと。会計上のルールでは費用と認識されるものでも、税金の計算では費用とならないものがある（交際費、寄附金、法人税等の税金など）。
※下記は概算（特別税額や控除税額などを加減算して納付すべき法人税が計算される）。

23.2%は現行の基本税率ですべての普通法人に適用される税率。

→（2,000万円－800万円）×**23.2%**
＝278.4万円 →

→ 年800万円×**15%**＝120万円 →

期末資本金の額が１億円以下の中小法人については**年800万円の所得金額まで15%**という軽減税率が適用される。

278.4万円
＋
120万円
＝398.4万円

交際費と役員給与

# 交際費と役員給与のルールを知る

## 交際費になるかならないかは大きな問題

営業活動の現場では、取引先の役員や使用人を接待するための費用（**交際費**《こうさいひ》）は必要不可欠な支出です。

しかし、健全な取引慣行という立場から見た場合、決して好ましい支出とはいえません。

そこで、会社の無駄遣いを抑制するため、交際費の支出は課税対象（一部分が損金として計算できない）になっています。言い換えると、交際費の支出があるたびに、実質的に税金の負担額が増えていくということなので、交際費になるかならないかは大きな問題となります。

## 役員給与の勝手な増額は損金にできない

役員給与を勝手に増やすと、その増加額はすべて課税対象となります。

しかし、株主総会などを開催して、そこで役員給与を増額する決議をすれば、増額した分も損金として認められます。

たとえば、4月1日から翌年3月31日を一事業年度とする法人（5月に株主総会を開催）の場合、役員給与の増額をこの株主総会で決議すれば、翌月（6月）分から増加した役員給与を損金として計算できます。新しい事業年度の税金が大きく変わることになるので、**役員給与の増額決議はとても重要**です。

### 交際費は輪が3つ重なった支出

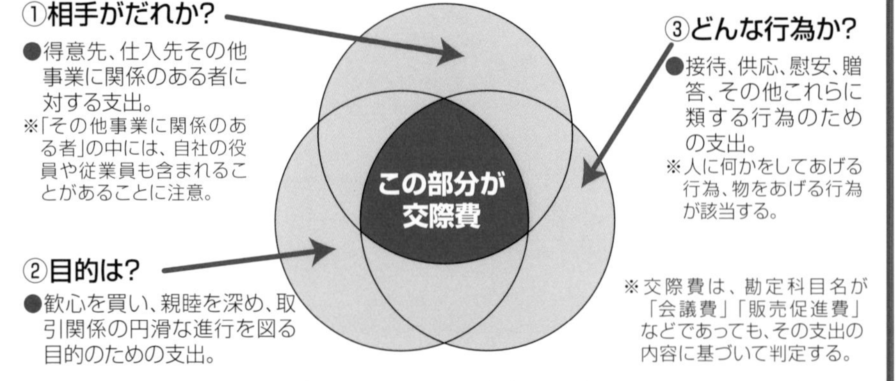

## 交際費の課税対象金額の求め方

①支出した交際費のうち接待飲食費の50%を超える部分の金額。

②支出した交際費の800万円を超える部分の金額。

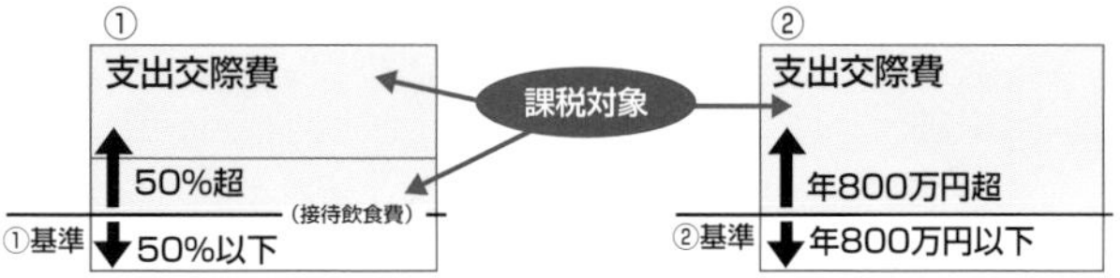


中小法人は、上記①または②のいずれか少ない金額が課税対象となる。
大法人は、①の金額が課税対象となる。

※中小法人:期末資本金の額が1億円以下の法人。
※大法人:期末資本金の額が1億円を超える法人。

## 交際費になる？ ならない？

**？ 自社の従業員が得意先を接待した帰りに、最終電車がなくなったために使ったタクシー代。**

**YES** この場合のタクシー代は接待に伴う費用として交際費に含まれる。
※交際費は、その行為に付随する費用までもが交際費として認識される。

**？ 本社から社長が支店を視察に来たので支店長が社長を接待した。**

**YES** 社内接待も交際費に含まれる。

**？ 得意先を接待した際の飲食費で、40,000円支出した。**

**YES** 3人以下で飲食をした場合は交際費になる。

**NO** 4人以上で飲食をした場合は交際費にならない（1人あたり10,000円以下の飲食費は交際費にならない）。

## 損金となる役員給与と損金とならない役員給与

### ●損金となる役員給与

| | |
|---|---|
| 定期同額給与 | 1月以下の期間ごとに支給し、その支給額が毎回同額である給与<br>（家賃や利息などの経済的利益も毎月同額であればこれに該当する。） |
| 業績連動給与 | 同族会社以外の会社で、所定の指標を基礎にして算定される給与 |
| 事前確定届出給与 | 上記以外で、確定額を事前に税務署へ届け出た給与<br>「事前確定届出給与に関する届出書」という書式で届け出る |

### ●不相当に高額な給与は損金とならない

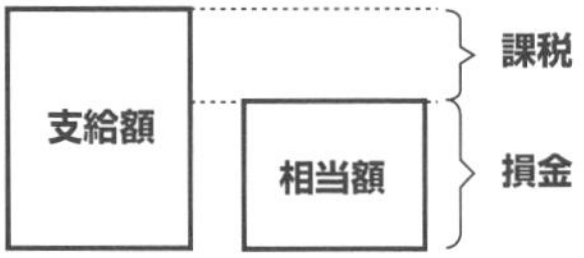


※相当額とは、その役員の職務の内容、収益、同種同規模類似法人の支給状況に照らして相当かどうかがポイント。
※事実を隠蔽したり仮装した支給額はその全額が損金とならない。
※経済的利益
個人的費用を会社が負担した場合には、その者の給与となる。

資産の購入と経理処理

# 購入金額によって経理方法が変わる

## 3つの選択肢がある

資産は大きく、「**減《げん》価《か》償却《しょうきゃく》資《し》産《さん》**」と「**その他の資産**」に分かれます。そのうち減価償却資産は、取得価額によって、さらに3つの処理を選択して費用に計上することができます（→ 次ページ）。

通常の減価償却は、その使用可能期間（**耐用年数《たいようねんすう》**）に基づいて**定額法《ていがくほう》**（毎期定額を償却費として計算する）と**定率法《ていりつほう》**（設備投資当初は減価償却費が多く末期は少なく計上される）のどちらかの方法により償却計算するのが一般的です。

また、平成19年度改正により、平成19年3月以前に取得したものと4月以降に取得したもので、計算方法が異なるので注意が必要です。

## 資産計上する

**資産計上**とは消耗品費や修繕費などのように支出時に費用処理せず、貸借対照表の科目に計上する処理をいいます。資産計上された金額は減価償却や一括償却により数年にわたって費用化されます。

しかし、土地などの資産（非減価償却資産）は、減価償却などにより費用化することはできません。

## 会社の業績に応じて選択する

全額費用計上や一括償却または通常の減価償却をするのかは、会社の業績に応じて、ある程度操作することが可能です。

法人税の計算をする上では、通常償却や一括償却を選択した資産については、償却費をその限度額まで任意に計上する（当期が赤字であれば費用処理をしないでもいい）ことができます。

また、資産購入時の付随費用にも費用処理と取得価額へ含める処理が選択できるものがあるので、会社の業績や償却計算の判定金額などを勘案して処理方法を選択します。

**Point 1** 30万円までの資産の処理方法は3種類あるので検討する。

**Point 2** 償却費は限度額まで任意に計上できる。

**Point 3** 取得価額に算入しなくてもいい付随費用がある。

プラスα Information

**経理処理により変わる取得価額**

消費税の経理処理方式には、税込経理方式と税抜経理方式の2つがあります。どちらの方式を採用するかによって、資産の取得価額は異なります。
たとえば、195,000円（税込み214,500円）の資産を購入した場合、税込経理方式では214,500円が取得価額となり（通常の減価償却のみ）、税抜経理方式では195,000円が取得価額となります（一括償却か通常の減価償却が選択できる）。

## 資産の経理処理

**資産を購入した**

どんな資産か、まずは分別

**減価償却資産** → 取得価額によりさらに分ける

- **10万円未満**
- **20万円未満**
- **30万円以上**

どれを選ぶかを選択する

- **全額費用計上**（少額減価償却資産）
- **3年で均等償却**（一括償却資産）
- **通常の減価償却**（減価償却資産）

**その他の資産**（有価証券、土地など） → **資産計上**（その他の資産）

《参考》（‐‐‐▶について）
青色申告書を提出する中小企業者（資産取得時の資本金1億円以下で一定の法人）であれば、30万円未満の資産（貸付用の資産は除く）については、合計で300万円までを全額費用計上することができる。

## 金額判定のための取得価額

**取得価額＝購入代価＋付随費用**

**取得価額に算入しなければならない付随費用**

- ●関税
- ●取得するための仲介手数料
- ●引取運賃、運送保険料
- ●購入手数料
- ●取得時の改良費、据付費　など

※取得価額としなければならない→強制

**取得価額に算入しなくてもいい付随費用**

- ●関税以外の租税公課（不動産取得税、自動車取得税等）
- ●登録費用
- ●事業供用前の借入金の利子

※取得価額、費用計上が選択できる→任意

## 事業税と住民税

# 法人税のほかに事業税と住民税がある

### 事業税は儲けに対して課税される

**法人事業税**は、法人の事業そのものに対して課される税金で、各都道府県に対して納付する地方税です。

法人事業税は、法人税と同じように会社の儲けに対して一定の税率を掛けて計算します。

### 事業税は費用になる

事業税の税率は各地方により異なるので必ず確認が必要です。なお、小さな会社には所得金額に応じて3段階の軽減税率が適用されます。

法人税の計算では事業税は特別法人事業税とともに、翌事業年度の費用になります。

### 住民税は費用にならない

住民税は、道府県民税と市町村民税をあわせた地方税です。東京都23区では両方をあわせた都民税がそれにあたります。住民税の税率も事業税と同様に各地方によって異なるので確認が必要です。

法人税の計算では住民税は費用になりません。

### 支店が複数あると税金が増える

支店が複数ある会社は、算出した住民税（法人税割額）を支店ごとの従業者に応じて分割して納付します。

均等割額については、地方公共団体ごとにそれぞれ決まった税額を納付しなければならないので、支店の数が増えれば負担額も増えていきます。

### 事業税と住民税の負担額は法人税に連動している

事業税と住民税はともに法人税の計算で使用する所得金額や税額を基礎として計算するので、儲けが増えれば、事業税や住民税も増えるしくみになっています。

**Point 1** 小さな会社の事業税には3段階の軽減税率が適用される。

**Point 2** 支店が複数ある場合には、均等割額の負担も増える。

**Point 3** 住民税や事業税の計算は法人税の計算と連動している。

プラスα Information

**特別法人事業税**

2019年10月1日以後に開始する事業年度から、「特別法人事業税」が創設されました。

- 地方法人特別税に比べ、全体の負担額は若干少なくなる。
- 地域間の税収格差の是正のためにできた制度で、事業税とともに都道府県に納付する。
- 法人税の計算では、事業税と特別法人事業税を合算して取り扱う。

## 事業税と特別法人事業税の計算

**●法人事業税の計算方法**

所得金額 × 3.5%（法人事業税の税率） ＝ 所得割額

基準法人所得割額 × 37%（特別法人事業税の税率）

ただし、超過累進課税で事業税が計算されているときは、標準税率を適用した場合の所得割額を使用する

（例）所得金額1,000,000円の場合

1,000,000円×3.5%＝35,000円　…事業税

35,000円×37%＝12,950→12,900円　…特別法人事業税

47,900円を都道府県に納付する

※2019年10月1日以後開始事業年度から地方法人特別税が廃止され、特別法人事業税が創設された。

## 住民税の計算のしくみ

**住民税額＝課税標準となる法人税額×税率＋均等割額**

| 内訳＼区分 | 道府県民税 | 市町村民税 | 概要 | |
|---|---|---|---|---|
| 法人税割額 | あり（2.0%） | あり（8.4%） | 儲けに対して課税される税金。 | 赤字の年には課税されない |
| 均等割額 | あり | あり | 資本金等の額と従業者数により定額で課税される。 | 赤字の会社でも支払わなければならない |

※東京都民税は道府県民税と市町村民税が1つになっている（法人税割額の税率は10.4%）。
※表中の（　　）は制限税率（各地方で定められる住民税率の最高限度率）のこと。
※均等割額は、たとえ赤字であっても納付しなければならないので、むやみやたらと支店を出すのは禁物。

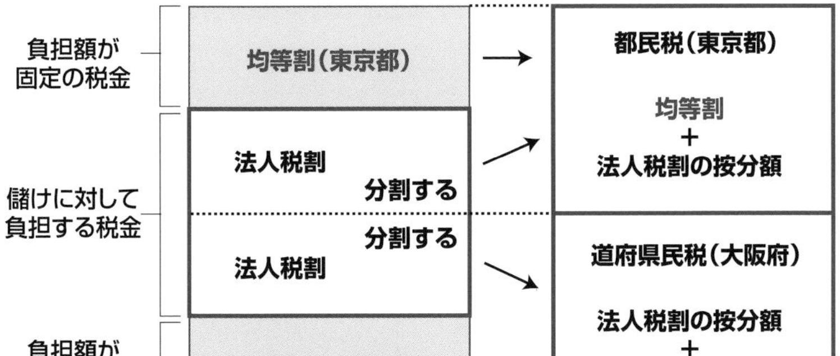


※東京都以外に支店がある場合、均等割の税金はそれぞれの都道府県ごとに負担をすることになるが、法人税割の税金については従業員数の比などで按分した金額で分割される。市町村民税についても同様となる。

給与に関する源泉徴収事務

# 源泉徴収事務と年末調整をする

## 源泉徴収義務がある

会社が給与を支払うときには、一定の源泉所得税を徴収してから支給しなければなりません。

徴収した**源泉所得税は、会社が国へ源泉徴収税額として納付**します。

## 扶養控除等申告書で扶養者の数を把握する

会社の従業員は毎年、扶養控除を受ける家族の氏名、生年月日などを記載した「扶養控除等申告書」を会社に提出します。

この申告書をもとにして、会社は扶養者等の数を把握します。

## 源泉徴収税額表には甲欄と乙欄がある

源泉徴収事務をする際には、扶養控除等申告書の提出があった従業員の給与について、**源泉徴収税額表の甲欄**に記載された金額で源泉徴収します。

また、扶養控除等申告書の提出がなかった従業員の給与については、乙欄に記載された金額で源泉徴収をします。

## 年末調整で源泉徴収票を作成する

甲欄を使用した従業員が、年末に在籍している場合には、年末調整によって1年間の年税額を計算して個々に調整し、**源泉徴収票を作成して本人に手渡します。**

なお、退職した人や乙欄を使用した従業員の分は、年末調整をせずに源泉徴収票を作成して、本人に手渡します。

## 書式は全部で3枚ある

源泉徴収票は、「受給者交付用」「税務署提出用」が各1枚、「市区町村提出用」は、「給与支払報告書」という名称に変わり、1枚作成します。

**Point 1** 会社は源泉徴収事務をする義務がある。

**Point 2** 扶養控除等申告書の提出がある従業員は甲欄を使用し、提出がない従業員は乙欄で計算する。

**Point 3** 年末に在籍している甲欄使用の従業員は年末調整をし、それ以外の従業員は年末調整未済の源泉徴収票を作成する。

### プラスα Information

**源泉徴収《げんせんちょうしゅう》**

報酬や料金については、支払先が会社のときは源泉徴収する必要はありません。また、相手が個人のときでも、業務の内容によっては源泉徴収する必要はありません。
日本に短期滞在している外国人を雇った場合、ケースによっては20%の源泉徴収をする必要があります。

## 給与所得者の扶養控除等申告書

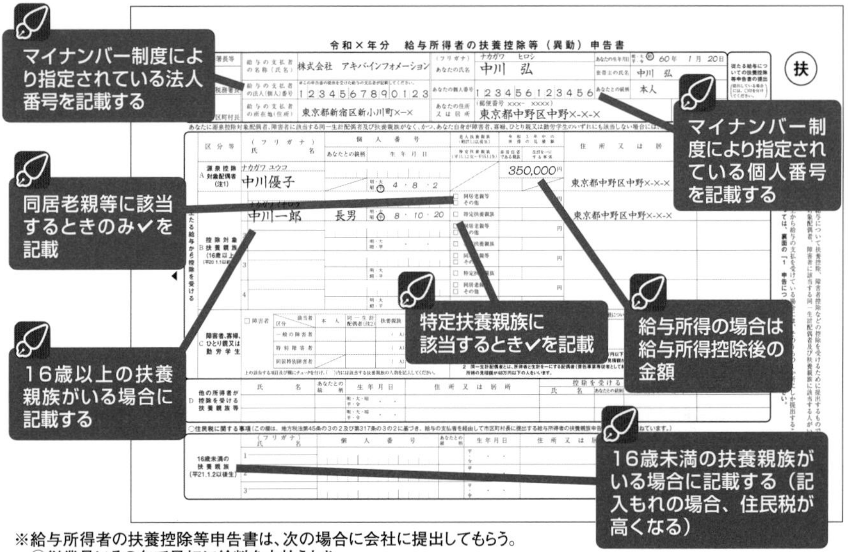


※給与所得者の扶養控除等申告書は、次の場合に会社に提出してもらう。
①従業員にその年で最初に給料を支払うとき。
②従業員が結婚したり子供が生まれたりなどして、扶養家族の数が変わったとき。

## 源泉徴収票

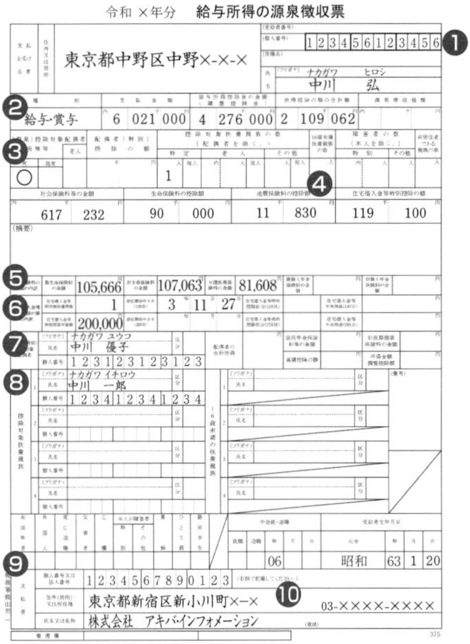


❶支払いを受ける者の個人番号を記載する。

❷従業員は「給与・賞与」、役員は「報酬」と書く。

❸配偶者控除の「有」「無」に○をつける。

❹16歳未満の扶養親族がいる場合はその数を記載する。

❺各種保険料の金額を記載する。控除を選択しない保険料があれば空欄にしておく。

❻給与所得者の住宅借入金等特別控除申告書の提出がある場合に記載する。

❼控除対象配偶者の個人番号を記載する。

❽扶養親族の個人番号を記載する。

❾会社の法人番号を記載する。

❿印はあってもなくてもよい。

※年末調整で作成する書類。同じ書式で市区町村に提出する「給与支払報告書」もある
※受給者交付用の源泉徴収票にはマイナンバーおよび法人番号は記載しない

## サービス残業対策

# 未払い残業代トラブルを予防する

### 残業代トラブルを知る

サービス残業代の支払い請求は、ある日突然やってきます。

近年、残業代が未払いであると、従業員や退職者が請求を行う流れが活発化しており、**サービス残業が労働基準監督署に摘発されることが多くなりました。**

また、弁護士が電車広告への掲載や、専門サイトの立ち上げを行う等、請求されるリスクも急速に高まっています。

過去の残業代の未払い請求は通常、多額な金額となるので、これらの請求が企業経営へ及ぼすダメージはとても大きいものとなります。

### ほとんどのケースで敗訴する

残業代を請求された会社側は、

●残業代を支給しないことに従業員も合意していた。
●基本給や手当に残業代が含まれている。
●年俸制だから支払義務はない。
●管理監督者だから支払義務はない。
●そもそも残業を命じていない。

などと主張します。

しかし、ほとんどのケースで会社側の主張は認められず、結局、**残業代の支払い命令が出ている**のが実情です。

したがって、請求された場合のリスクを十分把握し、事前に必要な対策を設けることは急務といえ、専門家（弁護士・社会保険労務士等）に依頼するという方法もあります。

### サービス残業を予防する

「サービス残業をさせる会社であっても喜んで働きたい」という従業員はまずいません。

会社としての労務管理の手法はさまざまあります。

働き手の確保がますます難しくなる中、残業手当込みの給与体系や変形労働時間制の導入など、**基本的な労働時間管理と残業手当の削減（給与設計方法）がますます重要**になることを理解する必要があります。

右のページで「残業手当込みの給与体系」を紹介しています。

ただし、制度導入にはさまざまな要件があるので、細心の注意を払わなければなりません。

**Point 1** **残業代トラブルはどこの会社でも起こりうる。**

**Point 2** **残業手当として手当を支払う場合はキチンとした基準を作る。**

**Point 3** **ダラダラ残業等の不要な労働を防止する。**

## サービス残業対策例

### 残業手当込みの給与体系を考える

※契約途中の変更は実質賃金の引き下げになるので従業員の同意が必要となる。

●月給29.8万円、平均労働時間168時間(8時間×21日)

●残業手当(固定)20時間分(1.25倍の通常残業で計算)で設計

対策前　月給29.8万円

※「基本給」という項目だけで全額を支給しているケースが多い。

▼

対策後　基本給25.8万円　固定残業手当 4万円

※「基本給　258,000円」「固定残業手当　40,000円」と支給項目を分けて支給する。

**固定残業手当の金額が通常の残業計算の額を上回る必要がある。**

①258,000 円 ÷ 168 時間 ≒ 1,536円 (最低賃金額を上回る必要あり)

②1,536円×1.25倍×20時間 ＝ 38,400円

↓

**40,000円を20時間分の固定残業手当と設定**

上記の場合、手当を区分して支給するだけでは足りず、任意で設定した時間分(上記の場合:20時間)の手当で法令の計算方法を上回る額を支払うことに労働者が合意している等、さまざまな要件があり、制度導入には細心の注意が必要。

※PSRnetwork「サービス残業対策 10の知恵」を参考に作成。

### その他のサービス残業対策

□残業の承認制(会社指示または申告による承認制へ)

□変形労働時間制の導入(1か月単位の変形労働時間制等の導入)

□休憩時間の活用(休憩時間以外は喫煙禁止等)

□業務効率化を人事考課の対象とする

消費税のしくみ

# 課税事業者になったら消費税の計算が必要

## 消費税は預かり金

**消費税《しょうひぜい》**は、物やサービスなどの消費に対して課せられる税金です。消費税の実体は、消費者から預かった税金を国へ納付するというものなのです。

消費税は、売上にかかる消費税から仕入にかかる消費税を差し引いて求めることができます。たとえば、

●A社から1,100円（消費税は100円）で商品を仕入れた。

●消費者に1,320円（消費税は120円）で販売をした。

のようなケースでは、以下の流れになります。

①A社へ消費税を100円支払う。

②消費者から120円の消費税を預かる。

③預かった消費税120円から支払った消費税100円を引いた20円を納付する。

**Point 1** 消費税は預かった消費税から支払った消費税を差し引いて国へ納付する。

**Point 2** 原則は設立後すぐに消費税の納税義務者となるのではない。

**Point 3** 普通は基準期間における課税売上高が5,000万円以下の事業者は、原則課税と簡易課税が選択できる。

## 消費税が免除される期間がある

原則として、会社を設立後の第1期・第2期は消費税を納税する必要がありません。ただし、設立時の資本金が1,000万円以上の会社は第1期から**消費税の納税義務者**です。通常第3期から、2期前つまり第1期の課税売上高が1,000万円を超えた場合に消費税の納税義務者になります。

## 有利な計算方法を選ぶ

消費税の課税方式は、**原則課税《げんそくかぜい》**と**簡易《かんい》課税《かぜい》**の2種類あります。基準期間における課税売上高が5,000万円を超えると、簡易課税は適用できません。また、いったん簡易課税を採用したら2年間は原則課税に変更できません。

どちらを選択するかによって有利不利が生じるので、検討する必要があります。

プラスα Information

### 消費税の税率

2019年10月1日からは10%の標準税率と8%の軽減税率で課税されています。

### 原則課税と簡易課税《げんそくかぜいと かんいかぜい》

預かった消費税から支払った消費税を引いて納付すべき消費税を計算する方法が原則課税。一定の仕入率によって、簡易的に消費税を計算する方法が簡易課税です。大きな設備投資などで、支払った消費税が預かった消費税よりも多くなるようなら原則課税が有利です。

## 免税事業者

**課税期間とは消費税の計算期間のことで、原則として事業年度と同じ。**

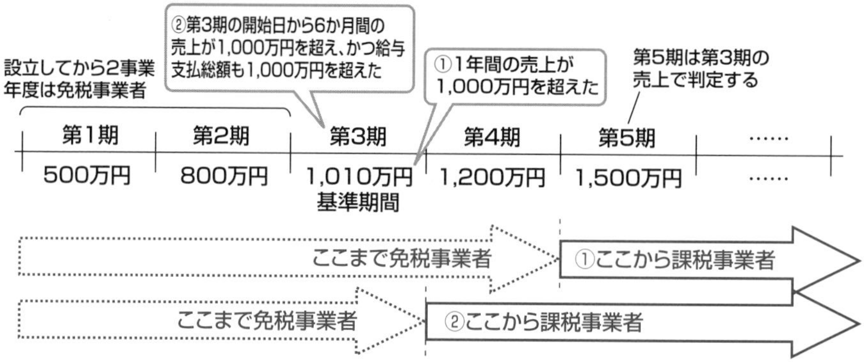


※設立時の資本金が1,000万円以上の会社は第1期から免税事業者にならない。

### ●2023年10月からインボイス制度が開始された

※インボイス制度とは、買い手となる課税事業者が仕入税額控除の適用を受けるには、売り手である登録事業者が発行したインボイス（登録番号が記載された適格請求書）を保存することが必要となる制度。

※売り手が登録事業者となるための手続きは2021年10月から始まっている。なお、登録事業者は消費税の課税事業者であることが前提なので免税事業者はインボイスの発行ができない事業者となるから注意が必要。

※免税事業者が課税事業者となるには通常「消費税課税事業者選択届出書」（→152ページ）を事業年度開始の日の前日まで（設立事業年度の場合はその事業年度中）に提出すればよい。しかし、2023年10月1日からインボイス制度の開始に伴い課税事業者となりたい場合は「適格請求書発行事業者の登録申請書」（→156ページ）を提出すればよい。

## 原則課税と簡易課税の比較

**CASE** **小売業の場合**

売上:33,000,000円（うち消費税3,000,000円）
仕入:22,000,000円（うち消費税2,000,000円）

※仕入は消費税の課税対象となる支出をすべて含めて計算する（仕入原価＋販売費および一般管理費で、給与や法定福利費などは除く）。

**原則課税**

**3,000,000円－2,000,000円＝1,000,000円**

売上にかかる消費税　仕入にかかる消費税

**簡易課税**

**3,000,000円－（3,000,000円×80%）＝600,000円**

売上にかかる消費税

第2種事業（小売業）　簡易課税の仕入率　80%

**簡易課税のほうが40万円も有利**

**●課税売上高が5,000万円以下の事業者は原則課税と簡易課税が選択できる。**
**●仕入にかかる消費税が売上にかかる消費税よりも多い場合には原則課税が有利。**

**どちらが有利になるのかを検討すること**

### 消費税の還付

# 消費税の還付を受けたければ原則課税

## 業績見込みから判断する

会社設立時は、多額の設備投資に対して売上はさほど多くはありません。このような場合には消費税の還付が期待されることもあるので、設立事業年度の業績見込みに応じて「**免税事業者か課税事業者か**」「**簡易課税か原則課税か**」について検討する必要があります。

## 免税事業者は還付されない

仕入に関する消費税が売上に関する消費税を上回っている場合には消費税が還付されます。

ただし、これは課税事業者に限ったことで、免税事業者は消費税の還付を受けることができません。152ページの届出書を提出すれば課税事業者となり、還付を受けることができる場合があります。

還付が見込まれるかどうかは、該当事業年度の課税仕入と課税売上とのバランスにより簡単に判断ができます。

課税仕入は商品の購入代金だけでなく販売費や一般管理費、そして設備投資のために支出した金額など、非課税取引以外の支出額を合計して算出します。

## 簡易課税を選択すると還付されない

簡易課税は、課税売上をもとに消費税を計算する方法なので、実際の課税仕入は計算に関係ありません。

多額の設備投資をしたことにより課税仕入の額が多くなる見込みである場合には、消費税の還付となる可能性が高いので、原則課税を選択するようにしましょう。

簡易課税を選択すると消費税の還付は受けられないことに注意してください。

**Point 1** 「免税事業者と課税事業者」「簡易課税と原則課税」について検討する。

**Point 2** 免税事業者は還付が受けられない。『消費税課税事業者選択届出書』を提出して課税事業者となれば還付を受けられる可能性がある。

**Point 3** 消費税が還付される可能性があるのは原則課税を選択した場合だけ。

**プラスα Information**

**消費税の課税取引《しょうひぜいのかぜいとりひき》**

モノを買ったりサービスを消費したりすれば、消費税がかかりますが、すべての取引が消費税の対象となるわけではありません。
給料や社会保険料の支払い、損害賠償金等の支払いは、消費税の課税対象外取引（不課税取引）なのです。また、消費税の対象となる取引でも、土地や有価証券の譲渡、保険料など、消費税の非課税となるものもあります。
したがって、原則課税で計算するときの課税仕入の額には、このような課税対象外取引や非課税取引にかかるものは含まれない点に注意しましょう。

## 消費税の還付を受けたいときに必要な2つの手続き

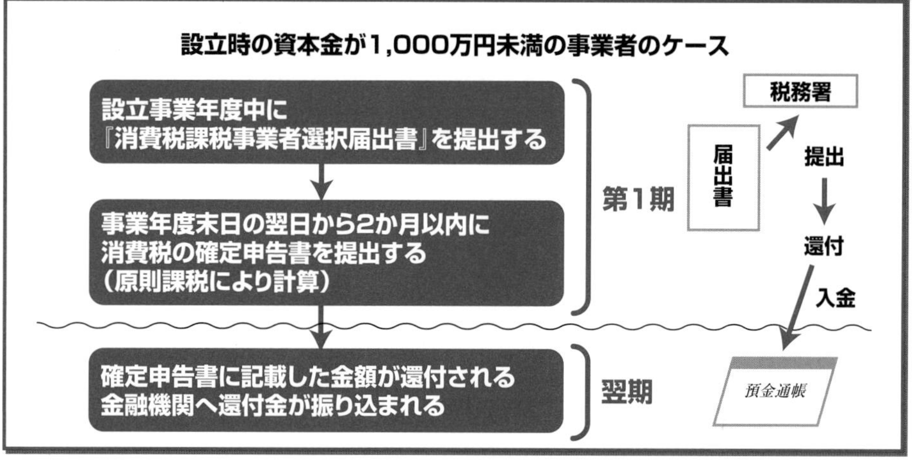


## 多額の設備投資をする場合の検討事項

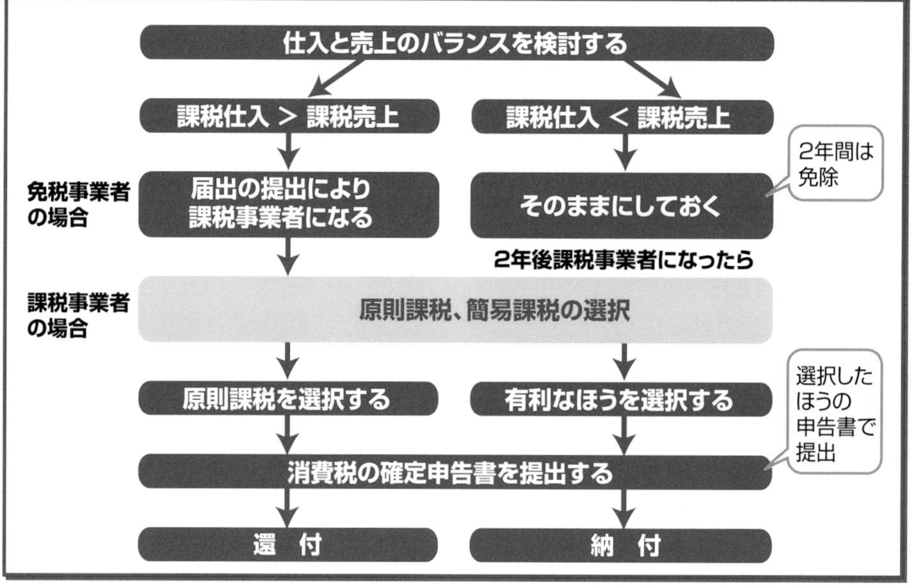


**WORD**

**課《か》税《ぜい》仕《し》入《いれ》**

おおむね、仕入を含む諸経費から給料・保険料・減価償却費・金利・租税公課・地代などを除いたものと資産（土地を除く）を取得するために支出した金額の合計額です。

**課《か》税《ぜい》売《うり》上《あげ》**

おおむね、売上高から土地売却高および居住用建物の賃貸料や輸出高を除いたものをいいます。課税仕入や課税売上にならない取引は非課税取引として消費税は課税されません。

印紙税の基本

# 収入印紙を貼らなければならない文書がある

## 課税文書には収入印紙が必要

契約書や受領書（領収書）など、印紙税法で定められた文書（**課税文書**《かぜいぶんしょ》）には、印紙税がかかるので、定められた金額の**収入印紙**《しゅうにゅういんし》を貼らなければなりません。

課税文書に該当するかどうかは、文書の名称によって形式的にするのではなく、記載内容に基づいて実質的に判断します。

なお、契約書に収入印紙を貼らなくても、印紙税の納付がされていないという税法上の問題があるだけで、**契約そのものは成立**します。

## 収入印紙を貼らないと過怠税がかかる

税務調査などで、印紙を貼っていないことを指摘された場合は、「本来の印紙税＋その2倍」の過怠税《かたいぜい》を納付しなければなりません。また、指摘される前に、自分で気づいて申告したときは「本来の印紙税＋その10%」の過怠税を納付します。

これらの過怠税は全額が法人税の計算上、損金に算入することはできません。

## 印紙の貼りまちがいのケース

まちがって収入印紙を貼ってしまった場合は、税務署にある「印紙税過誤納《いんしぜいかごのう》（確認申請《かくにんしんせい》・充当請求《じゅうとうせいきゅう》）書《しょ》」と過誤納になっている文書を所轄税務署長に提出します。還付金は申請時に指定した口座に振り込まれます。貼りまちがえた印紙の再利用をしてはいけません。

また、まちがった金額の印紙を購入してしまったときは、郵便局で他の印紙に交換することができます。交換手数料は1枚あたり5円です。

ただし収入印紙を現金に交換することはできません。

**Point 1** 収入印紙を貼らなければならないかどうかは、文書の実質で判断する。

**Point 2** 収入印紙を貼らなかった場合の過怠税は重い。

**Point 3** 収入印紙不要の文書に貼ってしまったときは、税務署で還付の手続きがとれる。

プラスα Information

**印紙は印紙売りさばき所で買う**

収入印紙は郵便局や「印紙売りさばき所」で購入します。額面は1円からあります。
印紙といえば、普通は「収入印紙」を意味しますが、「登記印紙」「特許印紙」「自動車重量税印紙」その他さまざまな種類があります。

**記載金額が300ドルなら……**

外国通貨で記載されている文書は、文書作成時の為替相場等で日本円に換算したものを、記載金額とします。

## 課税文書かどうかの判定

売掛金の請求書に「済」などと記載してあって、それが売掛金を領収済みであることの当事者の合意に基づくものであれば、売上代金の受領書に該当するので、印紙が必要。

請　求　書　××年 3月 31日　No. 105

（済）（株）アキバ・インフォメーション

NTネットワーク　様

下記のとおり御請求申し上げます

税込合計金額　¥352,000-　税率 10％　消費税額 32,000

| 月日 | 品名 | 数量 | 単価 | 金額（税抜・税込） | 摘要 |
|---|---|---|---|---|---|
| 3 10 | 1 HP-D125 | 1 | | 320000 | |
| | 2 | | | | |
| | 3 | | | | |
| | 4 | | | | |
| | 5 | | | | |

**注意1**

仮契約書や仮領収書でも、記載事項の内容で判断する（後日正式な契約書等を作成するかどうかは関係ない）。

**注意2**

課税文書を単にコピーしたものに印紙は不要だが、コピーに両当事者が捺印した場合や、原本と相違ない旨の記載があるときは印紙が必要。

**注意3**

申込書、注文書、依頼書などは、一般的には契約の申込み事実を証明するものなので、契約書には該当しない。

## 領収書に収入印紙が必要かどうかの判定

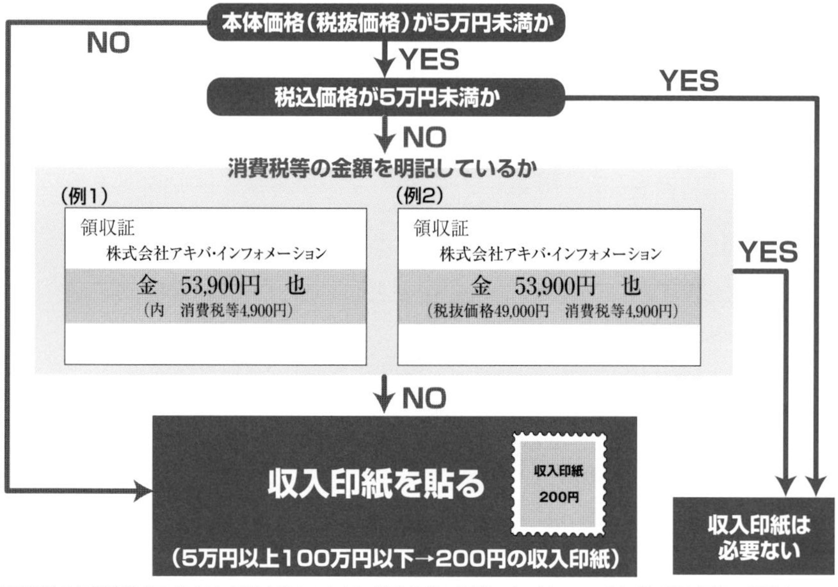


※消費税の免税事業者の場合は、記載方法にかかわらず（消費税の記載のあるなしにかかわらず）、税込価格で判断する。

Column

# 会社が大きくなってきたら

会社を設立して事業活動を続けていくうちに、会社が急成長することがあります。会社の理念が世の中に受け入れられると、それに賛同する人たちがあなたの会社にどんどん集まってきます。お客さまとして集まってくる人たちもいれば、「関連企業として一緒にプロジェクトを進めていきたい」や「経営の一部を統合して共同事業をしていきたい」など、経営態勢の協力や資金援助を求める人たちなど、さまざまな人が集まってきます。

ここで注意しなければいけないことは、あなたの周りに集まってくる人たちの中には、あなたを騙そうとしたり、詐欺の目的で近づいてくる人たちもたくさんいるということです。

せっかく会社が軌道に乗りだして、その規模が大きくなってきた会社であっても、そういった詐欺にあってしまうと、たちまち会社は不安定な状況に陥ってしまいます。「信用できる相手かどうか？」「相手の身元は確かなのか？」などということは、普段の取引を行っていくうえでも、常に念頭において慎重に人との付き合いをしていかなければなりません。

相手が信用できるかどうかを判断する1つの指標は、「本職以外の専門分野の仕事について、きちんとした本物の専門家に依頼している人物かどうか」ということです。なぜなら、一流の専門家であればあるほど、自分の仕事に誇りをもっているだけでなく、他の専門分野の仕事に対しても同じように尊重しているからです。

同時に他人から見た、あなたの「信用」という財産は、あなたが「どのような人物と交流して普段仕事をしているのか」ということでも判断されているということを決して忘れてはいけません。

第 6 章

# 日々の業務の注意点

管理体制の整備

# 現金や在庫の管理はしっかりと

## 小口現金の管理者を置く

従業員が扱う現金の管理は、厳格に行わなければなりません。

- **管理者を決め、一括管理させる。**
- **管理者は数か月単位の持ち回りにする。**
- **管理者を複数にする。**

などの方法を検討してみましょう。管理者を置くことで、管理者自身もその責任を重く受け止めることになります。

ただ、お釣りのまちがい、計算まちがいなど、お金のやりとりにミスはつきものです。このようなミスはないに越したことはありませんが、「これだけ合いません」ときちんと報告させる**職場の雰囲気づくり**も、重要なポイントとなります。

## 現金商売ではレジの管理もしっかりと

管理体制が整っていないと、売上代金を従業員が現金で受け取ったときに着服する可能性があります。

目の前に簡単に抜き取れるお金があったとき、本来犯罪を犯すような人でなくても、つい不正をしてしまうこともあります。

**会社のたいせつな財産や従業員を犯罪から守る**ためにも、現金や在庫の管理はしっかりとしなければなりません。

レジの現金は照合作業を厳密にするのは当然ながら、一定額以上になったら、いったん金庫に入れたり、毎日銀行に預け入れるようにし、**必要以上のお金は手元に置かない**ようにします。

## 切手類や商品在庫の管理も忘れずに

現金だけでなく切手類や商品券なども厳格に管理をしなければなりません。

購入と管理する担当者を分け、購入数と使用数を管理する受払簿を作成するようにしましょう。

また、商品在庫も同様にしっかり管理しなければなりません。多量の商品をバーコードなどで管理していないときは、在庫置場の整理整頓を心がけ、実際に在庫商品の品目ごとに数を数えて棚卸資産を把握する実地棚卸を定期的に行います。

プラスα Information

### レジスターを通したお金の流れ

レジスターを使う業種では売上の抜き取りが多いため、税務調査でもその点が重点的に調査されます。税務調査で従業員の不正が発覚することも珍しいことではありません。
閉店後レジスターから出されるペーパーと現金出納帳、伝票を日々チェックして残しておき、現金の抜き取りがないことを税務調査員に納得させられるだけのシステムをつくっておきましょう。

### 銀行印の管理

社長が忙しくて銀行印の管理ができないときは、振込依頼書の作成と印鑑を管理する人を分けるなど、2人以上の従業員に業務を分担させると不正が起きにくくなります。

## 出金したときの現金の行き先

**方法1**

●週または月単位で必要なお金を預けておいて、足りなくなったら追加で補充する。
●補充するときに使用した現金を精算してチェックする。

↓

管理者は、月または週ごとの決まった日に全員の小口現金の補充とそれに関する経理処理を一括してできるので、事務負担が軽減される。

**方法2**

●出金のたびに、使ったお金についての領収書と振替伝票を照合し精算する。

↓

不明確な出金が少なくなる。

※管理者は毎日のように精算とチェック、それに伴う経理処理をしなければならない。従業員の数が増えてくると、専属の管理者が必要になる。

## 現金による不正を防止するための方法

**●経費で使うための現金と売上により集まった現金は管理を別にする。**

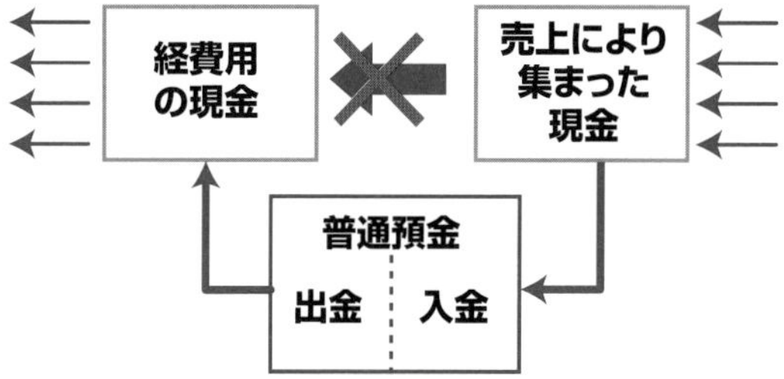


●レジスターから出されるペーパーと現金残高を毎日照合する。
釣銭を残して翌朝銀行（または夜間金庫）へ預け入れる。
●売上高は普通預金の入金により把握する。
●経費用の現金は週ごとにその使用高と発生した経費とが一致することを確認する。

## 郵便切手・収入印紙等受払簿

購入したときに書く

使用したときに書く

63円切手×100枚＝ 6,300円
84円切手×100枚＝ 8,400円
200円印紙×100枚＝20,000円
210円切手×100枚＝21,000円
合計 55,700円

| ×年 | | 内 訳 | | | | | | （枚） | 受入 | 払出 | 氏名（所属） | 用途 | 残高 | 照合 |
|---|---|---|---|---|---|---|---|---|---|---|---|---|---|---|
| 種類 | | 切手 | 切手 | 切手 | 切手 | 印紙 | 切手 | | 円 | 円 | | | | |
| 月 | 日 | 2円 | 63円 | 84円 | 94円 | 200円 | 210円 | 円 | 円 | 円 | | | | |
| 2 | 20 | | 100 | 100 | | 100 | 100 | | 55,700 | | 佐藤（経理部） | 購入保管 | 55,700 | |
| 2 | 25 | | | 50 | | | | | | 4,200 | 松浦（営業部） | DM用 | 51,500 | |
| 2 | 27 | | | | | 20 | | | | 4,000 | 中西（販売部） | 領収書用 | 47,500 | |
| | | | | | | | | | | | | | | |
| | | | | | | | | | | | | | | |

84円切手×50枚
＝4,200円

200円印紙×20枚
＝4,000円

※管理しやすいように自分で様式をつくってもよい。

### 売掛金の管理

# 売掛金管理は売掛帳で

## 掛け売上は信用があってこそ

頻繁に取引を行う取引先と、納品のたびに現金を回収して領収書を発行するのはお互いに面倒なものです。

取引の実績を重ねるうちに、「信用のある取引先」と判断できるようになってくると、ツケで販売して、決めておいた決済日に入金してもらうような約束を取り付けたりします。このような取引を**掛け売上**といい、そのツケによる債権を**売掛《うりかけ》金《きん》**といいます。

売掛金については、取引先ごとに売掛帳を作成して入出金の状況を把握するようにします。

## 請求期間と決済日のルールを決める

掛け売上の場合には、いくつかのルールを決めておく必要があります。

請求書の締め日（1か月分の売上を集計する日）を「毎月21日～翌月20日まで」「毎月1日～月末まで」というように、約1か月を単位に定めます。自社側で決めることができれば、**事務を簡素化**できます。

取引先には、自社のルールに従ってもらえるように工夫をします。

たとえば、

**継続取引の場合**：取引開始時に伝える。「×日までにお支払いください。△月分」と請求書に記載する。

**単発取引の場合**：「×日までにお支払いください」と請求書に記載する。

**●決済日のルール**

売掛金の回収日（翌月末、翌々月10日など）を明確に定めておきます。約束の日に入金がなければ、すぐに電話をし、入金の催促をします。

場合によっては、取引停止の検討が必要になるかもしれません。

売掛決済をする場合には、口約束ではなく、必ず**発注書を取り交わす習慣**をつけるようにしましょう。

**Point 1** 現金売上のほかに、掛け売上が必要な場合がある。

**Point 2** 取引先ごとに売掛帳を作成し、入金をチェックする。

**Point 3** 請求期間と決済日については、明確なルールを定める。

**プラスα Information**

**保証金の確保**　ほしょうきんのかくほ

理想をいえば、たとえ販売実績のある相手先であっても保証金を預かり、その範囲内での取引を行うようにしてリスク回避をしていくことが望まれます。保証金が払えない会社とは取引をしないなど、厳格な対応が会社の安定につながります。
しかし、他社に真似のできない商品サービスを取り扱っているのでもない限り、取引先との力関係によっては難しいことかもしれません。臨機応変に対応しましょう。

## 売掛金の決済日

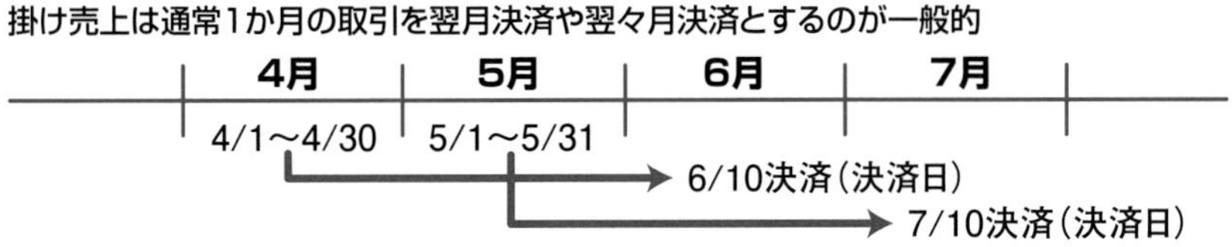


## 売掛帳の作成

取引先ごとにページを作成する

A　社　　殿

| 月 | 日 | 品名 | 数量 | 単価 | 売上金額 | 受入金額 | 差引残高 |
|---|---|---|---|---|---|---|---|
| 4 | 5 | 電子部品 A | 100 | 1,000 | 100000 | | 100000 |
| 4 | 15 | 〃 B | 50 | 3,000 | 150000 | | 250000 |
| 4 | 28 | 〃 A | 50 | 1,000 | 50000 | | 300000 |
| | | 4月分請求 | | | (300000) ✓ | | (残300000) |
| 5 | 10 | 電子部品 B | 50 | 3,000 | 150000 | | 450000 |
| 5 | 25 | 〃 A | 100 | 1,000 | 100000 | | 550000 |
| | | 5月分請求 | | | (250000) ✓ | | (残550000) |
| 6 | 1 | 電子部品 A | 50 | 1,000 | 50000 | | 600000 |
| 6 | 10 | 4月分入金（○○B/K） | | | | 300000✓ | 300000 |
| 6 | 20 | 電子部品 B | 100 | 3,000 | 300000 | | 600000 |
| | | 6月分請求 | | | (350000) | | (残600000) |
| 7 | 5 | 電子部品 A | 100 | 1,000 | 100000 | | 700000 |
| 7 | 10 | 5月分入金（○○B/K） | | | | 250000✓ | 450000 |

請求月ごとに小計をとっておく

入金があればチェックする

月末時点での残高を集計し、元帳の売掛金残高と一致するか確認する

- ●請求書と入金内容をチェックし、未入金の内容を把握する。
- ●未入金があったら、即日管理担当者から先方に連絡し督促する。
- ●ラウンド入金は認めない。

※売掛帳により売掛金の発生、入金状況を把握する。
※月末時点では、売掛帳の取引先ごとの残高を合計したものと、元帳での売掛金残高とが一致しているかを確認する（一致していなければ売掛帳の記帳ミスなどが考えられる）。

WORD

### ラウンド入金《にゅうきん》

たとえば、1,005,320円の請求額に対し、1,000,000円振り込んでくるような入金のこと。継続取引であれば、次回請求分に差額を上乗せして請求します。

### 元帳《もとちょう》

経理で使う帳簿で総勘定元帳ともいいます。売掛金のページでは、借方（左側）に売上が発生したときの金額を書き、貸方（右側）に売掛金を回収したときの金額を書きます。勘定科目ごとに作成します。

買掛金の管理

# 買掛金管理は買掛帳で

## 買掛金で手間を省く

取引量が多くなってくると、仕入をするたびに料金を支払ったり振り込んだりする手間が煩雑になってきます。もちろん相手方も同じ思いのはずです。

そこで、取引実績を積み重ねることで信用力が生まれ、ツケで仕入れて、決めておいた決済日に入金するような約束を取り付けたりします。

このような取引を**掛け仕入**といい、このときに発生するツケの債務を**買掛金《かいかけきん》**といいます。

## 保証金を支払う

買掛金による仕入は、相手から信用してもらわなければ、なかなか応じてもらえません。保証金を支払い、その範囲内での取引を行うようにして相手先のリスク回避を確保した上で申し入れをすれば、掛け仕入に応じてくれることもあります。

保証金の支払をした場合には、買掛帳の支払先のページに保証金（差入保証金）を記載しておきます。

## 支払日を確認する

約束した日に売掛金の入金がなければ、取引停止を検討するのと同様に、買掛金の支払が滞れば、相手方も取引停止を検討しているはずです。よほど気心の知れた仕入先でない限り、「支払を忘れていた……」ではすまされません。

相手先は、当社からの支払をあてにしているかもしれません。多大な迷惑をかけてしまうことになります。場合によっては、今後いっさいの取引に応じてくれなくなるかもしれません。

取引先ごとに買掛帳を作成して、**支払状況を正確に把握**する必要があります。

Point 1 **掛け仕入で事務を簡素化する。**

Point 2 **保証金の支払を検討する。**

Point 3 **取引先ごとに買掛帳を作成し、支払状況をチェックする。**

COLUMN

**宙に浮いた商品のゆくえ**

船などで商品を納品している最中に決算日を迎えたら、その商品は売上として把握するのか、それともまだ棚卸資産なのかで迷ってしまいます。
売上を計上する基準日を出荷した日とすれば販売後なので売上となりますが、納品した日とすれば棚卸資産となります。後者の場合、倉庫にはその商品がないので、在庫の棚卸をするときに注意しなければなりません。

## 買掛帳の作成

B　社　　殿　　20××年3月20日
差入保証金300,000円

| 年 月 | 日 | 品　　名 | 数量 | 単価 | 仕入金額 | 支払金額 | 差引残高 |
|---|---|---|---|---|---|---|---|
| 4 | 2 | Bコンデンサー1-1 | 300 | 50 | 15000 | | |
| 4 | 10 | Bコンデンサー2-6 | 500 | 80 | 40000 | | |
| 4 | 20 | Bコンデンサー2-8 | 500 | 110 | 55000 | | 110000 |
| | | 4月分請求 | | | (110000)✓ | | (残110000) |
| 5 | 2 | Bコンデンサー1-1 | 300 | 50 | 15000 | | |
| 5 | 6 | 〃　〃 | 200 | 50 | 10000 | | |
| 5 | 10 | 4月分支払（△△B/K） | | | | 110000✓ | 25000 |
| 5 | 20 | Bコンデンサー2-8 | 500 | 110 | 55000 | | 80000 |
| | | 5月分請求 | | | (80000)✓ | | (残80000) |
| 6 | 1 | Bコンデンサー2-1 | 300 | 70 | 21000 | | 101000 |

保証金の覚え書きを記載しておく

出金と請求金額をチェックする

相手の締め日ごとに小計をとっておく

支払時には、検印付きの納品書の合計を必ずチェックする

月末時点を集計して元帳の買掛金残高と一致するか確認する

- 納品のときに検品をし、納品書に検印をする。
- 検品数量があわないときや品質に問題があるときは、仕入先にその旨を伝えて即座に問題解決をする。
- 支払は請求書ベースではなく検印付きの納品書の合計ベースで行う。請求書のミスに注意。

※相手先ごとに、買掛金の発生、出金状況を把握する。

## 発注から入金までの流れ

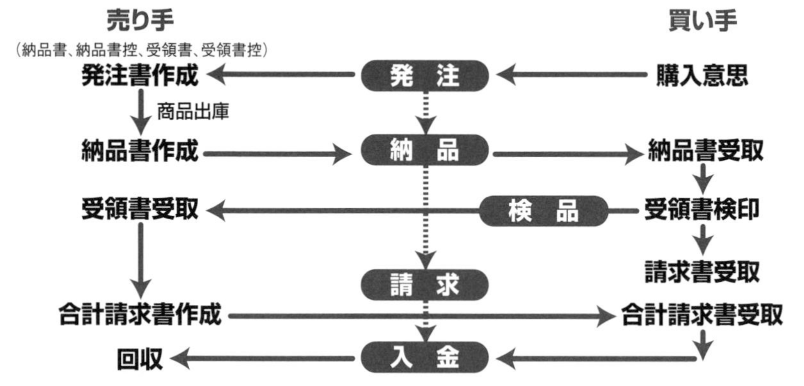

在庫管理

# 在庫管理で参入と撤退を見極める

## 5つのポイントをおさえる

商品の在庫をたくさん抱えても、売れない商品はまったく売れません。一方、売れる商品は、広告をしなくても売れます。これには時代背景や流行が大いに関係しているようです。だからといって、流行ばかりを気にするのはどうでしょう。

まずは、**在庫管理の基本をおさえる**ことが先決です。重要なポイントとして、売れ筋商品を見極めることのほかに、以下の5点があります。

**●問い合わせがあった商品は要チェック**

お店で扱っていない商品についてお客さまから問い合わせがあった場合には、その商品について細かく聞き取りをして試しに仕入れます。

**●適正在庫数の把握**

納品後、次の納品までに、どの商品がどれくらい売れているのかを集計して統計をとり、その間の在庫切れや売れ残りが少なくなるように適正在庫数を把握します。

**●在庫の確保**

当たり前のことですが、在庫がなければ販売はできません。お客さまは、よそのお店へ行ってしまいます。常に在庫を切らさない工夫をしましょう。

もしもに備えて、小売業であれば、メーカーからの直送ルートを確保したり、近隣の同一商品を扱う業者と提携したりしておくのも1つの手です。

**●在庫の処分**

発注頻度などから、売れている商品かそうでないかを見極める基準値を定め、基準を満たしていない商品は在庫処分をします。

**●撤退の時期**

ヒット商品であっても、それが永遠に続くとは限りません。その商品から撤退する時期の見極めも非常にたいせつです。

急に売れなくなって資金ショートを起こすことも考えられます。

**Point 1** 売れ筋商品の見極めや撤退時期は在庫管理で予測する。

**Point 2** 在庫数の把握など、在庫管理の基本をおさえる。

**Point 3** 在庫ロスをなくす工夫をする。

プラスα Information

**在庫処分は前向きに**

売れに売れていた商品が、ピタッと売れなくなってしまった。倉庫には売れ残った商品が山ほど……。倉庫費用もばかになりません。
事業をしていればよくあることかもしれません。抱えた在庫は、
●「ご来店プレゼント」などの集客ツールに活用する。
●抽選会などのプレゼント商品にする。
●福袋として販売する。
●バーゲンセールで格安で販売する。
というように、お客さまが喜ぶ方法を考え、次につなげることのほうがたいせつです。

## 販売実績からの予測

### 数値による在庫管理

数値によって商品の売れ行きや在庫状況を把握しながら、大量仕入のタイミングや撤退の時期を見極める。

| | | | |
|---|---|---|---|
| 1月 | 仕入 100個 | → | 販売 10個 |
| 2月 | 仕入 10個 | → | 販売 30個 |
| 3月 | 仕入 30個 | → | 販売 60個 |
| 4月 | 仕入 60個 | → | 販売 200個 |

この時点で在庫は100個しかないので、200個の販売は不可能となる

**5月の時点で大量の仕入を考えがちだが、商品が入ってこない事態も起こりうる。理由として、**

- ●販売実績が毎月数十個という販売店に対して、いきなり数百個の取引を依頼しても応じてくれない。
- ●生産ラインが間にあわない。
- ●他の業者からも同時に大量発注を受けている。

などがある。

→ こうならないためには

- ●仕入先との信頼関係を築いておく。
- ●(上記の例でいえば)2月から3月の時点で仕入を増やして在庫を確保しておく。
- ●他の仕入ルートを確保しておく。

## 在庫ロスをなくす方法

### 納品までのタイムロスを把握する

- ●商品を発注してから納品されるまでの期間を計算する。
- ●この期間は仕入先の所在地や生産方法などの違いによりさまざま。できる限り正確に把握して発注のタイミングを誤らないようにする。

### 直送ルートを確保する

- ●仕入先からお客さまへ直送できるしくみを確保しておく。

### 近隣の同業者と提携する

- ●近隣の同じ商品を扱っている業者との間で提携関係を結び、商品を借りるか仕入原価に近い価格で販売してもらう。

### 発注カードを活用する

- ●たとえば残り数が5のところに発注カードを入れておく。

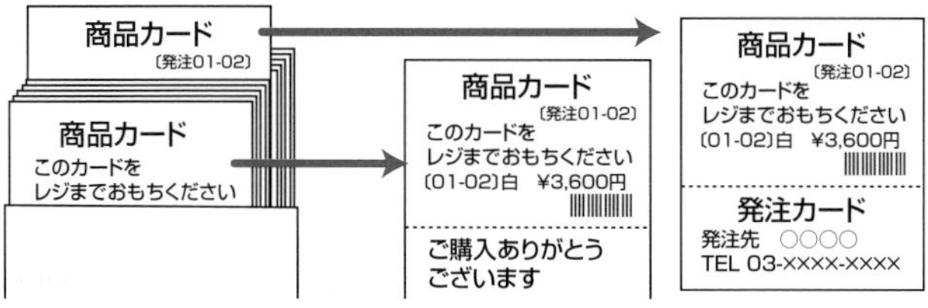

申告書の提出

# 税金の申告書を作成する

## 申告書の提出は強制事項

会社は毎年、事業年度が終了してから**2か月以内に、法人税、住民税、事業税、消費税などの各種申告書を作成して提出**しなければなりません。これらの申告書の提出をしなければ、無申告加算税や延滞税が通常の税金に上乗せしてかかります。

これらの税金のうち、消費税は課税事業者でなければ、申告する必要はありませんが、それ以外の税金については、たとえ**赤字であっても期限までに提出**しなければいけないルールになっています。

## 申告書は控えも作成する

法人税などの**申告書は、金融機関から融資を受けるためには、必ず必要な書類**となります。税務署などに提出する申告書はそれとは別に控え用のものを作成します。e-Taxなどで申告書を電子送信する場合には、税務署から送信される「メール詳細」を打ち出して保存します。このメール詳細には申告書を送信して提出した日付や時刻が記載されているので、期限内に申告書を提出した証になります。

この控用の書類は融資を受ける際の書面審査に使われたり、コピーの提出を求められたりするので、**たいせつに保管する**ようにしましょう。

## 申告書作成はプロに依頼する

税金の申告は、それほど大きな動きがない会社であれば自分でも作成することができますが、会社の規模が大きくなるにつれて、その計算もどんどん複雑になっていきます。

また、さまざまな特例が適用できるにもかかわらず、それを適用しなければ、支払う税金もどんどん高額になります。

税金の計算は、**正しい納税のためにも税理士に依頼して申告**してもらうことをおすすめします。

**Point 1** 税金の申告書は事業年度終了後2か月以内に提出する。

**Point 2** 控用の申告書も必要。

**Point 3** 事業規模の拡大とともに税金の計算は複雑になる。

**COLUMN**

**申告＝信用**

申告書に書かれた内容に不備があるときには税務調査などが入りやすくなります。違和感のある申告書はその内容に誤りがあったり、脱税していたりすることが多いからです。
また、税金の申告を軽視している事業者は、他の事業者から嫌われたり信用されなくなるので、知らず知らずの間に真面目な取引先は去っていきます。会社を大きくしたければ、税金の計算は慎重に、かつ誠実な正しい申告を心がける必要があります。

# 各事業年度の所得に係る申告書～別表一

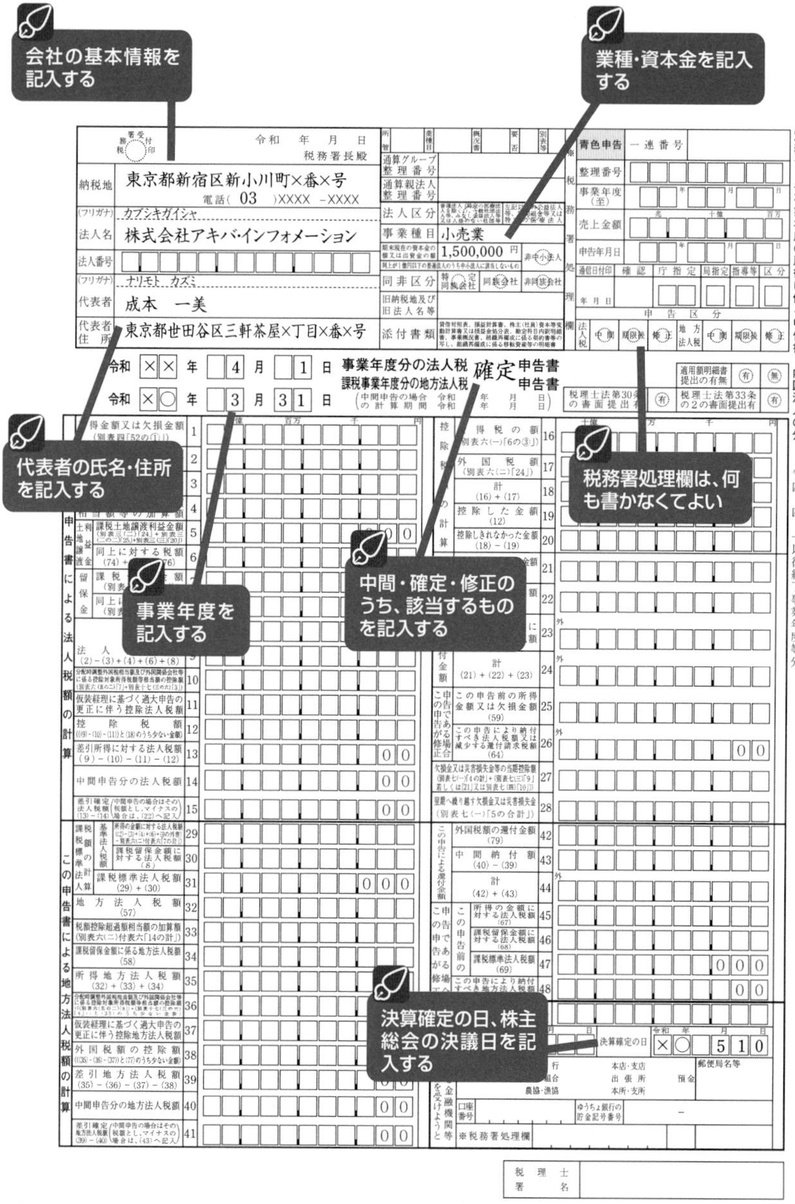


※法人税申告書のメインとなる申告書。244ページの別表四で算出した所得金額を記載して納付すべき法人税額を算出する。
※基本的な法人税申告書は、この用紙だけでなく、別表一～十六とさまざまある。

# 別表一　次葉

別表一の該当箇所から数値を転記して法人税の計算をする

事業年度を記入する

会社の名称を記入する。「株式会社」は「(株)」と略称しても可

別表一の該当箇所から数値を転記して地方法人税の計算をする

法人税の計算ができたら、別表一の該当箇所に数値を転記する

| 事業年度等 | ××. 4 . 1<br>×○ 3・31 | 法人名 | (株)アキバインフォメーション |
|---|---|---|---|

別表一次葉 …以後終了事業年度等分

| 法人税額の計算 | | | | | |
|---|---|---|---|---|---|
| (1) のうち中小法人等の年800万円相当額以下の金額<br>((1)と800万円×$\frac{}{12}$のうち少ない金額)又は(別表一付表「5」) | 49 | 000 | (49) の15%又は19%相当額 | 52 | |
| (1) のうち特例税率の適用がある協同組合等の年10億円相当額を超える金額<br>(1) −10億円×$\frac{}{12}$ | 50 | 000 | (50) の 22% 相当額 | 53 | |
| その他の所得金額<br>(1) − (49) − (50) | 51 | 000 | (51) の19%又は23.2%相当額 | 54 | |

| 地方法人税額の計算 | | | | | |
|---|---|---|---|---|---|
| 所得の金額に対する法人税額<br>(29) | 55 | 000 | (55) の 10.3 % 相当額 | 57 | |
| 課税留保金額に対する法人税額<br>(30) | 56 | 000 | (56) の 10.3 % 相当額 | 58 | |

| この申告が修正申告である場合の計算 | | | | | | | | |
|---|---|---|---|---|---|---|---|---|
| 法人税額の計算 | この申告前の | 所得金額又は欠損金額 | 59 | | 地方法人税額の計算 | この申告前の | 所得の金額に…法人税… | |
| | | …額 | 60 | | | | 課税留保金額に…法人税… | |
| | | …額 | 61 | | | | 課税標準法…<br>(67) + (6… | |
| | | 法人税額 | 62 | | | | 確定地方法人税額 | 70 |
| | | 還付金額 | 63 | 外 | | | 還付金額 | 71 |
| | この申告により納付すべき法人税額又は減少する還付請求税額<br>((15)−(62))若しくは((15)+(63))又は((63)−(24)) | | 64 | 外 00 | | | 欠損金の繰戻しによる還付金額 | 72 |
| | この申告前の | 欠損金又は災害損失金等の当期控除額 | 65 | | | この申告により納付すべき地方法人税額<br>((41) − (70)) 若しくは ((41) + (71) + (72)) 又は (((71) − (44)) + ((72) − (44 の外書))) | | 73 00 |
| | | 翌期へ繰り越す欠損金又は災害損失金 | 66 | | | | | |

| 土地譲渡税額の内訳 | | | | | |
|---|---|---|---|---|---|
| 土地譲渡税額<br>(別表三（二）「27」) | 74 | 0 | 土地譲渡税額<br>(別表三（三）「23」) | 76 | 00 |
| 同上<br>(別表三（二の二）「28」) | 75 | 0 | | | |

| 地方法人税額に係る外国税額の控除額の計算 | | | | | |
|---|---|---|---|---|---|
| 外国税額<br>(別表六(二)「57」) | 77 | | 控除しきれなかった金額<br>(77) − (78) | 79 | |
| 控除した金額<br>(38) | 78 | | | | |

※前ページの別表一に記載した所得金額や基準法人税額を記載して法人税額や地方法人税額を算出する。
※基本的な法人税申告書は、この用紙だけでなく、別表一〜十六とさまざまある。

# 同族会社等の判定に関する明細書　別表二

下の上位3順位の株式数などによって、同族会社等の判定をする

事業年度を記入する

| 事業年度又は連結事業年度 | ××． 4 ・ 1<br>×○． 3 ． 31 | 法人名 | (株)アキバ・インフォメーション | 別表二 |
|---|---|---|---|---|

会社の名称を記入する。「株式会社」は「(株)」と略称しても可

判定結果により該当するものに○をつける

| | | | | | | | |
|---|---|---|---|---|---|---|---|
| 同族会社の判定 | 期末現在の発行済株式の総数又は出資の総額 | 1 | 内 | 特定同族会社の判定 | (21)の上位1順位の株式数又は出資の金額 | 11 | |
| | (19)と(21)の上位3順位の株式数又は出資の金額 | 2 | | | 株式数等による判定 (11)/(1) | 1 | |
| | 株式数等による判定 (2)/(1) | 3 | % | | (22)の上位1順位の議決権の数 | 1 | |
| | 期末現在の議決権の総数 | 4 | 内 | | 議決権の数による判定 (13)/(4) | 14 | % |
| | (20)と(22)の上位3順位の議決権の数 | 5 | | | (21)の社員の1人及びその同族関係者の合計人数のうち最も多い数 | 15 | |
| | 議決権の数による判定 (5)/(4) | 6 | % | | 社員の数による判定 (15)/(7) | 16 | |
| | 期末現在の社員の総数 | 7 | | | 特定同族会社の判定割合 ((12)、(14)又は(16)のうち最も高い割合) | 17 | |
| | 社員の3人以下及びこれらの同族関係者の合計人数のうち最も多い数 | 8 | | | | | |
| | 社員の数による判定 (8)/(7) | 9 | % | 判定結果 | | 18 | 特定同族会社<br>同族会社<br>非同族会社 |
| | 同族会社の判定割合 ((3)、(6)又は(9)のうち最も高い割合) | 10 | | | | | |

判定基準となる株主等の株式数等の明細

| 順位 | | 判定基準となる株主（社員）及び同族関係者 | | 判定基準となる株主等との続柄 | 株式数又は出資の金額等 | | | |
|---|---|---|---|---|---|---|---|---|
| | | | | | 被支配会社でない法人株主等 | | その他の株主等 | |
| 株式数等 | 議決権数 | 住所又は所在地 | 氏名又は法人名 | | 株式数又は出資の金額 | 議決権の数 | 株式数又は出資の金額 | 議決権の数 |
| | | | | | 19 | | 21 | 22 |
| | | | | 本人 | | | | |
| | | | | | | | | |
| | | | | | | | | |
| | | | | | | | | |
| | | | | | | | | |
| | | | | | | | | |
| | | | | | | | | |
| | | | | | | | | |
| | | | | | | | | |
| | | | | | | | | |
| | | | | | | | | |
| | | | | | | | | |
| | | | | | | | | |

グループごとの代表株主を本人とし、その者との続柄を記載する

株主の住所や氏名、株式数など、大株主から順位を付して記載する

※株主の保有する持ち株数や議決権の数により、同族会社等であるかどうかを判定する。
※同族会社に該当すれば、留保金課税など、さまざまな法人税上の制約がある。
※基本的な法人税申告書は、この用紙だけでなく、別表一～十六とさまざまある。

# 所得の金額の計算に関する明細書（簡易様式）～別表四

事業年度を記入する

所得の金額の計算に関する明細書（簡易様式）

| 事業年度 | ××・4・1<br>×○・3・31 | 法人名 | （株）アキバ・インフォメーション |
|---|---|---|---|

別表四（簡易様式）令四・四・
度分

**御注意**

1 沖縄の認定法人の課税の特例等の規定の適用を受ける法人にあっては、別様式による別表四を御使用ください。

2 「52」の「①」欄の金額は、「②」欄の金額に「③」欄の本書の金額を加算し、これから「※」の金額を加減算した額と符合することになります。

| | 区分 | | 総額 | 処分 留保 | 社外流出 | ③ |
|---|---|---|---|---|---|---|
| | 当期利益又は当期欠損の額 | 1 | | 円 | 配当 | 円 |
| | | | | | その他 | |
| 加算 | 損金経理をした法人税及び地方法人税（附帯税を除く。） | 2 | | | | |
| | 損金経理をした道府県民税及び市町村民税 | 3 | | | | |
| | 損金経理をした納税充当金 | 4 | | | | |
| | 損金経理をした附帯税（利子税を除く。）、加算金、延滞金（延納分を除く。）及び過怠税 | 5 | | | | |
| | 減価償却の償却超過額 | 6 | | | | |
| | 役員給与の損金不算入額 | 7 | | | | |
| | 交際費等の損金不算入額 | 8 | | | その他 | |
| | 通算法人に係る加算額（別表四付表「5」） | 9 | | | 外※ | |
| | | 10 | | | | |
| | | | | | | |
| | | | | | | |
| | | | | | | |
| | 小計 | 11 | | | 外※ | |
| 減算 | 減価償却超過額の当期認容額 | 12 | | | | |
| | 納税充当金から支出した事業税等の金額 | 13 | | | | |
| | 受取配当等の益金不算入額（別表八（一）「13」又は「26」） | 14 | | | ※ | |
| | 外国子会社から受ける剰余金の配当等の益金不算入額（別表八（二）「26」） | 15 | | | ※ | |
| | 受贈益の益金不算入額 | 16 | | | ※ | |
| | 適格現物分配に係る益金不算入額 | 17 | | | ※ | |
| | 法人税等の中間納付額及び過誤納に係る還付金額 | 18 | | | | |
| | 所得税額等及び欠損金の繰戻しによる還付金額等 | 19 | | | ※ | |
| | 通算法人に係る減算額（別表四付表「10」） | 20 | | | ※ | |
| | | 21 | | | | |
| | | | | | | |
| | | | | | | |
| | | | | | | |
| | 小計 | 22 | | | 外※ | |
| | 仮計（1）＋（11）－（22） | 23 | | | 外※ | |
| | 対象純支払利子等の損金不算入額（別表十七（二の二）「29」又は「34」） | 24 | | | その他 | |
| | 超過利子額の損金算入額（別表十七（二の三）「10」） | 25 | △ | | ※ | △ |
| | 仮計（（23）から（25）までの計） | 26 | | | 外※ | |
| | 寄附金の損金不算入額（別表十四（二）「24」又は「40」） | 27 | | | その他 | |
| | 法人税額から控除される所得税額（別表六（一）「6の③」） | 29 | | | その他 | |
| | 税額控除の対象となる外国法人税の額（別表六（二の二）「7」） | 30 | | | その他 | |
| | 分配時調整外国税相当額及び外国関係会社等に係る控除対象所得税額等相当額（別表六（五の二）「5の②」＋別表十七（三の六）「1」） | 31 | | | その他 | |
| | 合計（26）＋（27）＋（29）＋（30）＋（31） | 34 | | | 外※ | |
| | 中間申告における繰戻しによる還付に係る災害損失欠損金額の益金算入額 | 37 | | | ※ | |
| | 非適格合併又は残余財産の全部分配等による移転資産等の譲渡利益額又は譲渡損失額 | 38 | | | ※ | |
| | 差引計（34）＋（37）＋（38） | 39 | | | | |
| | 更生欠損金又は民事再生等評価換えが行われる場合の再生等欠損金の損金算入額（別表七（三）「9」又は「21」） | 40 | △ | | | |
| | 通算対象欠損金額の損金算入額又は通算対象所得金額の益金算入額（別表七の三「5」又は「11」） | 41 | | | | |
| | 差引計（39）＋（40）±（41） | 43 | | | | |
| | 欠損金又は災害損失金等の当期控除額（別表七（一）「4の計」＋別表七（四）「10」） | 44 | △ | | ※ | △ |
| | 総計（43）＋（44） | 45 | | | 外※ | |
| | 残余財産の確定の日の属する事業年度に係る事業税及び特別法人事業税の損金算入額 | 51 | △ | △ | | |
| | 所得金額又は欠損金額 | 52 | | | | |

損益計算書の税引後当期利益を記入する

会社の名称を記入する。「株式会社」は「（株）」と略称しても可

加算調整すべき金額を記入する

減算調整すべき金額を記入する

加算・減算調整すべき金額を記入する

当期利益 ＋ 加算 － 減算 ＝ 所得金額
赤字のときは△（マイナス）で表示する

別表一へ転記する

※損益計算書で算出した税引後当期利益を1欄に記載する。法人税上のルールに従い税務調整すべき金額があれば、その金額を記載し加減算して所得金額を算出する。

※基本的な法人税申告書は、この用紙だけでなく、別表一～十六とさまざまある。

# 利益積立金額及び資本金等の額の計算に関する明細書〜別表五（一）

利益積立金額及び資本金等の額の計算に関する明細書

| 事業年度 | ××・4・1<br>×○・3・31 | 法人名 | (株)アキバ・インフォメーション |
|---|---|---|---|

別表五(一)　令四…了事業年度分

事業年度を記入する

会社の名称を記入する。「株式会社」は「(株)」と略称しても可

この表は、通常の場合には次の算式により検算ができます。
期首現在利益積立金額合計「31」① ＋ 別表四留保所得金額又は欠損金額「52」 − 中間分・確定分の法人税等、道府県民税及び市町村民税の合計額 ± 中間分・確定分の通算税効果額の合計額 ＝ 差引翌期首現在利益積立金額合計「31」④

I　利益積立金額の計算に関する明細書

| 区分 | | 期首現在利益積立金額 ① | 当期の増減 減 ② | 当期の増減 増 | 差引翌期首現在利益積立金額 ①−②+③ |
|---|---|---|---|---|---|
| 利益準備金 | 1 | 円 | 円 | | |
| 積立金 | 2 | | | | |
| | 3 | | | | |
| | 4 | | | | |
| | 5 | | | | |
| | 6 | | | | |
| | 7 | | | | |
| | 8 | | | | |
| | 9 | | | | |
| | 10 | | | | |
| | 11 | | | | |
| | 12 | | | | |
| | 13 | | | | |
| | 14 | | | | |
| | 15 | | | | |
| | 16 | | | | |
| | 17 | | | | |
| | 18 | | | | |
| | 19 | | | | |
| | 20 | | | | |
| | 21 | | | | |
| | 22 | | | | |
| | 23 | | | | |
| | 24 | | | | |
| 繰越損益金（損は赤） | 25 | | | | |
| 納税充当金 | 26 | | | | |
| 未納法人税等（退職年金等積立金に対するものを除く。） 未納法人税及び未納地方法人税（附帯税を除く。） | 27 | △ | △ | 中間 △<br>確定 △ | △ |
| 未納法人税等 未払通算税効果額（附帯税の額に係る部分の金額を除く。） | 28 | | | 中間<br>確定 | |
| 未納法人税等 未納道府県民税（均等割額を含む。） | 29 | △ | | 中間 △<br>確定 △ | △ |
| 未納法人税等 未納市町村民税（均等割額を含む。） | 30 | △ | △ | 中間 △<br>確定 △ | △ |
| 差引合計額 | 31 | | | | |

税務上の利益積立金額の増減を記入する

記載事項には会社の貸借対照表に記載されているものと税務上の増減を記入すべきものがある

税金（法人税や住民税）の増減を記入する

II　資本金等の額の計算に関する明細書

| 区分 | | 期首現在資本金等の額 | 当期の増減 減 ② | 当期の増減 増 ③ | 差引翌期首現在資本金等の額 ①−②+③ ④ |
|---|---|---|---|---|---|
| 資本金又は出資金 | 32 | | 円 | 円 | 円 |
| 資本準備金 | 33 | | | | |
| | 34 | | | | |
| | 35 | | | | |
| 差引合計額 | 36 | | | | |

税務上の資本金、資本積立金額の増減を記入する

※利益積立金額、資本金、資本積立金額などを記載する申告書。貸借対照表の純資産の部に記載された金額だけでなく、貸借対照表上の資産、負債の金額と税務上の金額に差異があればその金額も記載する。
※基本的な法人税申告書は、この用紙だけでなく、別表一〜十六とさまざまある。

# 租税公課の納付状況等に関する明細書～別表五（二）

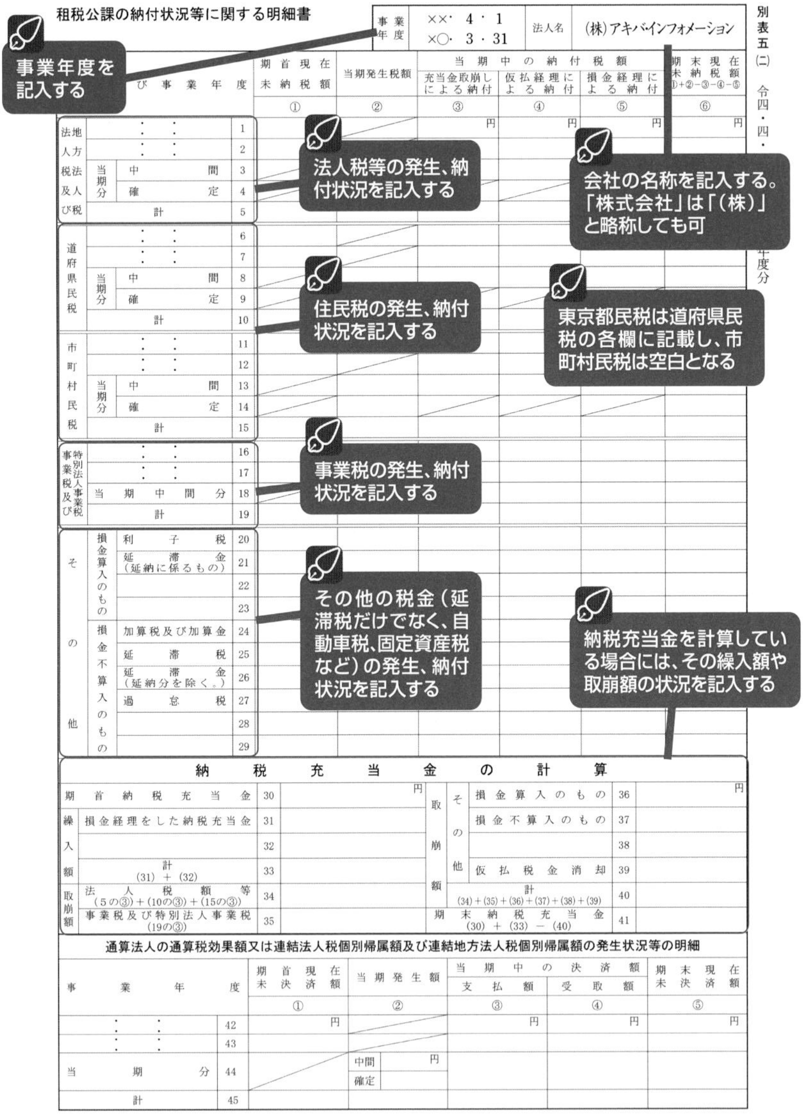


租税公課の納付状況等に関する明細書

| 事業年度 | ××・4・1<br>×○・3・31 | 法人名 | (株)アキバインフォメーション |
|---|---|---|---|

別表五(二)　令四・四・ … 年度分

| び事業年度 | | 期首現在未納税額 ① | 当期発生税額 ② | 当期中の納付税額 充当金取崩しによる納付 ③ | 仮払経理による納付 ④ | 損金経理による納付 ⑤ | 期末現在未納税額 ①+②−③−④−⑤ ⑥ |
|---|---|---|---|---|---|---|---|
| 法人税及び地方法人税　・　・ | 1 | | | 円 | 円 | 円 | 円 |
| 　・　・ | 2 | | | | | | |
| 当期分　中間 | 3 | | | | | | |
| 当期分　確定 | 4 | | | | | | |
| 計 | 5 | | | | | | |
| 道府県民税　・　・ | 6 | | | | | | |
| 　・　・ | 7 | | | | | | |
| 当期分　中間 | 8 | | | | | | |
| 当期分　確定 | 9 | | | | | | |
| 計 | 10 | | | | | | |
| 市町村民税　・　・ | 11 | | | | | | |
| 　・　・ | 12 | | | | | | |
| 当期分　中間 | 13 | | | | | | |
| 当期分　確定 | 14 | | | | | | |
| 計 | 15 | | | | | | |
| 事業税及び特別法人事業税　・　・ | 16 | | | | | | |
| 　・　・ | 17 | | | | | | |
| 当期中間分 | 18 | | | | | | |
| 計 | 19 | | | | | | |
| その他　損金算入のもの　利子税 | 20 | | | | | | |
| 延滞金（延納に係るもの） | 21 | | | | | | |
| | 22 | | | | | | |
| | 23 | | | | | | |
| 損金不算入のもの　加算税及び加算金 | 24 | | | | | | |
| 延滞税 | 25 | | | | | | |
| 延滞金（延納分を除く。） | 26 | | | | | | |
| 過怠税 | 27 | | | | | | |
| | 28 | | | | | | |
| | 29 | | | | | | |

納税充当金の計算

| | | | | | |
|---|---|---|---|---|---|
| 期首納税充当金 | 30 | 円 | 取崩額　その他　損金算入のもの | 36 | 円 |
| 繰入額　損金経理をした納税充当金 | 31 | | 損金不算入のもの | 37 | |
| | 32 | | | 38 | |
| 計 (31)＋(32) | 33 | | 仮払税金消却 | 39 | |
| 取崩額　法人税額等 (5の③)＋(10の③)＋(15の③) | 34 | | 計 (34)＋(35)＋(36)＋(37)＋(38)＋(39) | 40 | |
| 事業税及び特別法人事業税 (19の③) | 35 | | 期末納税充当金 (30)＋(33)−(40) | 41 | |

通算法人の通算税効果額又は連結法人税個別帰属額及び連結地方法人税個別帰属額の発生状況等の明細

| 事業年度 | | 期首現在未決済額 ① | 当期発生額 ② | 当期中の決済額 支払額 ③ | 受取額 ④ | 期末現在未決済額 ⑤ |
|---|---|---|---|---|---|---|
| 　・　・ | 42 | 円 | | 円 | 円 | 円 |
| 　・　・ | 43 | | | | | |
| 当期分 | 44 | | 中間　円<br>確定 | | | |
| 計 | 45 | | | | | |

※租税公課の納付状況等を記載する申告書。法人税や住民税その他の租税公課で、当事業年度中に発生した金額、納付した金額などをそれぞれ記載する。
※基本的な法人税申告書は、この用紙だけでなく、別表一～十六とさまざまある。

# 交際費等の損金算入に関する明細書～別表十五

事業年度を記入する

際費等の損金算入に関する明細書

| 事業年度 | ××・4・1<br>×○・3・31 | 法人名 | (株)アキバ・インフォメーション | 別表十五 |
|---|---|---|---|---|

| | | | | | |
|---|---|---|---|---|---|
| 支出交際費等の額<br>(8の計) | 1 | 円 | 損金算入限度額<br>(2)又は(3) | 4 | 円 |
| 支出接待飲食費損金算入基準額<br>(9の計)×$\frac{50}{100}$ | 2 | | | | |
| 中小法人等の定額控除限度額<br>((1)と((800万円×$\frac{}{12}$)又は(別表十五付表「5」))のうち少ない金額) | 3 | | 損金不算入額<br>(1)－(4) | 5 | |

支出交際費等の額の明細

| 科目 | 支出額 | 交際費等の額から控除される費用の額 | 差引交際費等の額 | (8)のうち接待飲食費の額 |
|---|---|---|---|---|
| | 6 | 7 | 8 | 9 |
| 交際費 | 円 | 円 | 円 | 円 |
| | | | | |
| | | | | |
| | | | | |
| | | | | |
| | | | | |
| | | | | |
| | | | | |
| | | | | |
| | | | | |
| | | | | |
| 計 | | | | |

令四・四・一以後終了事業年度分

下記6～9に記入した金額を基にして、税務上費用として認められない金額をこの欄を使用して計算する

会社の名称を記入する。「株式会社」は「(株)」と略称しても可

税務上の支出交際費に該当するものを算出するために、この欄を使用して計算する

8のうちに接待飲食費があれば抜き出して9に書く

※交際費等の支出がある場合に提出が必要となる申告書。ここで損金不算入となった金額は別表四に転記され損金不算入として加算調整をする。

※基本的な法人税申告書は、この用紙だけでなく、別表一～十六とさまざまある。

# 消費税申告書（原則課税用）

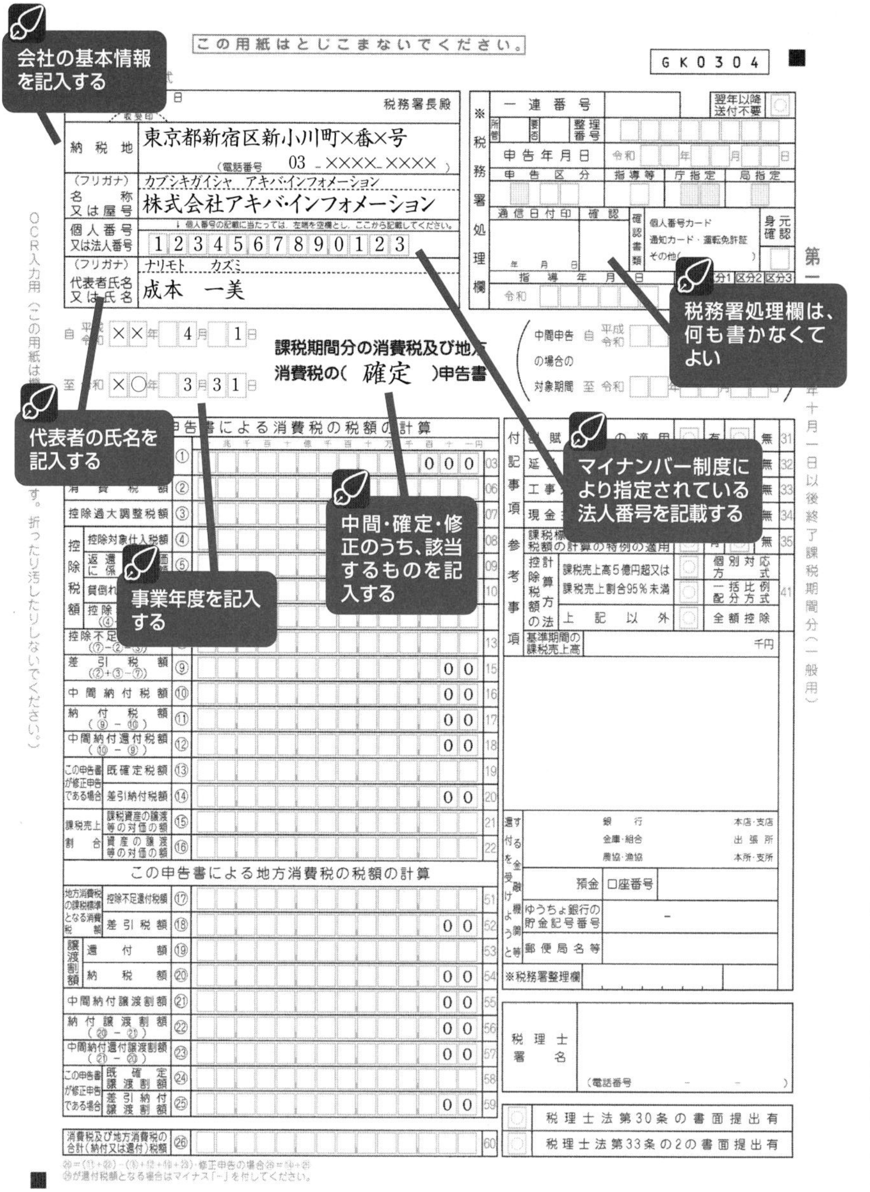


※消費税の計算方法について、原則課税を選択している事業者はこの申告書を使用する。
※簡易課税を選択している事業者であっても、基準期間の課税売上高が5,000万円を超えた場合には、この申告書を使用して原則課税で申告しなければならない。

# 消費税申告書（簡易課税用）

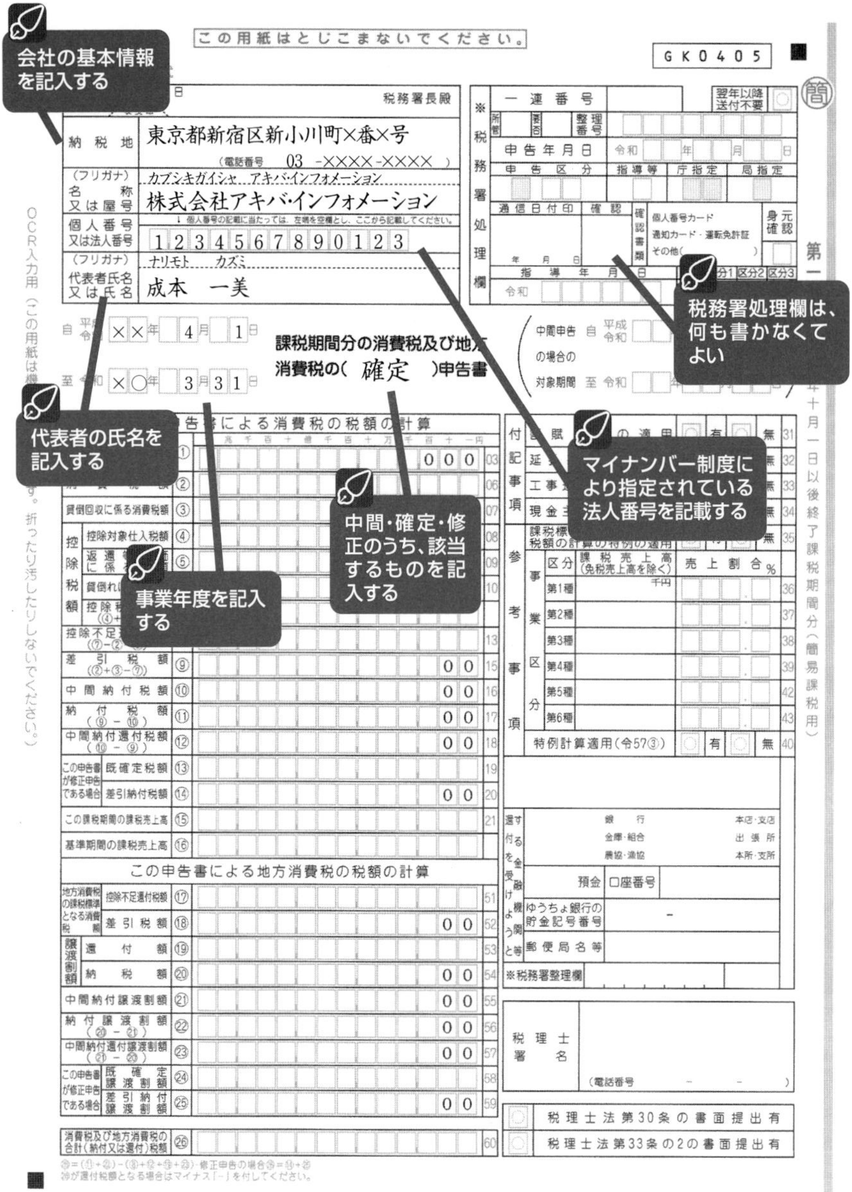


※消費税の計算方法について、簡易課税を選択している事業者はこの申告書を使用する。
※簡易課税を選択している事業者であっても、基準期間の課税売上高が5,000万円を超えた場合には、この申告書は使用できない。前ページの原則課税用の申告書で申告しなければならない。

## 設立までのスケジュール（日程確認チェック表）

| チェック | 日　付 | | 参照ページ |
|---|---|---|---|
| | ／ | 会社の概要（基本事項）を決める | 74 |
| | ／ | 商号の調査 | 76 |
| | ／ | 事業目的を確認（法務局、許認可の予定がある場合は許認可監督官庁） | 78 |
| | ／ | 会社の印鑑の作成 | 52 |
| | ／ | 個人の実印作成、印鑑登録 | 50、51 |
| | ／ | 個人の印鑑証明書を取得 | 50、51 |
| | ／ | 定款の作成 | 86～93 |
| | ／ | 定款に押印 | 89、93 |
| | ／ | 定款の認証（公証人役場） | 94 |
| | ／ | 資本金の払込み（銀行） | 100 |
| | ／ | 取締役等による資本金（出資）払込みについての調査 | 126 |
| | ／ | 登記関係書類の作成 | 110～123 |
| | ／ | 登記関係書類に押印 | 112、113<br>119～123 |
| | ／ | 登記申請（法務局） | 126 |
| | ／ | 登記事項証明書、印鑑証明書の取得（法務局） | 130～135 |

**予定の日付を記載し、終わったものからチェックしていきましょう**

## 設立までの書類チェック表

| チェック | 書類の名称 | 通数 他 | 参照ページ |
|---|---|---|---|
| 《定款認証のための書類》 | | | |
| | 発起人個人の印鑑証明書 | 各1通 | 50、51 |
| | 定款 | 3通 | 87～89<br>91～93 |
| | 委任状(定款認証に欠席する発起人がいる場合) | 各1通 | 99 |
| | 実質的支配者となるべき者の申告書 | 1通 | 97 |
| | 収入印紙 | 4万円分 | 95 |
| 《登記申請のための書類》 | | | |
| | 登記申請書 | 1通 | 112、113 |
| | 別紙の作成 | 1通 | 114～116 |
| | 印鑑届書 | 1通 | 123 |
| | 定款謄本(認証済のもの) | 1通 | ー |
| | 発起人の決定書 | 1通 | 119 |
| | 設立時取締役、設立時監査役の就任承諾書※1 | 各1通 | 120 |
| | 選定書※2 | 1通 | 122 |
| | 設立時代表取締役の就任承諾書 | 1通 | 120 |
| | 印鑑証明書※3 | 各1通 | 50、51 |
| | 本人確認証明書 | 1通 | 107 |
| | 出資の払込みを証する証明書<br>(証明書と銀行通帳コピー) | 1通 | 101 |
| | 資本金の額の計上に関する証明書※4 | 1通 | 121 |
| | 収入印紙<br>(資本金の1,000分の7で計算した金額、最低15万円) | 金額分 | 117 |

※1:設立時監査役の就任承諾書は監査役を置く場合のみ。
※2:取締役会設置会社が代表取締役を選定した場合。
※3:設立時取締役全員。取締役会設置会社は設立時代表取締役。
※4:現物出資がある場合は必要。

**準備したものからチェックしていきましょう**

## 会社設立後の届出書類チェック表

| チェック | 書類の名称 | 参照ページ |
|---|---|---|
| 《税務署への届出》 | | |
| | 法人設立届出書★ | 144 |
| | 青色申告の承認申請書（注） | 146 |
| | 給与支払事務所等の開設届出書※ | 147 |
| | 源泉所得税の納期の特例の承認に関する申請書 | 149 |
| | 減価償却資産の償却方法の届出書 | 150 |
| | 棚卸資産の評価方法の届出書 | 151 |
| | 消費税課税事業者選択届出書※ | 152 |
| | 消費税簡易課税制度選択届出書※ | 153 |
| 《都道府県税事務所への届出》 | | |
| | 法人設立届出書★ | 159 |
| 《市町村役場への届出》（東京23区内の場合は不要） | | |
| | 法人設立届出書※ | 159 |
| 《労働基準監督署への届出》 | | |
| | 保険関係成立届★ | 172 |
| | 概算保険料申告書★ | 173 |
| 《ハローワークへの届出》 | | |
| | 適用事業所設置届★ | 174、175 |
| | 資格取得届★ | — |
| | 保険関係成立届★<br>（労働基準監督署に受け付けてもらった後のもの） | — |
| 《年金事務所への届出》 | | |
| | 新規適用届★ | 178 |
| | 事業所付近略図（専用用紙がなければ白紙に記載）★ | — |
| | 被保険者資格取得届★ | 179 |
| | 被扶養者（異動）届※ | 179 |
| | 保険料口座振替納付申出書 | — |

★印は必ず提出する書類
※印は必要に応じて提出する書類
無印は任意提出の書類

**準備したものからチェックしていきましょう**

（注）青色申告の承認申請書は任意提出ですが、提出しておくほうがいいでしょう。

INDEX

## あ



## か

## さ



## た

小谷羊太（こたに ようた）
税理士
税理士法人小谷会計 代表社員
**主な著書**
「実務で使う 法人税の減価償却と耐用年数表」清文社
「実務で使う 法人税の耐用年数の調べ方・選び方」清文社
「法人税申告書の『つながり』がよくわかる本」清文社
「法人税と所得税をうまく使いこなす 法人成り・個人成りの実務」清文社
「法人・個人のための インボイス制度と消費税の実務」清文社
「法人税申告書の書き方がわかる本」日本実業出版社
「法人税申告のための決算の組み方がわかる本」日本実業出版社

岡本 和弘（おかもと かずひろ）
特定社会保険労務士／人事労務コンサルタント
アンドディー（社会保険労務士事務所） 代表
URL：https://www.and-pd.jp/
学校法人 誠優学園 理事

板倉はるみ（いたくら はるみ）
司法書士
はるかぜ総合司法書士事務所共同代表
京都司法書士会所属
主な著書
「新しい事業承継対策と実務手続」清文社（編著）

佐藤善恵（さとう よしえ）
税理士
**主な著書**
「仮想通貨をめぐる法律・税務・会計」（共著）ぎょうせい
「Q&A税務調査・税務判断に役立つ裁判・審査請求読本」清文社
「判例裁決から見る加算税の実務」税務研究会出版局
「社長のギモンに答える法人税相談室」清文社

カバーデザイン●コマンド・ジー・デザイン
本文デザイン●今井 悦子（有限会社MET）
イラスト●ひろい まきこ
DTP●ライトサプライ
編集協力●小松プロジェクト
企画編集●成美堂出版編集部（原田 洋介・池田 秀之）

本書に関する正誤等の最新情報は、下記のURLをご覧ください。
https://www.seibidoshuppan.co.jp/support/

※上記アドレスに掲載されていない箇所で、正誤についてお気づきの場合は、書名・発行日・質問事項・氏名・住所・FAX番号を明記の上、成美堂出版まで郵送またはFAXでお問い合わせください。お電話でのお問い合わせは、お受けできません。
※法律相談等は行っておりません。
※本書の正誤に関するご質問以外はお受けできません。
※内容によっては、ご質問をいただいてから回答を郵送またはFAXで発送するまでお時間をいただく場合もございます。
※ご質問の受付期限は、2025年6月末到着分までとさせていただきます。ご了承ください。

**株式会社のつくり方と運営 '24～'25年版**

2024年8月10日発行

共　著　小《こ》谷《たに》羊《よう》太《た》　板倉《いたくら》はるみ　佐《さ》藤《とう》善《よし》恵《え》　岡《おか》本《もと》和《かず》弘《ひろ》
発行者　深見公子
発行所　成美堂出版
〒162-8445　東京都新宿区新小川町1-7
電話(03)5206-8151　FAX(03)5206-8159
印　刷　広研印刷株式会社


ISBN978-4-415-33446-2
落丁･乱丁などの不良本はお取り替えします
定価はカバーに表示してあります